KIDNAPPING
& LOSGELD

SJERP JAARSMA

KIDNAPPING & LOSGELD

MET DE ONTVOERINGEN VAN O.A.

CHARLES LINDBERGH JR. - TOOS VAN DER VALK - PAUL VANDEN BOEYNANTS
FRANK SINATRA JR. - GERRIT JAN HEIJN - RICHARD OETKER - MAURITS CARANSA
FREDDY HEINEKEN - ANTHONY DE CLERCK - ERIC PEUGEOT - THEO 'ALDI' ALBRECHT

Auteur: Sjerp Jaarsma
Copyright © 2014: Sjerp Jaarsma / Just Publishers BV

Omslagontwerp: Ben Gross
Opmaak: Studio Spade, Voorthuizen
Auteursfoto: Herman Mous

ISBN 97890 8975 420 2

NUR 339

WWW.JUSTPUBLISHERS.NL

Inhoud

De Telegraaf van zaterdag 12 november 1983: de ontvoering van Peter R. de Vries.

Voorwoord

door Peter R. Vries

Van grasdroger tot ontvoeringsexpert...
Ruim dertig jaar geleden, op maandagavond 8 maart 1982, zo rond de klok van 21 uur, stond ik als 25-jarige misdaadverslaggever van *De Telegraaf* voor de hoofdingang van het station in Amersfoort te wachten op een afspraak. Hoewel de lente naderde, was het een koude avond en die nacht zou de temperatuur nog flink onder het vriespunt dalen. Ik had op het station afgesproken met een mij nog onbekende man, die ik tot dat moment alleen telefonisch had gesproken. Dit contact beweerde dat hij onthullende informatie had over de onopgeloste moord op platenproducer Bart van der Laar (36), die vijf maanden daarvoor in zijn villa in de Hilversumse Graaf Florisstraat was doodgeschoten.

Het misdrijf stond bekend als de 'showbizzmoord'. Van der Laar was producer geweest van onder meer de meidengroep Babe, zangeres Lenny Kuhr en zanger Benny Neyman. Het ging om een geruchtmakende moord en een tipgever die hier meer van wist, kon op mijn aandacht rekenen. Desnoods om negen uur 's avonds in Amersfoort. Ik was in die tijd een jonge, ambitieuze misdaadverslaggever en had bij *De Telegraaf* al wat aardige zaken en affaires op mijn naam staan. De oplossing van de 'showbizzmoord' voegde ik daar graag aan toe.

De man had in die eerste fase nogal geheimzinnig gedaan. Hij had niet zijn naam genoemd en na een eerste telefonisch contact moest ik een 'speurdertje' in de advertentiekolommen van de krant plaatsen om aan te geven dat ik akkoord was met zijn voorwaarden: absolute geheimhouding over zijn rol. Daarna had hij mij weer gebeld en gezegd dat ik die maandagavond om 21 uur voor het station in Amersfoort moest staan. Op mijn vraag hoe ik hem kon herkennen – want ik wist niets van hem – had de man geantwoord dat hij in een blauwe Peugeot 504 reed en daar keek ik dus naar uit.

Toen de man inderdaad arriveerde, wilde ik voorstellen om in mijn Golfje achter hem aan te rijden, maar hij zei: 'Nee joh, stap in... dan kunnen we onderweg vast praten, dat bespaart tijd.' Ik twijfelde heel even, weet ik nog. Ik kende de man niet. En waar gingen we eigenlijk naartoe? Maar tegelijkertijd zei ik tegen mezelf: 'Je wilt toch informatie... nou... hoor 'm aan dan, wat kan er nu gebeuren?'

Gelegenheid om even overleg te plegen met de krant of het thuisfront was er niet. In 1982 waren er nog geen mobiele telefoons of internet. Ik was als verslaggever uitgerust met een semafoon, waarmee ik 'opgepiept' kon worden door de krant, en dat werd toen beschouwd als een wonder der techniek.

En dus stapte ik in. Het ging om een ongeveer 50-jarige man, die meteen na het wegrijden begon te praten. Hij beweerde dat hij een professionele huurmoordenaar was en dat men hem voor de 'klus' in Hilversum had aangezocht. Hij had geweigerd, maar wist wel wie erachter zaten en wat het motief was. Daardoor liep hij ook gevaar, geen mens mocht weten dat hij gepraat had. Ik vond het een wat sterk verhaal dat een echte 'huurmoordenaar' dit allemaal aan mij zou vertellen, terwijl ik hem later zou kunnen herkennen, maar goed, tipgevers waren wel vaker vreemde snuiters...

Ik vroeg de man waar we naartoe gingen, maar kreeg daar geen duidelijk antwoord op: 'Dat zie je vanzelf wel.' Aan de verkeersborden zag ik dat we naar het noorden reden. Naarmate de rit langer duurde – we passeerden Zwolle – en de man naar mijn gevoel wat onsamenhangender begon te praten, en ik hem bovendien betrapte op tegenstrijdigheden in zijn verhaal, begon ik me ongemakkelijk te voelen. Er klopte iets niet. Juist toen ik wilde zeggen dat ik genoeg had van dat mysterieuze gedoe en we beter terug konden gaan, stopte de auto. Een tweede man stapte achterin, en de chauffeur trok een wapen met afgezaagde loop tevoorschijn en drukte dat tegen mijn hoofd: 'Je doet precies wat wij zeggen! En anders schiet ik je voor je kop, begrepen?!' Ik kreeg pleisters voor mijn ogen en mijn handen werden geboeid. Ik moest zo veel mogelijk onderuitzakken zodat passerende of tegemoetkomende automobilisten me niet konden zien.

Na een poosje eindigde de rit bij een boerderij, naar later bleek in Emmen. De twee mannen bonden me daar nog beter vast en ik kreeg brede pleisters over mijn mond om hulpgeroep te beletten. Terwijl ik verder werd geboeid, hield een van hen het wapen tegen mijn hoofd en zei: 'Geen gekke dingen doen, want hij gaat gemakkelijk af...' Mijn semafoon, die inmiddels al een paar keer had 'gepiept', gooiden de mannen in een emmer water. In de schuur van de boerderij werd ik op de bodem van een bestelbusje gelegd, tussen wat strobalen in. De mannen zeiden dat ik geen ontsnappingspogingen moest doen omdat de deuren van het busje van explosieven waren voorzien. Daarna hoorde ik een deur dichtslaan en een automotor starten. Ze waren vertrokken.

Ik was ontvoerd. Maar door wie? En waarom? Liggend op de bodem van de bus probeerde ik koortsachtig na te denken. Was dit misschien een politieke ontvoering, door bijvoorbeeld de gewelddadige Rote Armee Fraktion (RAF), die nogal actief was in die tijd en *De Telegraaf* ongetwijfeld als een verderfelijk kapitalistisch bolwerk zag? Of was ik misschien te ver gegaan in een van de misdaadzaken die ik in de krant had onthuld en was dit een wraakactie? Ik verweet mezelf dat ik op de redactie voor geen enkele 'back-up' had gezorgd bij deze afspraak, niemand wist waar ik precies was. Maar ja, aan de andere kant, wie verwacht nou dat een journalist wordt ontvoerd?

Terwijl ik daar gekneveld lag, raakte ik langzaam bevangen door de kou. Het vroor buiten. Op dat moment ging ik mezelf zorgen maken of dit wel goed zou aflopen. Wanneer zouden die gasten terugkomen? Hoe zou mijn vriendin reageren? Als ik zo rond twaalf uur niets van me had laten horen, zou ze zich ongetwijfeld zorgen maken. Was het al twaalf uur? Was zij het die me oppiepte? Ze wist dat ik een afspraak in Amersfoort had, maar verder had ik haar niet veel verteld. Er viel ook niet veel te vertellen. Ik wist zelf nauwelijks iets. En zouden ze op de krant al alarm hebben geslagen? Ik nam me voor scherp op geluiden te letten en elke bijzonderheid in me op te nemen, zodat ik later zo veel mogelijk zou kunnen vertellen.

Een paar uur later – het was inmiddels nacht – kwam de chauffeur terug. Hij haalde de pleisters van mijn mond en we raakten met elkaar in gesprek. 'Probeer op hem in te praten,' zo hield ik mezelf voor. 'Hoe persoonlijker dit wordt, hoe moeilijker hij het zal vinden je straks wat aan te doen.' En dus praatte ik letterlijk of mijn leven ervan afhing.

De man vertelde me dat het om een 'gewone' losgeldontvoering ging. Ze wilden *De Telegraaf* 2 miljoen gulden afpersen en hadden daarvoor de afgelopen weken allerlei voorbereidingen getroffen. Ze hadden de boerderij gehuurd en speciaal voor de ontvoering geprepareerd. De volgende ochtend zou ik naar een geblindeerde, geluidsdichte kamer worden gebracht, kondigde de man aan. Ik moest dan een geluidsbandje met losgeldeisen inspreken, dat bij de krant bezorgd zou worden. Het klinkt gek, maar dit stelde me wel enigszins gerust. Alles beter dan een politiek geëngageerde ontvoering door de RAF of de Rode Brigades, want die liepen vaak slecht af, zo wist ik. Ook het vooruitzicht van een verwarmde kamer met een matras klonk op de harde, koude bodem van die bestelbus ineens aantrekkelijk.

Tijdens het gesprek die nacht groeide mijn vertrouwen dat ik het er levend van af zou brengen. Deze mannen waren geen professionals, geen keiharde criminelen. Ze deden maar alsof. De ontvoerder gaf ongewild allerlei informatie prijs die hem later noodlottig kon worden. Toen ik had gezegd dat ik op het punt stond om te gaan trouwen en dat mijn verloofde nu wel ontzettend ongerust zou zijn, merkte ik dat dit hem iets deed en zei hij dat ik me niet te veel zorgen moest maken.

De volgende ochtend werd ik volkomen verkleumd en stijf de boerderij binnengebracht, waar inderdaad een matras op de grond lag in een verder verduisterde ruimte. Ik kreeg een kop koffie aangeboden, wat na die ijskoude nacht natuurlijk meer dan welkom was. Met trillende handen dronk ik 'm gretig op. Tot mijn verrassing zeiden de ontvoerders toen dat ze 'ermee zouden stoppen'. Ik schrok even: wat bedoelden ze daarmee? Stoppen waarmee? 'Ermee stoppen' kon immers ook betekenen dat ze mij om zeep zouden brengen. Maar het viel mee, zo bleek een paar seconden later: ze konden de spanningen die het misdrijf met zich meebracht niet aan en wilden het daarom niet doorzetten. Ze beloofden me terug te brengen naar het station van Amersfoort, waar mijn auto nog steeds stond.

Even later werd ik geboeid, maar niet meer geblinddoekt, in de blauwe Peugeot gezet. De medeplichtige zou de boerderij 'opruimen' en de sporen van mijn aanwezigheid uitwissen, terwijl de chauffeur – die in alles de leiding had – mij zou terugbrengen.

Onderweg kwam ik weer een beetje bij. Aan de verkeersborden zag ik dat we in de buurt van Emmen hadden gezeten. Ik probeerde markante punten in mijn geheugen op te slaan, zodat ik later de weg naar de boerderij zou kunnen terugvinden. De verwarming in de auto deed me goed. Ik vroeg me af waar hij mij precies zou loslaten; ik kon me niet voorstellen dat hij me keurig op de stoep voor de ingang van het station zou afzetten, zodat ik zijn kenteken nog even kon opnemen. Ondertussen keek ik hem goed aan, om een zo sterk mogelijk signalement te kunnen geven.

Na een poosje viel me op dat de chauffeur steeds slechter ging rijden; hij slingerde en kwam dikwijls op de rijbaan voor de tegenliggers terecht. We schampten bijna een vangrail. Toen hij niet veel later bijna recht op een tegemoetkomende vrachtwagen afreed, kon ik met mijn geboeide handen nog net op tijd een ruk aan het stuur geven. 'Wat doe je?!' schreeuwde ik. 'Wil je ons dood hebben?' Dat zou wat zijn: overleef je een ontvoering, maar word je op weg naar huis doodgereden... De chauffeur keek me van opzij aan, met lodderige ogen, en zei: 'Hé... Ben jij niet slaperig?' Ik antwoordde ontkennend, ik was klaarwakker. Waarop hij met dubbele tong zei: 'Oh... dan heb ik denk ik de verkeerde koffie gedronken... die met de slaapmiddelen.'

Wat bleek: de ontvoerders hadden mij willen drogeren en hadden slaapmiddelen in de koffie gedaan, zodat ze me geruisloos ergens konden dumpen, maar op een of andere manier hadden ze de bekertjes verwisseld en had de ontvoerder mijn dosis slaapmiddelen binnengekregen. Dat was nog eens wat je noemt 'koffie verkeerd'.

Ik dirigeerde de ontvoerder naar een parkeerplaats en zei daar dat ik het stuur wel zou overnemen. Hij vond het best en zakte ondertussen steeds verder weg. Toen we gestopt waren, kroop hij gehoorzaam op de achterbank en viel daar even later als een marmot in slaap. Wat een krankzinnig avontuur! Ik reed door richting Amersfoort en stopte bij een restaurant om de krant te bellen, waar men al dodelijk ongerust was. Die nacht had men alle ziekenhuizen en politiebureaus opgebeld om te vragen of ik soms een ongeluk had gehad. Toen er geen spoor gevonden kon worden, begon door te dringen dat er iets ernstigs was gebeurd. Er was net beraad wat men nu moest doen. Juist op dat moment belde ik zelf op, met het verhaal dat ik was ont-

voerd, maar dat mijn ontvoerder op de achterbank van de auto lag
te slapen!

De krant waarschuwde de politie en niet veel later kon ik mijn ontvoerder 'ronkend' afleveren en liep mijn koude, nachtelijke avontuur
toch nog goed af.

De ontvoerders waren de toen 49-jarige C.K., een reclameschilder
en gesjeesd brandkastenkraker uit Emmen, en de 26-jarige E.M. uit
Emmer-Compascuum. K. zat door allerlei tegenslagen in financiële
nood en hoopte met een kidnap een 'klapper' te maken. Omdat K.
nogal slecht ter been was, had hij het plan bedacht om iemand naar
hem toe te lokken, in plaats van het slachtoffer ergens te overmeesteren. Best slim. Die persoon was ik geweest. Toen hij mij op het
station in Amersfoort had zien staan wachten, had hij bij zichzelf
gedacht: 'Die kan wel tegen een stootje,' zo verklaarde hij later bij de
politie.

K., het 'brein' van de kidnap, werd door de rechtbank in Assen na
een eis van dertig maanden veroordeeld tot twee jaar gevangenisstraf. Een nogal milde straf, maar de rechtbank oordeelde dat het
ging om een niet voltooid misdrijf, dat kort had geduurd en waarvan
de daders uiteindelijk zelf hadden afgezien. M., zijn hulpje, kwam
ervan af met drie maanden, die later werden omgezet in een taak-
straf.

Tot zover mijn ontvoering. Als u nu zegt dat deze ontvoering knul-
lig was voorbereid en uitgevoerd, en bovendien een nogal hilarisch
einde had, heeft u natuurlijk volkomen gelijk. Maar u zult misschien
ook begrijpen dat ik niet de kans wilde laten lopen om op deze
manier toch opgenomen te worden in een naslagwerk over de meest
roemruchte ontvoeringen in de wereld, het boek van Sjerp Jaarsma
dat u nu in handen heeft.

Het feit dat ik zelf kortstondig ben ontvoerd, was voor Jaarsma overigens niet de reden om mij voor dit voorwoord te vragen, nee, dat
was het feit dat ik in mijn journalistieke loopbaan – net als hij – een
fascinatie voor dit soort misdrijven heb gekregen en er veelvuldig
over heb bericht. Zodoende hebben onze paden elkaar de afgelopen
vijftien jaar dikwijls gekruist.

Ontvoeringen hebben mij als misdaadverslaggever altijd bovenmatig geïnteresseerd – daarvoor hoefde ik niet eerst zelf een slachtoffer te worden. Het is misschien wel het moeilijkste misdrijf dat er is, dat veel durf, voorbereiding, volharding en vernuft vereist, en daarom afwijkt van het gros van de misdaden, dat immers impulsief wordt gepleegd. In de loop der jaren heb ik me bijvoorbeeld beziggehouden met de ontvoering van onroerendgoedmagnaat Maurits Caransa in 1977 in Amsterdam, de kidnap van Toos van der Valk in 1982 in Nuland, de vrijheidsberovingen van Gijs van Dam jr. in Amsterdam in 1985 en van de 10-jarige Valérie Albada Jelgersma in 1987 in Laren. Uiteraard zat ik in datzelfde jaar ook boven op de kidnap van Aholdtopman Gerrit Jan Heijn in Bloemendaal, maar *de* ontvoeringszaak waarmee ik me heb beziggehouden is natuurlijk die van bierbrouwer Alfred Heineken en diens chauffeur Ab Doderer in 1983 in het centrum van de hoofdstad.

Dat is ook de zaak die Sjerp Jaarsma en mij heeft samengebracht. Jaarsma was in de greep geraakt van mijn boek over de ontvoering en zocht in die jaren contact. Toen ik hem leerde kennen, was hij 'grasdroger' van beroep en woonde hij in het Friese Balk. Aanvankelijk zag ik hem als een enthousiaste fan, bij wie de interesse voor ontvoeringen wat uit de hand was gelopen, maar gaandeweg ontpopte hij zich steeds meer als iemand met journalistieke aspiraties. Ik had wel schik om zijn gedrevenheid.

Sjerp Jaarsma bezocht in zijn vrije tijd alle locaties van de Heinekenontvoering en sprak met tientallen betrokkenen. Vaak deed hij mij enthousiast verslag van wat hij nu weer had ontdekt. Voor weekbladen deed hij aanvullende research naar bijvoorbeeld het (jeugd)verleden van de Heinekenontvoerders en spoorde hij even vasthoudend als geduldig oud-klasgenoten en voormalige leraren op. Hij assisteerde schrijver Auke Kok bij diens boek over Willem Holleeder (*Holleeder – De jonge jaren*) en organiseerde natuurlijk jarenlang de succesvolle 'Heineken Kidnap Tour' in de hoofdstad, waarbij hij letterlijk met busladingen geïnteresseerden langs de relevante locaties van de ontvoering reed en hen ondertussen overstelpte met interessante 'weetjes' over de kidnap. Zelf heb ik de tour uiteraard ook gedaan en ik stond versteld van Jaarsma's gedetailleerde kennis. In de loods op de Heining, waar Heineken en Doderer drie weken gegijzeld hebben gezeten, richtte Jaarsma bovendien (samen met de

nieuwe eigenaar, Nico Schaaf jr.) een expositie in met wetenswaar-
digheden en memorabilia over de beroemdste kidnap van Nederland; daarvoor heb ik hun nog heel wat documenten, foto's, brieven
en dossierstukken in bruikleen gegeven.

Zo groeide het contact tussen ons en veranderde Jaarsma van een
fan meer en meer in een collega, die evenveel, zo niet meer, van de
Heinekenkidnap af wist als ikzelf. Ik schroom niet om te zeggen dat
ik bij aanvullingen en herdrukken van mijn boek Jaarsma weleens
opbelde met de vraag: 'Sjerp, ik zit nog even met de losgeldroute te
puzzelen... hoe zat dat ook alweer precies?' Jaarsma wist dan altijd
het exacte antwoord.

Na vele vingeroefeningen bij tijdschriften, kranten en televisieprogramma's ligt er nu dus van zijn hand het boek Kidnapping en losgeld. Ja, als ik vooraf iemand had moeten aanwijzen als auteur van
dit boek, was het de voormalige grasdroger Sjerp Jaarsma geweest.
Hij heeft er een geweldig boeiend naslagwerk van gemaakt, dat ik –
als liefhebber – in no time heb 'verslonden'. Alle beroemde kidnaps
komen voorbij: Charles Lindbergh jr., Eric Peugeot, Frank Sinatra
jr., John Paul Getty III, Richard Oetker, Paul Vanden Boeynants, en
natuurlijk ook de al genoemde Nederlandse 'crime-klassiekers'. Van
al die ontvoeringszaken wist ik natuurlijk wel het nodige af, maar
Sjerp is er toch weer in geslaagd om mij met veel onbekende details
te verrassen.

In het hoofdstuk over de eerste ontvoeringszaak in de Verenigde
Staten, in 1874, van de 4-jarige Charley Ross uit Philadelphia, laat
Jaarsma bijvoorbeeld zien dat de daders toen al via kleine advertenties in de krant met de familie van het slachtoffertje communiceer-
den, en dat bij de kidnap een dader was betrokken met de bijnaam
'Nosey', vanwege zijn grote neus. Ruim honderd jaar later zien we
in Nederland dat in 1983 ook (nog steeds) contact wordt gelegd met
'speurdertjes' in de kranten en dat er een dader bij is betrokken die
'De Neus' wordt genoemd. Nothing's really changed...

Bij de bespreking van de ontvoering van de 13-jarige Nederlandse
jongen Marius Bogaardt in 1880 in Den Haag, toont Jaarsma dat ook
toen al een journalist – Jacques de Bergh van De Amsterdammer –
zich nadrukkelijk met de zaak bemoeide. Bij de kidnap van Eric Peu-

geot, een erfgenaam van het beroemde automobielgeslacht, in 1960, voorzagen de daders gestolen auto's van valse kentekenplaten, die wel op precies zo'n type auto thuishoorden – een truc die de Heinekenontvoerders in 1983 ook toepasten, zodat ze niet door de mand zouden vallen als de politie toevallig zo'n kenteken natrok.

Grappig is het incident in de ontvoeringszaak van Frank Sinatra jr. in december 1963, dat Jaarsma in het boek beschrijft. De ontvoerders hadden een soort losgeldrally ontwikkeld en de beroemde Sinatra sr. moest daarvoor onderweg bij telefooncellen in benzinestations instructies oppikken van de ontvoerders. Dat leidde tot de kolderieke situatie dat de zanger bij verbouwereerde pompstationhouders binnenkwam en vroeg 'of er nog voor hem gebeld was'... Aangrijpend is het verhaal over Barbara Mackle, die in 1968 in Georgia werd ontvoerd en door de daders in een soort doodskist werd begraven zolang de kidnap duurde.

Dat daders zich soms aardig kunnen rehabiliteren, blijkt ook uit deze zaak: ontvoerder Gary Krist wist na zijn veroordeling een doctorstitel te halen. En wat te denken van het verhaal van John Paul Getty III, de ontvoerde erfgenaam van een dynastie van oliemiljardairs, die tijdens de kidnap bijna meer te stellen had met zijn vrekkige grootvader dan met zijn ontvoerders. Er is in de familie Getty heel wat afgeruzied, zo blijkt uit het boek van Jaarsma, eer men – met tegenzin – bereid was te betalen voor John Paul, die inmiddels al een oor kwijt was omdat de losgeldoverdracht zo lang op zich liet wachten.

Wist u dat bierbrouwers statistisch gezien meer kans op ontvoering maken dan andere rijke zakenlieden? Jaarsma lepelt een aantal voorbeelden op van andere biertycoons die zich, net als Alfred Heineken, vrij moesten kopen. En dan is er nog het bizarre verhaal van de Belgische bende die ex-premier Paul Vanden Boeynants in 1989 ontvoerde. Jaarsma vertelt dat de kidnappersbende, onder leiding van de even beruchte als gevreesde Patrick Haemers, tijdens de wekenlange ontvoering als 'tussendoortje' een bloederige overal pleegde op een geldwagen, waarbij met explosieven de chauffeur werd gedood.

Enfin, het boek van Sjerp Jaarsma staat vol met dit soort verhalen en details. Hij laat zien welke ontwikkelingen 'het moeilijkste misdrijf' in de loop van bijna honderdvijftig jaar heeft doorgemaakt, maar ook hoeveel dingen juist hetzelfde zijn gebleven.

In het boek gaat Jaarsma niet in op de tendens dat ontvoeringen tegenwoordig niet of nauwelijks meer voorkomen in de 'beschaafde' wereld, en de vraag waarvan dat precies een gevolg is. Hebben de ontvoerders ingezien dat men bijna altijd tegen de lamp loopt? In dat opzicht kan van het boek van Jaarsma in ieder geval niet gezegd worden dat het een aanmoedigend effect heeft: vrijwel niemand in de beschreven kidnaps is uiteindelijk uit handen van justitie gebleven. En wat is de rol van de voortschrijdende techniek daarbij geweest? *Captains of industry* dragen tegenwoordig vaak een onderhuidse chip, losgeld kan onzichtbaar worden gemerkt en voorzien van minuscule zendertjes, en door camerabewaking in steden en op snelwegen is het vrijwel onmogelijk om je onzichtbaar te verplaatsen. Leidt dat ertoe dat we de laatste jaren geen ontvoering van betekenis meer hebben gezien? Zijn dat letterlijk de 'zegeningen' van de techniek?

Collega Jaarsma gaat op dat soort aspecten niet erg in, maar ik heb het gevoel dat hij nog lang niet is uitgeschreven en dat over een paar jaar nog een boek van hem over dit onderwerp verschijnt. Want de grasdroger uit Balk is een ontvoeringsexpert geworden.

– Peter R. de Vries, december 2014

Inleiding

Ontvoeren is zo oud als de weg naar Rome: al in de Bijbel wordt erover gesproken. De officiële Engelse aanduiding van ontvoeren is *to abduct*, maar over de hele wereld wordt de term *kidnapping* gebruikt. Dit is afgeleid van *to nabb a kid*, vrij vertaald: 'een kind wegpakken'.

Van deze vorm van vrijheidsberoving bestaan er verschillende varianten. Het kan gaan om politieke ontvoeringen of ontvoeringen voor misbruik, vaak van kinderen. Ook komt het vaak voor dat een gescheiden ouder zijn of haar kind of kinderen ontvoert vanuit of naar het buitenland. In dit boek richt ik mij op de zogenoemde klassieke criminele ontvoeringen. Daders ontvoeren een rijk slachtoffer met maar één doel: geld. Losgeld. De eerste ontvoering van deze soort vond bijna anderhalve eeuw geleden plaats in de Verenigde Staten. Zonder dat we deze ontvoering kennen, hebben we er waarschijnlijk allemaal indirect mee te maken gehad. Bijna iedereen is in zijn kindertijd weleens door zijn ouders gewaarschuwd om geen snoep van vreemde mannen aan te nemen. Deze waarschuwing vindt haar oorsprong in de allereerste criminele losgeldontvoering, die wordt behandeld in het eerste hoofdstuk van dit boek: de ontvoering van de 4-jarige Charley Ross in de zomer van 1874.

Al sinds mijn jeugd ben ik gefascineerd door deze vorm van misdaad. Opgegroeid in een rijtjeshuis in het Friese dorp Oudemirdum, tegenover het politiebureau, volgde ik regelmatig de in- en uitloop van onze overburen en hun gasten. Als kind kwam ik er weleens binnen, omdat mijn broer bevriend was met de zoon van een politieman. Op latere leeftijd ben ik zelfs in de cel van datzelfde bureau beland, wegens mijn eerste stappen op het criminele pad. Gelukkig waren dat ook meteen de laatste. Dat heb ik te danken aan de beschermde opvoeding die ik heb genoten, als jongste in een gezin van zeven kinderen.

In deze periode speelde de Heinekenontvoering. Als weekbladen- en krantenbezorger volgde ik gretig alle ontwikkelingen rond deze *true crime*, nog voordat ik de krant bij de mensen in de brievenbus gooide. Ik was benieuwd naar de achtergronden: hadden de daders een minder beschermde jeugd dan ik genoten? En wat had hen tot deze daad gebracht?

In dit boek zien we verschillende typen daders. Soms is een ontvoering het werk van een eenling, in andere gevallen gaat het om een groep met een behoorlijk gewelddadig verleden. In elk geval waren hun slachtoffers onvoldoende 'beschermd'. Ten tijde van de verschijning van het boek *De ontvoering van Alfred Heineken* door Peter R. de Vries in 1987 was de belangstelling voor ontvoeringen groter dan ooit. Jaren later vormde dit boek de inspiratiebron voor de rondleidingen die ik gaf door Amsterdam naar aanleiding van deze zaak. Later volgden nog een kalender, een boek en de Heineken KidnAPP Tour, een applicatie voor op de smartphone.

Zonder het boek van Peter R. de Vries was dit boek er niet geweest. Toen bekend werd dat zijn boek internationaal zou worden verfilmd, met Anthony Hopkins in de rol van Freddy Heineken, vroeg ik mij af wat deze Nederlandse ontvoering zo speciaal maakt ten opzichte van buitenlandse ontvoeringen. Stel dat er een wereldranglijst voor ontvoeringen zou bestaan, hoe hoog zou de Heinekenontvoering dan eindigen? Hierover filosoferend kwam ik op het idee om de Heinekenontvoering te vergelijken met de meest geruchtmakende ontvoeringen uit binnen- en buitenland.

Voor dit boek bestudeerde ik tientallen ontvoeringen, waarvan ik de opzienbarendste heb geselecteerd. De zeventien meest geruchtmakende ontvoeringen kregen zelfs een eigen hoofdstuk, getiteld 'De ontvoering van…' De overige zijn samengevoegd in hoofdstuk 18. De eerste twee hoofdstukken gaan over respectievelijk de eerste losgeldontvoering in de Verenigde Staten (1874) en de eerste losgeld-ontvoering in Nederland (1880).

Exclusief in dit boek: twee nieuwe feiten over de Heinekenontvoering worden onthuld. Nieuwe onthullingen over de gouden tip komen voort uit mijn samenwerking met misdaadjournalist Hendrik Jan Korterink. Voor zijn boek *Cor*, over Heinekenontvoerder Cor van Hout, doken we in het mysterie achter tip 547. Onlangs ontdekte ik nieuwe feiten over de werkelijke gang van zaken rond deze anonieme tip. In ruil voor mijn hulp aan zijn boek bood Hendrik Jan zijn hulp aan voor mijn boek. Aan hem en aan zijn dochter Anna

Korterink ben ik dan ook speciale dank verschuldigd. Zonder hun hulp was dit boek er niet geweest. Ook dank ik mr. Jacob Platje voor het 'meelezen'. Veel dank ben ik verschuldigd aan mijn vrouw Sandra en onze kinderen Susanna, Stan, Julia en Luna. Het afgelopen jaar gunden ze mij voor dit boek alle spaarzame vrije tijd, naast het runnen van een strandpaviljoen.

Tot slot draag ik dit boek op aan mijn moeder, Jitske 'Jikke' Jaarsma-Muizelaar. Mijn moeder herinnert zich de Lindberghkidnapping nog goed. Ze was bijna acht jaar oud toen de baby van de beroemde vliegenier Charles Lindbergh werd ontvoerd. De wereldwijde impact van die ontvoering werd mij duidelijk toen ze vertelde dat haar broertje Sjerp – de oom naar wie ik ben vernoemd – in 1932 als baby plots niet meer in zijn kinderwagen lag. Mijn pake en beppe waren in rep en roer. Hoewel er in mijn familie geen cent te halen viel, werd er toch rekening gehouden met een ontvoering. Gelukkig werd al snel duidelijk dat de buurvrouw hem uit de kinderwagen had gehaald en mee naar binnen had genomen.

– Sjerp Jaarsma, *crime-watcher*

1

De ontvoering van Charley Ross

Wanneer: 1 juli 1874
Waar: Germantown, Philadelphia, Pennsylvania, Verenigde Staten
Losgeld: 20.000 dollar
Ontknoping: n.v.t.

In 1874 worden de Verenigde Staten opgeschrikt door de allereerste losgeldontvoering in de geschiedenis. De eerste dag van de maand juli is een hete zomerdag. De broertjes Walter en Charley Ross spelen buiten op straat, in de schaduw onder de bomen voor hun landhuis aan East Washington Lane in Germantown, Philadelphia.

Nog drie nachtjes slapen en dan is het zover: Independence Day, de nationale feestdag op 4 juli. Iedereen kijkt ernaar uit, de broertjes Ross nog meer dan anderen. Hun vader Christian heeft namelijk beloofd dat hij op deze dag vuurwerk met hen zal afsteken. Vandaag is hij op pad om nieuw zand te kopen voor de zandbak, een mooie ondergrond om het vuurwerk op af te steken.

Terwijl Charley en Walter op straat spelen, komt een wagen de straat in rijden. De wagen wordt voortgetrokken door een paard en er zitten twee mannen in. Walter herkent ze meteen: het zijn dezelfde aardige mannen die hem en zijn broertje de afgelopen twee weken steeds snoep hebben gegeven. Vandaag hebben ze geen snoep voor de jongens, maar ze bieden hun iets aan wat ze nog veel leuker vinden: vuurwerk. Enthousiast stappen de broers bij de mannen in de wagen om vuurwerk te kopen.

De 4-jarige Charley krijgt al snel spijt van de impulsieve beslissing. 'Ik wil naar huis,' huilt hij. Zijn één jaar oudere broer Walter kan echter niet wachten om vuurwerk te gaan kopen. De mannen kennen een winkel waar je goed spul kunt halen voor weinig geld: Aunt Susie's.

Voor de deur van de sigarenwinkel stopt de wagen. Walter krijgt 25 cent mee om vuurwerk te kopen; Charley blijft bij de mannen op de wagen zitten. Walter koopt rotjes en vuurpijlen, en houdt nog 4 cent over. Opgewonden loopt hij naar buiten om het vuurwerk aan zijn broertje te laten zien, maar de wagen met Charley en de twee mannen erin is nergens meer te bekennen.

Charles Brewster Ross wordt geboren op 4 mei 1870 in Germantown, een buurt in Philadelphia, Pennsylvania. Het gezin woont aan East Washington Lane, een luxe straat met grote landhuizen op ruime kavels. Vader Ross heeft een kledingconcern. Op vrijdag 26 juni 1874 is het zomervakantie. De twee oudste jongens uit het gezin, Stoughton en Harry, zijn bij hun oma in Middletown, Pennsylvania.

Moeder Sarah Ann is er even tussenuit met oudste dochter Sophia. Sarah Ann kampt met gezondheidsproblemen en verblijft enige tijd in Atlantic City om te herstellen. Ze heeft Walter en Charley beloofd dat zij over twee weken ook bij haar mogen komen. De twee jongens zijn bij hun vader gebleven, samen met hun twee jongere zusjes Marian Kimball en Annie Christine. Dienstmeisjes Bridget en Sarah hebben moeder Ross beloofd goed voor de kinderen te zullen zorgen.

Op 1 juli is vader Christian iets eerder thuisgekomen dan normaal. Hij heeft het zand geregeld voor de zandbak. Nadat het zand is gestort – het loopt al tegen de avond – gaat hij op zoek naar de kinderen om hun het resultaat te laten zien. De jongens kijken er al weken naar uit, maar vanwege brandgevaar wilde Christian pas vuurwerk afsteken als het zand er lag. Christian kan zijn zoons echter nergens vinden.

Om 20 uur wordt Walter thuisgebracht. Een voorbijganger heeft de jongen ontredderd aangetroffen in de buurt van de vuurwerkwinkel. De jongen vertelde huilend wie zijn vader was, en zodoende heeft de man Walter naar zijn ouderlijk huis kunnen brengen. Walter vertelt zijn vader dat Charley bij de twee aardige mannen met paarden-wagen is, en dat het goed met hem gaat.

Christian schrikt en gaat meteen naar de politie om het gebeurde te melden. Walter vertelt dat Charley tussen de twee mannen in op de wagen zat, en dat hij zelf bij een van de mannen op een knie zat. De bestuurder van de wagen zag er normaal uit, ongeveer 1,75 meter lang, met een bol, rond gezicht en een rossige snor. Hij droeg een bril, een gouden horloge, een gouden borstketting en een groene jas met knopen op de mouwen. De andere man was ouder, rond de veertig jaar, en groter. Hij was fors gebouwd en had snorharen en bakkebaarden, maar geen baard of snor. Volgens Walter had deze man een gekke neus en droeg hij een goudkleurige bril. Ook had hij twee gouden ringen om zijn middelvinger, waarvan één met een rood steentje erin. Verder droegen beide mannen bruine strohoeden. Walter kan ook het paard en de wagen goed omschrijven.

De politie is verbaasd hoeveel de bijna 6-jarige jongen weet te vertellen. Zo weet hij precies waar ze langs gereden zijn; ook weet hij te vertellen waarover de mannen spraken, en dat ze onderweg meerdere keren zijn gestopt.

Christian Ross laat zo snel mogelijk een advertentie in de krant plaatsen. Zijn vrouw weet nog niets van de vermissing van hun jongste zoon, en om haar niet ongerust te maken, laat hij in de advertentie de naam van Charley weg. Vanwege haar zwakke gezondheid wil Christian haar de spanning en onzekerheid besparen.

Op 3 juli 1874 staat in het grootste dagblad van Philadelphia, de *Public Ledger*, in de rubriek 'Lost and Found' de volgende advertentie:

> *Vermist – Een kleine jongen, vier jaar oud, lichte huidskleur en licht krullend haar. Een redelijke beloning zal worden uitgekeerd voor zijn terugkeer naar El Joyce, Central Police Station.*

Grootschalig politieonderzoek levert nog geen resultaat op. Een dag later wordt een tweede advertentie geplaatst in zo veel mogelijk kranten:

> *$300,- beloning voor diegene die de volgende persoon terugbrengt op No. 5 North Sixth Street. Een kleine jongen, vier jaar oud, lang gekruld en gevlochten haar, hazelnootkleurige ogen, een lichte huid en rond gezicht. Gekleed in een linnen bruin pakje met korte broek, een strohoedje en lakschoentjes. Het kind is zoekgeraakt in Germantown op woensdagmiddag, de eerste, tussen vier en vijf uur.*

Christian verblijft zo veel mogelijk op het politiebureau in de hoop dat zijn zoon daar zal worden terugbezorgd.

Op Independence Day komt de eerste losgeldbrief binnen. De postzegel is gestempeld in Philadelphia, op 3 juli om 8 uur. Op het politiebureau leest Ross de brief voor. Hier volgt de letterlijke weergave
(er is voor gekozen om deze niet te vertalen, zodat de spelfouten
intact blijven).

*July 3-Mr. Ros: be not uneasy you son charley bruster be all writ
we is got him and no powers on earth can deliver out of our hand.
you will have two pay us before you git him from us, and pay us a
big cent to. if you put the cops hunting for him you is only defeeting yu own end. we is got him put so no living power can gets him
from us a live. if any approach is maid to his hidin place that is the
signil for his instant anihilation. if you regard his lif puts no one
to search for him yu mony can fech him out alive an no other exi-
stin powers. don't deceve yuself an think the detectives can git him
from us for that is imposebel. you here from us in few day.*

Christian realiseert zich dat hij de losgeldbrief niet langer geheim
kan houden voor zijn vrouw. Hij is van plan om samen met Walter
af te reizen naar Atlantic City om haar op de hoogte te brengen van
de vermissing van hun zoon.

Christian en Sarah Ann hebben elkaar leren kennen via de kerk.
Christian is tien jaar ouder dan zijn vrouw. Sarah Ann Lewis Ross
heeft in de elf jaar dat ze met Christian is getrouwd acht kinderen
gebaard, van wie de oudste als baby is overleden.
In de omgeving van het gezin Ross wordt maar moeilijk geaccepteerd dat een moeder het gezin verlaat, ook al is ze ziek. Wat haar
precies mankeert, is niet helemaal duidelijk. Er wordt gespeculeerd
dat het te maken heeft met stress, die zou zijn veroorzaakt doordat
het slecht gaat met het bedrijf van haar man. De beurscrash van 1873
heeft het bedrijf van Ross flink getroffen.
Als Christian en Walter in Atlantic City arriveren, worden ze
verwelkomd door Sarah Ann en Sophie. Sarah Ann vraagt meteen
waarom ze Charley niet hebben meegenomen. Christian neemt zijn
vrouw even apart en vertelt haar wat er de afgelopen drie dagen is
gebeurd.

De ontvoerders weten waarschijnlijk niet dat het slecht gaat met het
bedrijf. Mogelijk zijn ze bij het uitkiezen van hun slachtoffer afge-

gaan op het grote landhuis van de familie Ross en hebben ze gedacht dat de eigenaar ervan wel rijk moest zijn.

In de tweede losgeldbrief wordt het bedrag genoemd dat Christian moet betalen om zijn zoon levend terug te krijgen: 20.000 dollar. Als hij betaalt, krijgt hij zijn zoon levend terug; als hij niet betaalt, krijgt hij zijn zoon dood terug, zo wordt in de brief gedreigd. Als hij klaar is om te betalen, moet hij een advertentie plaatsen in de *Public Ledger*, in de rubriek 'Personal'.

In de tijd dat Christian zijn vrouw bezocht in Atlanta, heeft de politie niet stilgezeten. Agenten hebben een hele groep rondtrekkende zigeunerfamilies gearresteerd; er was een tip binnengekomen dat Charley bij deze groep gezien zou zijn. Alle woonwagens worden uitgekamd, maar geen spoor van de kleine Charley.

Sarah Ann is ondertussen naar huis gereisd. Ze wil de losgeldbrief graag lezen, maar Christian houdt haar tegen. De politie, onder leiding van korpschef Heins, adviseert Ross niet te betalen. Heins wordt op zijn beurt geadviseerd door een groepje vooraanstaande bestuurders en zakenlui uit Philadelphia. Zij proberen de ontvoering uit de pers te houden, uit angst dat nieuws over de ontvoering het imago van de stad zou schaden. Over twee jaar vindt de Wereldtentoonstelling ter ere van de honderdste verjaardag van de Amerikaanse onafhankelijkheid plaats in hun stad, en het slechte nieuws zou de promotie daarvan niet ten goede komen. Volgens de adviseurs zijn de ontvoerders alleen uit op geld en zullen ze Charley niets aandoen zolang ze dit niet krijgen.

Bovendien is Christian zelf niet in staat om het bedrag op te hoesten. Met behulp van zijn zwagers, de broers van zijn vrouw, moet het wel lukken, maar hij beseft dat er waarschijnlijk iedere week een ontvoering zal plaatsvinden als hij nu betaalt. Die verantwoordelijkheid wil hij niet op zich nemen.

Christian gaat dan ook niet in op het aanbod van een anonieme welgestelde inwoner van Philadelphia die zich bij hem meldt. De man heeft zich het lot van de vermiste Charley erg aangetrokken en biedt Christian aan om het losgeld te betalen aan de kidnappers. Ross bedankt de man vriendelijk voor zijn hulp, maar vertelt hem dat hij er de voorkeur aan geeft de daders op te sporen in plaats van het losgeld te betalen. Hij beseft dat hij daarmee een enorm risico loopt.

Op 8 juli 1874 arriveert de derde losgeldbrief. In deze brief staan weer allerlei doodsbedreigingen voor het geval er niet betaald wordt. Wederom moet er een advertentie worden geplaatst in de krant, een zogeheten 'speurdertje'. Dit keer niet in de *Public Ledger,* maar in de *Evening Herald.*

Christian Ross staat in dubio. Dit is de allereerste losgeldontvoering in de Amerikaanse geschiedenis en dus heeft hij geen voorbeelden waarmee hij kan vergelijken. Hij plaatst de advertenties, zoals de ontvoerders hem hebben opgedragen in de losgeldbrieven, hoewel de politie hem hiervan probeert te weerhouden. Uiteindelijk besluit Christian om toch te betalen. De politie wil een truc uithalen door de bankbiljetten te merken.

In de media verschijnen artikelen over de belabberde financiële situatie van Christian Ross. Er wordt geschreven dat de ontvoerders de verkeerde hebben uitgekozen, en er wordt zelfs beweerd dat Ross mogelijk zelf iets met de ontvoering te maken heeft. De *New York Herald* vraagt zich af wat Ross bezielt om niet voor zijn zoon te betalen. De schrijver vindt het vooral vreemd dat hij het nieuws de eerste dagen stilhield voor zijn vrouw, die in Atlanta verbleef. Ook is er kritiek op de politie: men vindt dat die een enorm risico neemt door te adviseren om niet voor de vrijlating van Charley te betalen.

De ontvoering van Charley Ross duurt inmiddels een paar weken. De ontvoerders blijven losgeldbrieven sturen en de familie Ross blijft advertenties plaatsen. Op donderdag 17 juli lijkt er eindelijk schot in de zaak te komen met de arrestatie van een zekere Christopher Woover. De politie is afgegaan op een tip uit de onderwereld.

Woover heeft een behoorlijk crimineel verleden als overvaller, oplichter en afperser. Hij beschikt echter over een sluitend alibi. Uiteindelijk neemt de 5-jarige Walter Ross elke verdenking weg nadat hij Woover heeft gezien. Dit is niet een van de twee mannen die hem en zijn broertje op 1 juli meenamen, zo beweert hij. In een nieuwe losgeldbrief reageren de ontvoerders op de arrestatie: ze schrijven dat Woover niets met de ontvoering te maken heeft. De man wordt vrijgelaten.

Burgemeester Stockley van Philadelphia looft op 22 juli 1874 een beloning uit van 20.000 dollar voor de tip die leidt tot de aanhouding en veroordeling van de daders en de veilige terugbezorging van Charley Ross aan zijn ouders.

Buiten de familie Ross om richt een zekere meneer Percell zich tot de ontvoerders via een advertentie in de *New York Herald*. Percell biedt aan het losgeld te betalen, maar in een volgende losgeldbrief laten de ontvoerders aan Ross weten dat ze geen vertrouwen hebben in deze man. Ze willen dat Ross zelf het geld brengt. Het geld moet in een witte lederen koffer worden vervoerd. Ross mag al zijn vrienden meenemen bij de losgeldoverdracht, zolang er maar geen politie meekomt. Zodra hij er klaar voor is, moet hij de volgende advertentie in de *Public Ledger* plaatsen:

John – it shall be as you desire on the 30th.

Ross krijgt van de ontvoerders alle vrijheid om een andere datum te kiezen dan de dertigste, maar hij maakt hiervan geen gebruik. De volgende dag staat de advertentie al in de krant. De ontvoerders reageren meteen met een nieuwe brief, de twaalfde sinds de ontvoering van Charley.

In de brief wordt Ross opgedragen om op donderdag 30 juli de nachttrein van 24 uur te nemen van West-Philadelphia naar New York. Deze arriveert even over 5 uur in New York. Daar moet hij een taxi nemen naar het Grand Central Station. Hier moet hij de trein van 8 uur pakken naar Albany. De hele reis moet hij plaatsnemen op het passagiersplatform van de trein, vanaf het moment dat hij West-Philadelphia verlaat. Onderweg zal hij een teken ontvangen dat hij de koffer met het geld moet laten vallen.

Dit teken zal worden gegeven door een tussenpersoon, zo valt in de brief te lezen. De tussenpersoon zal in het donker langs het spoor staan, met in zijn ene hand een brandende fakkel en in de andere een witte vlag. Mocht er pas een teken komen als het weer licht is, dan zal de tussenpersoon in plaats van de fakkel een grote bel in zijn hand hebben en daarmee rinkelen. In de andere hand houdt hij ook dan een witte vlag. Bij deze tekens moet Christian Ross het geld langs het spoor laten vallen. Vervolgens moet hij bij het volgende station uitstappen.

Wanneer hij aan deze eisen voldoet en de trein niet stopt om de tussenpersoon te arresteren, zal Charley spoedig worden vrijgelaten, beloven de ontvoerders in de brief. Als, om wat voor reden dan ook, de signalen van de tussenpersoon onderweg uitblijven, moet Ross naar het postkantoor van Albany gaan. Daar zal een nieuwe boodschap voor hem klaarliggen over de losgeldoverdracht.

Deze brief met instructies is bij Christian bezorgd op 30 juli om 16 uur. Eerder die dag is een melding binnengekomen bij de politie dat Charley Ross gevonden is. Een oplettende conducteur heeft een groep zigeuners gezien op het station van Hamburg, een klein plaatsje in Philadelphia. Omringd door de andere zigeuners probeerde een grote man een kleine jongen uit het zicht van de reizigers te houden. De conducteur is zeker van zijn zaak: hij heeft Charley herkend van de posters die door het hele land zijn verspreid.

Omdat er geen modernere middelen voorhanden zijn, moet Christian Ross of een ander familielid Charley identificeren. Christian wil daarom afreizen naar Hamburg om zijn zoon hopelijk te herkennen. Diezelfde dag verschijnen in de middagedities van een aantal kranten de eerste berichten dat Charley terecht is. De ontvoering domineert al weken de voorpagina's en de vondst slaat dan ook in als een bom.

Duizenden mensen begeven zich naar het station van Hamburg, in de hoop Christian Ross en de politie te kunnen begroeten en een glimp op te vangen van de kleine Charley. De trein van Philadelphia naar Hamburg arriveert om 14.15 uur. De politie houdt de groep zigeuners op het station ter plekke onder arrest. Uiteindelijk is niet vader Ross, maar zwager Joseph Lewis naar Hamburg afgereisd om de identificatie te doen. Joseph ziet meteen dat het kind om wie het gaat, lijkt op de vrouw die hem vasthoudt. Dit is niet Charley Ross.

Na topoverleg met de adviseurs besluit de politie dat Christian Ross toch maar de nachttrein moet nemen, zoals hem door de ontvoerders is opgedragen. Volgens de politie moet hij echter geen koffer met geld meenemen, maar een briefje. Op dat briefje staan twee voorwaarden: allereerst moet op een andere manier worden gecommuniceerd dan via advertenties in de krant, en ten tweede wordt het losgeld pas betaald als er gelijk kan worden overgestoken: de ontvoerders het geld, Christian Ross zijn zoon.

Die nacht om 24 uur nemen een undercoveragent en Frank Lewis, een neef van Sarah Ann, plaats in de trein. Op het passagiersplatform staat Christian met de koffer; er rest hem niks anders dan te wachten op het teken langs de route.

Na meer dan 24 uur in de trein te hebben gezeten en meer dan 1200 kilometer te hebben afgelegd, komen ze aan op het eindpunt, zonder het afgesproken teken te hebben gekregen. Uitgeput en verbrand door de zon komt Ross aan bij het postkantoor in Albany, op enige afstand gevolgd door de neef van zijn vrouw en de agent. Hier zou een brief klaarliggen voor C.K. Walter, zoals vermeld in de losgeldbrief, maar de brief ligt er niet. Het gezelschap wacht tevergeefs een hele dag en reist de volgende ochtend terug naar Germantown.

Daar is alweer een nieuwe losgeldbrief bezorgd. De ontvoerders leggen uit dat ze niet zijn komen opdagen omdat Ross hen niet vertrouwt. Dat heeft hij laten blijken door iemand naar Hamburg te laten afreizen om te checken of de door de conducteur herkende jongen Charley was. Ross reageert via een advertentie in de krant, en zo beginnen de onderhandelingen weer van voren af aan.

Op 2 augustus 1874 krijgt de politie van Philadelphia een telegram van de collega's in New York. Hoofdinspecteur George Walling heeft informatie over de ontvoering. Een informant beweert dat zijn broer William 'Bill' Mosher bij de ontvoering betrokken is.

De informant is een zekere Clinton 'Gil' Mosher, een doorgewinterde crimineel die gevangen heeft gezeten voor onder meer het stelen van paarden. Gil weet dit zo stellig omdat zijn broer hem een paar maanden eerder heeft benaderd om mee te doen. William Mosher was aanvankelijk van plan geweest om een kleinkind te ontvoeren van een van de rijkste Amerikanen, Cornelis Vanderbilt. Vanderbilt heeft Nederlandse roots en is rijk geworden in de scheepsbouw en de spoorwegen.

De politie onderzoekt de beweringen van Gil Mosher en houdt er uiteraard rekening mee dat hij louter en alleen met deze verklaring komt om de beloning van 20.000 dollar op te strijken. Ondertussen speurt het hele land – politie, detectives en burgers, die nog niets weten van deze nieuwe informatie – mee naar Charley Ross.

William Mosher is opgegroeid in Green Point, een deel van Brooklyn. Zijn vader was een succesvol kapitein. Zijn oudere broer Gil had hem het vak van scheepsbouwer geleerd. Daarnaast begaven de twee broers zich al snel op het criminele pad; hun specialiteit was het beroven van schepen en ze maakten deel uit van diverse piratenbendes.

Tijdens een van de scheepsovervallen was William gewond geraakt aan zijn linkerhand. Het vel van zijn wijsvinger was deels afgestroopt, waardoor deze vinger eindigde in een scherpe punt.

William Mosher maakte deel uit van de beruchte Daybreak Boys, een van de eerste georganiseerde piratenbendes in de Verenigde Staten. De bende is onder andere actief op de East River en de Hudson River. Tussen 1850 en 1852 bedraagt de totale buit van de door hen gepleegde overvallen meer dan 100.000 dollar aan goederen. Minstens twintig mensen worden hierbij gedood.

Een aantal bendeleden wordt gearresteerd, maar William weet de dans te ontspringen en begint voor zichzelf. Hij neemt de nog jonge dief Joseph Douglas onder zijn hoede en leidt hem op tot crimineel. Samen plegen ze vele overvallen. In de jaren zeventig van de negentiende eeuw worden ze gearresteerd bij een overval in Red Bank, New Jersey, maar ze weten allebei te ontsnappen uit de Monmouth County Jail.

In het jaar van de ontvoering werken William en Joseph alweer tien jaar samen. Douglas heeft voor Mosher de bijnaam Nosey bedacht, vanwege zijn grote neus. William Mosher is getrouwd met de veel jongere Martha. Hij was de veertig al gepasseerd toen ze trouwden; Martha was toen vijftien. Ze hebben een tijdje een saloon gerund, waar ze met hun zoontje woonden. De jongen overleed aan een kinderziekte. Bij gebrek aan geld voor een begrafenis werden de overblijfselen van de jongen begraven tussen de muur. Toen ze het café noodgedwongen van de hand moesten doen, werden ook de resten van de jongen achtergelaten. Later krijgen ze nog vier kinderen.

De politie probeert William Mosher en Joseph Douglas op te sporen met behulp van Gil, de broer van William. Ook wordt voormalig politieman William Westervelt ingeschakeld, die is ontslagen wegens corruptie. Martha, de vrouw van William, is namelijk zijn zus. Westervelt lijkt er alles aan te doen om zijn zwager op te sporen, maar blijkt later een dubbelrol te spelen: hij houdt Mosher en Douglas op de hoogte van alle ontwikkelingen binnen het politieonderzoek.

In het hele land worden benefietacties georganiseerd om geld in te zamelen voor de familie Ross. Het gebaar is vaak groter dan de opbrengst, zoals blijkt uit een bericht van drie broertjes en een zusje in *The Philadelphia Inquirer*:

> *Vader heeft ons verteld over wat u in de krant heeft gezegd over het geld dat u nodig heeft om de detective te kunnen betalen voor Charley Ross, en hij zegt dat kleine jongens die geld hebben ook iets moeten geven voor deze actie. Wij willen dat Charley Ross*

thuiskomt bij zijn vader en moeder, en geven daarom 6 dollar om
hem helpen te vinden.
– Frank, Harry, John en Diana Chesterman

Terwijl de politie alles inzet om de twee voortvluchtige mannen op
te sporen, gaat het schrijven van brieven door de ontvoerders aan de
familie Ross gewoon door. Onder invloed van de politie kiest Christian er nog steeds voor om niet te betalen. De politie verzekert hem
dat een arrestatie niet lang meer zal uitblijven.

Op 6 november 1874 krijgt de familie Ross de laatste brief van
de ontvoerders. In totaal hebben ze dan 23 brieven ontvangen. Op
dinsdag 10 november moet Christian een advertentie plaatsen in de
krant onder de codenaam 'Saul of Tarsus'. Vervolgens moet hij met
de 20.000 dollar losgeld zijn intrek nemen in een hotel naar keuze
in New York. De naam van het hotel moet in de advertentie staan.

Opnieuw weet de politie de familie Ross over te halen om te wachten met betalen, omdat de arrestatie van Mosher en Douglas nu echt
niet lang meer op zich zal laten wachten. Pas op maandag 16 november 1874 plaatst de familie daarom de volgende advertentie:

Saul of Tarsus, Fifth Avenue Hotel, Wednesday, the 18th inst. All
day F.W. LINCOLN

Omdat Christian Ross al een tijdje ziek is, reist zwager Henry Lewis
samen met zijn zoon Frank per trein af naar New York. De twee
wachten de hele dag op een hotelkamer in hotel Fifth Avenue met
een koffer met 20.000 dollar. Het losgeld bestaat uit briefjes van
1- en 10-dollarbiljetten. De ontvoerders laten echter niets van zich
horen.

Drie dagen later plaatst de familie een nieuwe advertentie in de *New*
York Herald:

Saul of Tarsus. Wij hebben ons gehouden aan onze verantwoor-
delijkheid in de brief. Jullie hebben het vertrouwen beschaamd.
Wij laten niet met ons spotten. Vanaf nu is het gelijk oversteken.

Maar het blijft stil aan de kant van de ontvoerders. De familie is de
wanhoop nabij en vreest voor het lot van Charley. De politie zet alles
op alles om Mosher en Douglas op te sporen. Er worden huiszoe-

kingen verricht, maar de twee meest gezochte mannen van de Verenigde Staten lijken van de aardbodem verdwenen.

Tot 14 december 1874. Op Long Island hoort Albert Van Brunt om 2 uur het alarm afgaan van het zomerhuisje van zijn buurman en oom, rechter Charles H. Van Brunt. De bekende rechter van de Supreme Court van New York is zelf niet aanwezig. Albert maakt zijn vader J. Holmes Van Brunt wakker en samen met tuinman William Scott en klusjesman Herman Frank gaan de mannen op onderzoek uit. In de kamer van het huis van de rechter zien ze licht branden. Alle vier mannen zijn bewapend en ze twijfelen geen moment: al schietend gaan ze op de woning af, waar ze twee met messen en geweren bewapende inbrekers aantreffen. Over en weer wordt geschoten. De twee inbrekers hebben geen schijn van kans tegen hun belagers en worden volop geraakt. Ze roepen dat ze zich overgeven.

Als het schieten is gestopt, blijkt dat een van de inbrekers dodelijk is geraakt. De ander ligt zwaargewond op de grond; het bloed stroomt uit zijn hoofd en borst, en de ingewanden puilen uit zijn buik. De vier gewapende mannen staan om hem heen en houden hem onder schot. Hij vraagt hun om een glas whisky, en vertelt dat hij vrijgezel is en geen vaste woon- of verblijfplaats heeft. Zijn maat is getrouwd en heeft vijf of zes kinderen, zo vertelt hij. Zijn maat heet William Mosher en hij is Joseph Douglas. 'Het heeft geen zin om nu nog te liegen,' zegt Douglas. 'Ik heb geholpen om Charley Ross te stelen.'

De mannen vragen hem waar Charley is. 'Mosher weet daar alles van,' zegt Douglas. Als hij daarop hoort dat Mosher dood is, begint Douglas te huilen en vraagt hij God om vergiffenis. Hij zegt niet te weten waar Charley is. Volgens Douglas is hoofdinspecteur George Walling van de New Yorkse politie op de hoogte en zal Charley binnen vijf dagen veilig thuis zijn. Hij vertelt zijn omstanders nog dat hij veertig dollar in zijn zak heeft en vraagt of ze hiervan een mooie begrafenis voor hem willen regelen. Hij overlijdt om 5 uur, twee uur nadat hij werd neergeschoten.

De inmiddels 6-jarige Walter Ross reist af naar New York om de twee mannen te identificeren. Hij is even van slag wanneer hij het met kogels doorzeefde lichaam van Mosher krijgt te zien, maar herkent hem aan zijn neus. 'Ik heb nog nooit zo'n neus gezien,' zegt Walter. 'Dit is de man die mij snoep gaf in de wagen.'

Vervolgens moet hij Douglas identificeren. Van hem krijgt hij alleen het hoofd te zien. De rest van het lichaam – althans, wat daar nog van over is – is afgedekt met een laken. Walter herkent ook hem. 'Dit is de man die mij geld gaf voor vuurwerk.'

De opluchting bij de familie Ross na het vinden van de ontvoerders ebt snel weg, want na vijf dagen is er nog geen enkel teken van Charley. Inspecteur George Walling erkent dat hij op de hoogte was van de identiteit van de daders, maar zegt geen idee te hebben waar Charley zich zou kunnen bevinden.

Dan bekent de vrouw van William Mosher dat haar man achter de ontvoering zit. De armoede binnen het gezin en de moeilijkheden bij het vinden van een normale baan zouden hem ertoe gedreven hebben.

Haar broer, voormalig politieagent William Westervelt, wordt gearresteerd. Hij ontkent elke betrokkenheid, maar in oktober 1875 wordt hij veroordeeld voor samenzwering met de ontvoerders en belandt voor zeven jaar in de gevangenis. Hij gaat niet in op het aanbod om vrijuit te gaan en de beloning van 20.000 dollar op te strijken in ruil voor het terugbezorgen van Charley. Wanneer Christian Ross hem opzoekt in de gevangenis, wil Westervelt nog wel kwijt dat Charley nog leefde toen Mosher en Douglas in december 1874 werden doodgeschoten.

Het blijft gissen waarom Westervelt nooit meer heeft willen vertellen. Mogelijk is de reden dat hij mededader is geweest en dat Charley Ross hem als zodanig zou aanwijzen als hij zou worden gevonden. In dat geval zou Charley nog leven.

Westervelt komt vrij op 18 januari 1881. Na zijn vrijlating blijft hij elke betrokkenheid bij de ontvoering ontkennen. Hij overlijdt in 1890 in New York. In 1897 komt er nieuws van de zoon van Gil Mosher, de man die de politie op het spoor van de daders heeft gebracht. Zijn vader heeft op zijn sterfbed verteld dat de overblijfselen van Charley Ross in een muur van de saloon zijn gemetseld. Onderzoek wijst echter uit dat dit de resten zijn van het overleden zoontje van William Mosher.

Christian Ross blijft zoeken naar zijn zoon. Twee jaar na de ontvoering gaat zijn bedrijf failliet. In datzelfde jaar schrijft hij een boek over de zaak, *The Father's Story of Charley Ross*. Met de opbrengst hoopt hij zijn zoektocht te kunnen financieren. De zoektocht brengt hem in alle hoeken en gaten van Amerika en zelfs in Europa, en kost hem uiteindelijk meer dan 60.000 dollar.

Christian overlijdt na een ziekbed in december 1897, zonder te weten wat er met zijn zoon is gebeurd. Zijn vrouw Sarah zet de zoektocht voort, tot ze in 1912 plotseling wordt getroffen door een hartstilstand en overlijdt.

Charleys broer Walter wordt een succesvol bankier. In 1899 krijgt hij een zetel in het bestuur van de beurs van New York. Hij trouwt met Julia Peabody Chandler, met wie hij vijf kinderen krijgt. In juli 1924, precies vijftig jaar na de ontvoering van zijn broertje Charley, publiceert hij een statement in de krant, mede namens zijn broer en zusters. Hierin staat hij stil bij de vele brieven en bezoeken die de familie sinds 1874 heeft gehad van mensen die dachten Charley Ross te zijn. Deze in totaal meer dan duizend bezoeken reten telkens oude wonden open. Altijd was er de hoop op de terugkeer van hun broer, maar de werkelijkheid was helaas anders.

Later diezelfde maand is er in de kranten opnieuw veel aandacht voor de ontvoering, als de rechtszaak tegen Richard Loeb en Nathan Leopold begint. Deze twee hoogbegaafde tieners uit welgestelde Joodse families hebben op 21 mei 1924 de 14-jarige Robert 'Bobby' Franks ontvoerd en vermoord. De twee jongens uit Chicago konden worden gepakt doordat Leopold zijn bril was verloren tijdens het begraven van het lichaam.

Het lichaam werd gevonden voordat het gevraagde losgeld van 20.000 dollar was betaald. De jongens hadden meer dan genoeg geld en verklaarden dat ze de ontvoering hadden gepleegd voor de kick. Ze wilden de perfecte misdaad plegen en hadden zich laten inspireren door de allereerste ontvoering van de VS, die van Charley Ross. Leopold en Loeb worden beiden veroordeeld tot een levenslange gevangenisstraf.

Als in 1932 Charles Lindbergh jr. wordt ontvoerd (zie hoofdstuk 4), komt Charley Ross nog eenmaal volop in het nieuws, maar na de Lindberghontvoering verslapt de aandacht voor zijn zaak.

In 1937 wordt een naamgenoot van Charley Ross ontvoerd, de 72-jarige Charles S. Ross uit Chicago. Er wordt 50.000 dollar losgeld betaald, maar de man wordt niet vrijgelaten. Een jaar later wordt de dader aangehouden. John Henry Sealand blijkt het slachtoffer direct na het betalen van het losgeld te hebben vermoord. Sealand wordt ter dood veroordeeld en geëlektrocuteerd.

In 1932 doet Gustave Blair voor het eerst van zich spreken. Hij beweert de enige echte Charley Ross te zijn. Volgens hem waren er in totaal vier ontvoerders: William Mosher, Joseph Douglas, William Westervelt en John Hawk – een naam die we nog niet zijn tegengekomen. De toen 15-jarige Hawk zou de kleine Charley hebben bewaakt. Later zou Hawk de jongen hebben ondergebracht in het gezin van Rinear Miller. Rinear zou Hawk hebben vermoord toen hij erachter kwam dat deze met de ontvoering te maken had.

Charley Ross krijgt de naam Nelson Miller. Bang dat Rinear ook hem wil vermoorden, vlucht hij naar Canada en neemt de valse naam Gustave Blair aan. 'Broer' Walter neemt het verhaal niet serieus. Hij moet niks van de man hebben en negeert hem volkomen, tot aan zijn dood in juli 1943.

Gustave Blair haalt echter in 1939 zijn gelijk bij de rechtbank van Phoenix. Nadat de rechter in februari van dat jaar in een civiele rechtszaak al heeft geoordeeld dat Gustave de *only and original* Charley Ross is, doet de jury dat in mei nog eens dunnetjes over. Dit oordeel is grotendeels gebaseerd op de getuigenis van zijn halfbroer Lincoln Miller, die het hele verhaal bevestigt.

Gustave Blair laat zijn naam veranderen in Charles Brewster Ross en hertrouwt zijn tweede vrouw Cora onder die naam. Ze trouwen in de kerk die is gevestigd in de voormalige woning van de familie Ross. Moeder Sarah Ann heeft deze kerk opgericht. Gustave 'Charles' Blair overlijdt op 12 december 1943, precies 31 jaar na het overlijden van zijn 'moeder'.

2

De ontvoering van Marius Bogaardt

Wanneer: 23 september 1880
Waar: Den Haag, Nederland
Losgeld: 75.000 gulden
Ontknoping: 24 september 1880

Velen beschouwen de ontvoering van onroerendgoedmagnaat Maurits Caransa in 1977 (zie hoofdstuk 12) als de allereerste Nederlandse losgeldontvoering. Slechts weinig mensen weten dat Nederland bijna een eeuw eerder – in 1880, zes jaar na de ontvoering van Charley Ross – al werd opgeschrikt door een ontvoering.

Frederick Marius Bogaardt, roepnaam Marius, is op 23 mei 1867 geboren in Nederlands-Indië, op Soerabaja. De vader van Marius had het geschopt tot chef van het handelshuis Frazer-Eaton in Soerabaja. In 1868, als Marius een jaar oud is, keert de rijke planter met zijn gezin terug naar Nederland. Het gezin bestaat dan uit vader Frederick, moeder Maria Elisabeth, en de kinderen Louise Isabella en Frederick Marius. In Nederland komen er twee kinderen bij: een broertje, dat in 1869 wordt geboren en al na vier dagen overlijdt, en in 1874 een zusje, Marie Julie.

De middelbare school van Marius is het Instituut Bouscholte aan de Koninginnegracht in Den Haag.

In 1880 is Marius dertien jaar oud. Op donderdag 23 september wordt hij, zoals altijd, door de stalknecht op de bokkenwagen naar school gebracht. 's Ochtends heeft hij les van 9 tot 12 uur, en 's middags van 13 tot 16 uur. Tussen de middag gaat hij altijd naar huis om te eten. Het gezin Bogaardt woont aan Plein 1813. De familie heeft ook nog een landgoed in Brummen, huize Engelenburg.

Marius gaat deze donderdag na het middageten lopend terug naar school, om de paarden wat rust te gunnen. Na schooltijd kan hij zelf weer naar huis komen, zonder dat de stalknecht hem hoeft op te halen. Voor Marius komt dat toevallig goed uit: hij moet die middag nablijven, en hoofdmeester Bouscholte heeft niet gezegd tot hoe laat. Tegen 15 uur, terwijl de lessen nog bezig zijn, komt er een man op school. Hij vraagt naar Marius Bogaardt en vertelt dat hij hem komt ophalen, in opdracht van Marius' moeder.

De hoofdonderwijzer gelooft de man en laat Marius uit de klas halen. Ook aan Marius vertelt de man dat zijn moeder hem gestuurd heeft en dat ze een eindje verderop op hen wacht. Marius is allang blij dat hij niet hoeft na te blijven en loopt opgetogen met de man het schoolplein af. Samen stappen ze in een rijtuigtaxi die voor de school klaarstaat.

Als Marius die middag niet thuiskomt, informeren zijn ouders bij de school. Wanneer ze horen dat hun zoon eerder die dag door een onbekende man is opgehaald, schakelen ze meteen de politie in. Al snel wordt duidelijk wat er aan de hand is: nog diezelfde avond wordt een losgeldbrief bezorgd bij de familie Bogaardt.

Geachte heer,

Daar ge uw zoon wel zult misschen, maak ik van papier gebruik om u zijn wegblijven op te helderen. Hij is in bewaring geno-men door een wanhoopig man die u uit Indië nog kent. Ik moet mijne zaken redden, ge zoudt er mij goedwillig geen geld genoeg toe geven daarom doe ik 't zoo; omdat ik mij dan gelijktijd op uw vrouw Marie, die ik haat, kan wreken in haren zoon. Ik heb vijf en zeventig duizend, 75,000 gld. noodig. Uw zoon is door mij in een kelder gesloten, waar hij wel kan leven, doch van mij niets krijgt, hij zal 't dus niet lang uit houden, en het hangt van u slechts af hem vrij te maken, zoo spoedig dat hij nog leeft. Laat dus 't geld morgen middag brengen, dan is hij nog gered. Ik kan ook niet lang wachten want ik ben op 't uiterste. Zoo ik 't geld niet krijg dan dood ik hem en mij door een paar schoten of ik vlucht en laat hem stil zitten. Ik ben zoo zeker van mijn zaak dat het slechts van u afhangt hem te redden. Doet gij dat niet dan zal hem

*geen dag leven blijven, al zou ik 't alleen maar doen uit woede
dat ge mij niet helpt. Veel tijd om 't geld op te halen geef ik u dus
niet. Gij geeft het bedrag aan bankbiljetten in een pakket gesloten aan een uwer dienstmeiden, deze gaat er mede de Hoefkade
op, zij zal die wel weten, 't is de eerste laan links, zal zij van 't
Holl.-station komt. Zij loopt dus met 't pakket in de hand als her-
kenningsteken, de Hoefkade op, en volgt die tot aan 't einde, altijd
tusschen de weilanden, door voor dat ze aan 't einde is zal ze wel
iemand ontmoeten, die haar vraagt of ze uw dienstmeid is, aan
deze geeft ze 't pakket dan is alles goed. Ze moet echter niet verzui-
men door te loopen tot 't einde, dus niet stil blijven staan. Zij gaat
juist om 3 uur van huis, dan is ze tegen half vier aan de Hoefkade
en begint haar marsch. Ge zult er niemand iets van zeggen, want
als ik bemoeilijkt word, dan dood ik uw zoon dadelijk. Poog niet
iets te ontdekken, want ge kunt niets snappen, en 't in kennis stellen aan de politie, zou uw zoon dooden, omdat ik dan 't geld niet
onbemoeilijkt zou krijgen. Ge kunt me ook niet verrassen want ik
verneem de politiezaken dudelijk. Dengene die ik zend om 't pakket te halen, is iemand die van niets afweet, mijn ware naam niet
kent, en denkt dat hij een bundel brieven van een meisje die ik
niet zelve wil ontmoeten voor mij ontvangt.*

*Van hem kunt ge dus niets vernemen, aan hem hebt ge niets; doch
komt hij niet op een bepaalde tijd bij mij terug, of is hij niet alleen,
of hebt ge hem iets van de zaak gezegd, zoo dat hij mij doorgrond;
dan dood ik uw zoon dadelijk of laat hem verhongeren. Mijn posteljon kent de gevangenis niet, en kan mij niet vinden als heel een-
zaam, terwijl ik hem in 't oog laat houden door mijn confrator.
Uw zoon komt niet terug voor dat de bankbiljetten behoorlijk zijn
ingewisseld, denk daarom, ik zal hem echter alsdan eenig voedsel geven, maar is de zaak niet eerlijk, dan blijft hij voor de kel-
derratten. Denk niet dat hij in of bij 's-Gravenhage zit, och nee,
dat niet, hij zal zaterdag met de trein arriveren bij u t'huis, zoo
mijn zaken opfleuren, dan krijgt ge 't geld terug. Kom niet zelve
't brengen of zend geen ander als uw dienstmeid, want dan komt
't niet teregt, daar mijn posteljon een machieno is; alsdan daar
ik niet langer kan wachten, vlucht ik en laat uw zoon zitten. Uw
dienstmeid gaat dus om 3 uur van huis met 't pakket in de hand
en begint hare wandeling, op vrijdag 24 Sept. Lees nu goed alles
over, denk er aan dat mijn posteljon van niets weet, dat ge door in*

iets van 't voorgeschrevene af te wijken, uw zoon dood, dat ik geen koud hollandsch bloed in mij heb, dat door 't te laat terug komen van mijn posteljon ook alles bedorven is, hetgeen door zijn schuld niet zal gebeuren. Zoo deze brief niet bij 't pakket is dan houd ik uw zoon nog een dag of acht voor ik hem terug zend. Maak nu dus niet dat de moord voor niets gebeurt, door dwaze handelingen van uw zijde; ik ben toch in 't voordeel daar ik zeker van mijne zaak ben. Ik ben niet bang voor mij, dat ge 't aan de politie zegt, want die snappen toch niets, maar dan krijg ik geen geld en sterft uw zoon voor niets.

Er wordt een buurtonderzoek ingesteld. Getuigen melden dat ze een man met een jongen hebben zien wandelen in de buurt van Zorgvliet. Die avond start ook een massale zoektocht naar de vermiste jongen, maar hij wordt niet gevonden. De koetsier van het rijtuig wordt wel gevonden. Hij meldt dat hij de ontvoerder heeft opgepikt bij station Rijnspoor en toen naar de school gereden is. De man had hem gevraagd om even te wachten. Toen hij met de jongen was ingestapt, vroeg hij de chauffeur om hen naar de Laan van Meerdervoort te rijden. Daar zijn ze uit het rijtuig gestapt en heeft de man betaald.

Twee mannen, Simons en Van der Kooy, jagers van beroep, hebben die middag geschreeuw vanuit de duinen waargenomen. Tot diep in de nacht wordt er gezocht naar Marius, maar er wordt geen spoor van hem gevonden.

De volgende ochtend wordt de zoektocht hervat. In de kranten verschijnt een politiebericht:

Gisterennamiddag te 3 uren is uit 's Gravenhage weggevoerd met rijtuig Marius Bogaardt, oud 13 jaren, klein, mager, levendige donkere oogen, donker blond haar, hangende over het voorhoofd, gekleed in een donkergrijs buisje en broek, kaplaarzen, zwart laken pet, door een onbekende heer, gekleed in donkerbruine jas en broek, zwart laag hoedje, bruinen stok, circa 20 jaar oud, lengte middelmatig, bleek, tenger, donker uiterlijk. Zijn vader looft twee duizend gulden uit voor de terugbezorging.

Niemand weet op dat moment dat deze onbekende heer Willem Marianus de Jongh is. De Jongh heeft in Nederlands-Indië gediend als onderofficier bij het Regiment Grenadiers en Jagers. Dit bataljon deed dienst 'onder het oog des Konings', wat betekent dat het werd gelegerd in landen waar de koning regeerde. Het Nederlands-Indisch leger bestond in die periode uit een kleine dertigduizend militairen.

De Jongh heeft inmiddels een baan als kantoorbediende, net als zijn overleden vader. Hij is opgegroeid in armoede en aangezien hij dezelfde baan heeft als zijn vader, zijn de vooruitzichten niet heel gunstig. Om zijn moeder een comfortabele oude dag te kunnen bieden, zal hij iets anders moeten doen dan iedere dag van negen tot vijf op kantoor te zitten.

Na het lezen van de roman *Twee moeders* van Marie Sloot, over een kind dat gestolen wordt, denkt hij de oplossing te hebben gevonden. Voor de uitvoering van zijn plan komt De Jongh uit bij de rijke familie Bogaardt. Frederick Bogaardt heeft een fortuin verdiend met zijn plantages, en de familie heeft een prachtige woning in Den Haag en een landhuis in Brummen. Het is de bedoeling dat hun zoon Marius daar later gaat wonen.

De Jongh houdt de verrichtingen van de familie Bogaardt enige tijd in de gaten, in het bijzonder die van Marius. De ochtend van 23 september schrijft hij een losgeldbrief in café St. Hubert, in de Hoogstraat. Daarvandaan loopt hij via het Willemspark naar de woning van de familie Bogaardt. Om 14 uur ziet hij mevrouw Bogaardt met paard-en-wagen vertrekken in de richting van Scheveningen. Voordat hij om 15 uur bij de school aankomt, wandelt Willem de Jongh naar station Rijnspoor en post daar de losgeldbrief.

Op vrijdag 24 september, een dag na de ontvoering, doet de politie een gruwelijke ontdekking. Om 12 uur vindt men in de Dekkersduinen het lichaam van Marius. Hij ligt op zijn rugtas, zijn pet is over zijn gezicht geschoven. Marius is vermoord met een zwaard. Na onderzoek blijkt dat hij zeven keer in en om zijn hart is gestoken; hij maakte geen schijn van kans.

Op de middag van de ontvoering neemt Willem de Jongh Marius mee de duinen in, nadat ze uit de rijtuigtaxi zijn gestapt. Hij bindt hem vast met een koord, dat hij eerder die ochtend heeft gekocht in de winkel van de heer Declemij, in de Oude Molstraat. Marius moet van zijn ontvoerder stil blijven wachten op de afgelegen plek in de duinen totdat hij terugkomt. 'Ik kom pas terug als je vader betaald heeft,' zegt De Jongh.

Marius is bang en schreeuwt om hulp. De Jongh zegt dat hij stil moet zijn, anders zal hij hem vermoorden. Hij legt Marius neer, bedekt hem met zijn overjas en gaat weg, maar Marius blijft huilen en schreeuwen. Zijn ontvoerder is bang dat hij ontdekt wordt. Hij loopt terug en steekt met zijn degen op de weerloze jongen in. Het lichaam laat hij achter en hij vlucht naar Scheveningen, waar hij zijn handen in de zee wast. Onderweg gooit hij zijn zwaard in een sloot.

Die avond komt hij rond 21 uur aan bij zijn woning in de Nieuwe Schoolstraat in Den Haag, waar hij samen met zijn moeder woont. Moeder is heel ongerust: normaal komt Willem nooit zo laat thuis en het is vandaag nog wel haar verjaardag.

De politie krijgt Willem een dag na de ontvoering in het vizier. Omstreeks het tijdstip waarop het losgeld moet worden gedropt, loopt hij rond op de Moerkade, in de buurt van de Hoefkade. Buiten de politie om weet dan nog niemand dat het ontzielde lichaam van Marius Bogaardt al is gevonden. Willem de Jongh wordt gearresteerd. Algauw wordt hij echter weer vrijgelaten nadat hij niet is herkend door de koetsier van de rijtuigtaxi die hem van en naar de school heeft gebracht, noch door een dienstmeid van de onderwijzer.

Nederland reageert geschokt als op 24 september 1880 het nieuws van Nederlands eerste ontvoering wereldkundig wordt gemaakt. Twee dagen nadat het lichaam van Marius is gevonden, krijgt de familie Bogaardt een nieuwe brief, met de kop: 'Onze wraakneming is nog niet uit. Wij zullen u vervolgen tot in de dood. Wees voorzigtig, anders smoren wij u zelve nog.' De brief is gepost in Rotterdam en geschreven op briefpapier met het watermerk Bath, dat ook in café St. Hubert wordt gebruikt. Op de enveloppe staat met potlood het woord 'spoed' twee keer geschreven.

De vader van Marius heeft een beloning van 2000 gulden uitgeloofd voor de tip die leidt tot de aanhouding van de dader(s); de officier van justitie verhoogt deze beloning tot 10.000 gulden. Intussen is een gezant van koning Willem III bij de familie Bogaardt langs geweest om zijn 'innig medeleven te betuigen in het geleden smartelijke verlies van uw zoon'. De koning laat verder weten dat hij hoopt dat het justitie zal lukken om de 'laaghartige moordenaar' te ontdekken.

Een fanatieke journalist van weekblad *De Amsterdammer*, Jacques de Bergh, publiceert de eerste losgeldbrief en de enveloppe. De Bergh staat bekend om zijn kritische stukken over politie en justitie. De publicatie levert een aantal tips op.

Op 4 oktober meldt Eduard Douwes Dekker zich bij de officier van justitie. Douwes Dekker is beter bekend als Multatuli, de schrijver van *Max Havelaar*. Volgens hem is zijn eigen zoon Edu de moordenaar. Zijn zoon is een zodanig slecht mens dat hij de dader wel moet zijn, zo stelt Douwes Dekker. Edu – 'kleine Max' – ontkent elke betrokkenheid en heeft bovendien een sluitend alibi: op het moment van de ontvoering verbleef hij in het buitenland.

Multatuli reageert hierop met: 'Precies mijn zoon, om op te scheppen dat hij het niet heeft gedaan.' Hij blijft doorgaan met zijn lastercampagne. Zo schrijft hij: 'De hele uitvoering van de ontvoering is zo dom opgezet. Dat is nou typisch iets voor Edu.' En: 'Ja, dat ellendig intermezzo betreffende mijn zoon is voorbij wat het feit-zelf aangaat. Maar altijd ga ik gebukt onder den indruk dat ik zoo-iets voor mogelijk heb moeten houden. Sedert jaren voorzag ik iets van dien aard en ik blijf 't voorzien.'

Op zondag 3 oktober 1880 meldt zich een zekere Emile Auguste Musquetier bij journalist De Bergh. Deze sergeant heeft de losgeldbrief in de krant gelezen en vraagt of hij de brief mag zien. Het handschrift en de stijl komen hem bekend voor. Ze spreken af in café 't Goude Hooft.

Musquetier heeft met De Jongh op de officierscursus gezeten en contact met hem gehouden nadat De Jongh naar Nederlands-Indië werd uitgezonden. Ze correspondeerden regelmatig met elkaar; Musquetier had minstens vier brieven gehad.

Nadat hij de losgeldbrief goed heeft bestudeerd, keert Musquetier huiswaarts en kijkt nog eens goed naar de brieven van De Jongh. Het valt hem op dat de schrijver van de losgeldbrief heeft geprobeerd zijn handschrift te verbloemen. Dat is niet helemaal gelukt: vooral de schuine manier van schrijven valt op. Op de cursus had de leraar erop gehamerd dat het rechter moest.

Verder heeft De Jongh de gewoonte vaak dikke strepen onder namen te zetten. Dit is ook bij de losgeldbrief en de enveloppe het geval: de namen 'Bogaardt' en ''s-Gravenhage' zijn onderstreept. Daarnaast gebruikt De Jongh steevast *'t* in plaats van *het*.

Het opvallendst is echter het verbindingsteken tussen *'s* en *Gravenhage*. In die tijd gebruikte bijna niemand dat. De Jongh gebruikt het in alle vier brieven aan Musquetier en ook in de losgeldbrief. Daarom is Musquetier ervan overtuigd dat de schrijver van de brieven aan hem en de schrijver van de losgeldbrief één en dezelfde persoon zijn.

Diezelfde zondagmiddag besluit hij zijn vriend Willem de Jongh eens te bezoeken. Daarbij houdt hij zich van de domme. Willem zal niets vermoeden van wat Musquetier weet en het bezoek zal hem niet verbazen, aangezien ze elkaar regelmatig bezoeken. Ze spreken over wat algemene zaken.

Na verloop van tijd kaart Musquetier de spraakmakende ontvoering aan bij de moeder van Willem. Het valt hem op zij daar liever niet over spreekt en dat Willem eerst wit wegtrekt en dat vervolgens zijn gezicht rood kleurt. Musquetier stelt voor even een stukje te wandelen, zoals ze wel vaker doen, maar Willem wil niet mee, ondanks enig aandringen. Daarna stelt hij voor dat ze elkaar rond 16 uur treffen in café 't Goude Hooft.

Als Willem die middag niet komt opdagen in het café, raakt Musquetier nog meer overtuigd van zijn bevindingen, en hij besluit met zijn informatie naar justitie te gaan. Die nacht wordt Willem de Jongh om 4 uur gearresteerd. Hij ontkent elke betrokkenheid bij de ontvoering en de dood van Marius, maar deze keer wordt hij niet meer vrijgelaten. In de duinen zijn voetsporen aangetroffen waarvan de afmetingen overeenkomen met zijn schoenmaat, en op zijn handen treft de politie krabsporen aan, die erop duiden dat Marius hevig verzet heeft geboden.

Als Willem in de gevangenis zit, komt zijn zus hem bezoeken. Op haar aandringen legt hij een volledige bekentenis af. Tijdens het proces, eind december 1880, zijn er verschillende getuigen die De Jongh niet herkennen. De koetsier is er ook nu niet van overtuigd dat dit de man is die hij op de dag van de ontvoering samen met het slachtoffer in de rijtuigtaxi heeft gehad. De uitbater van St. Hubert, het café waar De Jongh de losgeldbrief schreef, verklaart dat De Jongh vaak in zijn café kwam in het gezelschap van een onbekende man, ook vlak voor de ontvoering.

Er zijn vermoedens dat de daadwerkelijke ontvoerder Gerrit Kets zou zijn, de man met wie Willems zuster wil trouwen, maar deze krijgen geen gestalte. Willem de Jongh houdt vol dat hij alleen heeft gehandeld en zegt dat het nooit zijn bedoeling is geweest om de jongen te doden. Willems advocaat, mr. Van Rossem, vraagt geen vrijspraak, maar zegt wel sterk te betwijfelen dat zijn cliënt de ware dader is van de moord. Op 30 december 1880 wordt De Jongh veroordeeld tot een levenslange tuchthuisstraf.

Emile Auguste Musquetier wordt nadat hij zijn vriend heeft aangegeven aanvankelijk louter en alleen toegejuicht, maar na verloop
van tijd beginnen mensen in zijn omgeving hem te zien als verrader. Mogelijk heeft dit ertoe bijgedragen dat hij op 8 oktober 1887
in Nederlands-Indië zelfmoord pleegt. Vanuit zijn huis loopt hij de
rivier in en verdrinkt. Willem de Jongh komt in 1905 vervroegd vrij.
In 1919 pleegt ook hij zelfmoord.

Het gezin Bogaardt verlaat kort na het drama Den Haag en vestigt zich te Brummen op het buitenverblijf, de woning die eigenlijk voor Marius bedoeld was. Marius werd op 27 september 1880
in Den Haag begraven op begraafplaats Oud Eik en Duinen. Later
wordt hij herbegraven in Brummen en bijgezet in het familiegraf op
de Algemene Begraafplaats. Het graf is nu een rijksmonument. Het
opschrift luidt:

Ter nagedachtenis aan Frederick Marius Bogaardt
geboren op 23 mei 1867
overleden op 23 september 1880
zijn ouders, zusters
en de schooljeugd van 's-Gravenhage

3

De ontvoering van Eddie Cudahy

Wanneer: 18 december 1900
Waar: South Omaha, Nebraska, Verenigde Staten
Losgeld: 25.000 dollar
Ontknoping: 19 december 1900

Rond de eeuwwisseling is men in de Verenigde Staten de eerste losgeldontvoering in de geschiedenis, van Charley Ross in 1874 (zie hoofdstuk 1), nog lang niet vergeten. Na de dood van vader Christian Ross hebben zijn vrouw en kinderen de zoektocht voortgezet, maar zonder resultaat. De nieuwe eeuw is nog geen jaar oud wanneer zich opnieuw een kidnapping aandient die in het hele land veel stof doet opwaaien, maar deze keer met een heel andere afloop.

De ontvoering van Charley Ross in 1874 is voorbijgegaan aan de destijds 5-jarige Patrick Crowe. Patrick wordt in 1869 geboren in een respectabel gezin op een boerderij in Scott County, vlak bij Davenport, in de staat Iowa. Het plaatsje is vooral bekend als de geboorteplaats van Buffalo Bill, de bekendste figuur van het Wilde Westen. In 1881 verhuist het gezin naar Crawford County, Iowa.

Als Patrick dertien jaar is, overlijdt zijn moeder. Ze laat elf kinderen achter. Het boerenleven trekt Patrick totaal niet, en op zijn zeventiende besluit hij de wijde wereld in te trekken. Hij gaat naar Omaha, in de staat Nebraska.

Daar begint hij in 1886 met een vriend zijn eigen slagerij. De twee jongemannen houden het principe aan dat vaste klanten die wat krap bij kas zitten, later mogen betalen. Deze ondernemersfout zal de slagerij uiteindelijk de kop kosten: de schulden lopen hoog op, waardoor het vlees steeds duurder wordt en de klanten overlopen naar de slagerij van concurrent Edward Cudahy.

Edward Cudahy is een van grootste vleesverwerkers in de regio. Doordat hij alles in eigen hand heeft, is hij veel goedkoper dan de kleine middenstanders. Als Patrick Crowe op last van de schuldeisers uiteindelijk zijn zaak moet sluiten, is hij woest. Zijn rancune richt zich vooral op Cudahy. Als hij op een dag voor het grote landgoed van de familie Cudahy staat, zweert hij dat de grote vleesverwerker voor zijn ondergang zal boeten.

Het grote landhuis van de Cudahy's telt 22 kamers. Edward Aloysius Cudahy en zijn vrouw hebben vier dochters en een zoon, Edward A. junior – door iedereen Eddie genoemd. De familie Cudahy is rijk geworden dankzij de vleeshandel.

Cudahy senior is in 1860 geboren in Milwaukee en is, net als Patrick Crowe, de vijfde jongen in het gezin. Het vleesverwerken zit de familie, die van Ierse afkomst is, in het bloed. Op zijn dertiende volgt Edward het voorbeeld van zijn oudere broers en gaat hij werken in de vleesindustrie. De Cudahy's beginnen in 1887 in Omaha een kolossaal veebedrijf. Het gaat ze voor de wind, en de broers worden stuk voor stuk miljonair. De regio is blij met het bedrijf: het levert het 105.000 inwoners tellende Omaha ruim 2000 arbeidsplaatsen op.

Hoewel hij een van de weinigen is die niet blij zijn met het bedrijf, gaat Patrick Crowe er na zijn faillissement aan de slag als werknemer. Het bloed kruipt nou eenmaal waar het niet gaan kan, en voor Pat is dat de slagerswereld. Voordat hij het in de gaten heeft, staat hij vlees te verkopen in loondienst van de Cudahy's.

De wraak op Edward Cudahy laat niet lang op zich wachten: Patrick drukt regelmatig geld achterover uit de kassa. Het begint met af en toe een briefje van 5 dollar, maar loopt al gauw op naar 20 dollar per dag. Als na verloop van tijd wordt opgemerkt dat er geld verdwijnt, gaat de verdenking al snel in zijn richting. Hij wordt ontslagen. Patrick Crowe is dan nog geen twintig jaar oud en ziet geen andere uitweg dan het criminele pad op te gaan: zo kan hij veel sneller geld verdienen dan met werken in loondienst. Van het stelen van geld gaat hij over op inbraken en gewapende overvallen. Pat en

zijn pistool zijn onafscheidelijk. Zijn wapen, waarin vijf kogels passen, noemt hij liefkozend 'Betsey'. Hij gebruikt de valse naam Frank
Roberts en weet steeds de dans te ontspringen. Pas in 1890 wordt hij
voor het eerst veroordeeld voor het beroven van een trein.

Hij belandt voor zes jaar in de beruchte Jolietgevangenis in Illinois, maar komt na zeventien maanden alweer vrij nadat de gou-
verneur hem gratie heeft verleend. Het lukt hem een tijdje om een
burgerlijk leven te leiden. Patrick heeft weer een baan en werkt kei-
hard, vaak meer dan tien uur per dag. Dat moet ook wel: in 1888 is
hij getrouwd met zijn grote liefde Hettie Murphy, met wie hij drie
kinderen krijgt.

Het burgerleven is voor Crowe echter van korte duur. Hij vertelt
Hettie dat zijn plannen zijn veranderd en gaat weer op het roverspad.
Dat hij de Cudahy's wil terugpakken, staat vast sinds deze vleesmag-
naat zijn kleine slagerij opdoekte, maar pas in de zomer van 1892
wordt duidelijk hoe hij dat precies zal gaan doen.

Op zijn rooftour door de Verenigde Staten belandt hij in Germantown, Philadelphia. Wanneer hij met een *partner in crime* ter voorbereiding van een overval een rondje door de stad maakt, komen
ze toevallig langs de plek waar achttien jaar eerder de kleine Charley Ross werd ontvoerd (zie hoofdstuk 1). Pats vriend wijst hem de
plaats delict aan en vertelt over de beruchte ontvoering. Pat luistert
aandachtig.

De geplande overval gaat die week door onvoorziene omstandigheden niet door, maar dat maakt Pat niet zoveel uit. Integendeel, zijn
maat heeft hem deze week op een prachtig idee gebracht: de beste
manier om Edward A. Cuhady terug te pakken is het ontvoeren van
zijn zoon Eddie. De ultieme wraak. Hij zou een miljoen, of zeker een
half miljoen dollar moeten betalen voor de vrijlating van zijn enige
zoon. Voordat hij zijn plan ten uitvoer kan brengen, wordt Pat in
1893 opnieuw opgepakt voor een treinroof. Nu belandt hij voor drie
jaar in de Missouri State Prison in Jefferson City. Uit deze gevangenis weet hij te ontsnappen door een gevangenisbewaarder te overmeesteren en diens pistool af te pakken.

Na enkele maanden wordt hij weer opgepakt en moet hij terug.
Zijn relatie met Hettie is inmiddels voorbij, al scheiden de twee nooit
officieel. Hun kinderen zijn alle drie kort na de geboorte overleden
en Hettie ziet het niet zitten om met een crimineel te leven. Pat benut
zijn tijd in de gevangenis om zijn plannen voor de ontvoering van

Eddie Cudahy verder uit te werken. Het moet zijn laatste grote klus worden: dankzij de ontvoering kan hij in één klap binnen zijn en gaan rentenieren.

Na zijn vrijlating pleegt hij op 13 oktober 1899 opnieuw een trein-overval. Pat wordt opnieuw gezocht en gaat onder een valse naam wonen en werken in Butte, Montana. Hij noemt zich Tom Gilmore. De financiering voor de ontvoering is rond dankzij de overval en de echte voorbereidingen kunnen beginnen.

In het najaar van 1899 brengt Crowe een bezoek aan Omaha. Hij trekt de stoute schoenen aan en gaat op verkenning bij het huis van de familie Cudahy aan de Harney Street. Pat Crowe lijdt aan een chronische aandoening waarvan hij vooral bij koud weer last heeft: hij heeft een soort wonden in zijn gezicht die helemaal opzwellen onder invloed van kou. Door de barre weersomstandigheden – er is een sneeuwstorm gaande – is dat nu ook het geval.

Patrick belt aan en de dienstmeid laat hem binnen. Even later komt meneer Cudahy aangelopen. Hij verwelkomt Pat hartelijk: 'Blij je terug te zien in Omaha.' Cudahy heeft Hettie, de vrouw van Pat, nog aan werk geholpen toen Pat gedetineerd was. Nu biedt hij Pat een baan als manager aan.

Tijdens het gesprek komt Eddie voorbijlopen vanuit de recreatie-ruimte, waar hij zojuist biljart heeft gespeeld. Pat neemt de verschijning van de 16-jarige jongen goed in zich op. Ondertussen strijkt hij over het gezwel in zijn gezicht, en doet alsof hij ziek is en daarom de baan niet kan aannemen. 'Als je beter bent kom je maar terug,' zegt Cudahy. 'Ik zal je een goede plek geven binnen ons concern.' Hij geeft Pat een dure overjas ter waarde van 150 dollar en adviseert hem om naar het ziekenhuis te gaan.

Na zijn vertrek gaat Patrick niet naar het ziekenhuis, maar recht-streeks naar de lommerd, die hem 20 dollar biedt voor de jas. Pat is verbaasd over de vriendelijke houding van zijn oude baas. Hij had liever gezien dat deze hem bij wijze van spreken het huis uit geschopt had; dat had het allemaal iets makkelijker gemaakt. Even worstelt hij met zijn geweten. Cudahy heeft zelfs met geen woord gerept over het geld dat hij jaren geleden uit de kas had gejat.

Pat werkt een tijdje als barkeeper in de saloon van zijn broer Steve in Chicago. Hier treft hij een oude bekende, Frank Sampson. Met hem bespreekt Pat zijn plannen voor de ontvoering. Frank is enthousiast, totdat Pat voorstelt om ook ene Jim Callahan erbij te betrekken, een lokale beroepscrimineel met wie hij verscheidene klusjes heeft gedaan. Het probleem met Jim is dat hij vaker dronken dan nuchter is. Frank wil absoluut niet met hem samenwerken en stelt Pat voor de keuze: Jim of hij. Pat kiest voor Frank.

De nieuwe vriendin van Pat, Mabel, huurt een huisje dat als schuilplaats moet dienen. Het afgelegen huisje staat op Melrose Hill, centraal gelegen tussen Zuid-Omaha en Omaha. Vanaf deze plek heb je een prima zicht op de landerijen van de familie Cudahy. Het huisje heeft een tijd leeggestaan. De huur bedraagt zes dollar per maand en wordt voor zes maanden vooruit betaald. Mabel maait het gras en knipt de heg zodat het huisje bewoond lijkt. Binnen wordt het zodanig ingericht dat het slachtoffer er ongezien kan worden vastgehouden.

Pat koopt een wagen en een pony, die ze zullen gebruiken voor de ontvoering. Deze worden op een geheime plek gestald. Begin juni 1900 gaan Pat en Frank de omgeving verkennen. Ze hopen een glimp op te vangen van de jonge Eddie Cudahy, zodat ook Frank een idee heeft hoe hij eruitziet.

Bij het landgoed van de Cudahy's lijkt alles uitgestorven. Pat vertrouwt het niet en belt vanuit een telefooncel met een smoesje naar het huis van de familie Cudahy. Een bediende neemt op en vertelt dat de familie een dag eerder is vertrokken voor een vakantie naar hun buitenverblijf op Mackinac Island. Ze komen pas 1 september weer terug. Pat en Frank moeten hun plannen dus uitstellen. Ze nemen even rust.

In afwachting van de terugkeer van de Cudahy's besluiten Pat en Frank om samen nog een trein te beroven. De overval gaat echter compleet mis: Frank wordt doodgeschoten door een bewaker en Pat weet ternauwernood te ontkomen. Hij ziet zijn plannen voor de ontvoering in rook opgaan. Gelukkig is daar zijn oude maat Jim Callahan – nuchter deze keer – die nog steeds wil meewerken.

Het is inmiddels bijna kerst, een drukke periode in de vleesindustrie van de Cudahy's. Op 18 december, tegen de klok van zeven, vraagt mevrouw Cudahy haar zoon Eddie. of hij een paar boeken en wat tijdschriften wil brengen naar de buurman, dokter Fred Rustin. Eddie doet dit wel vaker. De dokter gebruikt de boeken en tijdschriften voor de leestafel in de wachtruimte van zijn praktijk. Eddie doet wat zijn moeder hem vraagt.

Dokter Fred Rustin woont drie huizen verderop in Farnam Street. Eddie neemt de hond mee, een collie. De buurman doet open en Eddie gaat naar binnen. De hond wacht buiten. Pat Crowe en Jim Callahan staan verderop met hun verrekijker en houden alles nauwlettend in de gaten. Nog geen vijf minuten later keert Eddie huiswaarts, met de hond al spelend achter zich aan.

Slechts een halve straat verwijderd van zijn ouderlijk huis komen de mannen met hun paard-en-wagen achter hem rijden. Jim springt van de wagen en komt naast Eddie lopen. 'Eddie!' zegt hij. 'Nu hebben we je. Ik ben de sheriff van Sarpy County.' Callahan draagt een valse sheriffpenning op zijn blouse. 'Jij bent Eddie McGee,' vervolgt hij. 'Je bent weggelopen van de tuchtschool, en we moeten je arresteren.' 'U vergist zich,' zegt Eddie. 'Ik ben niet Eddie McGee, maar Eddie Cudahy. Ik woon hier even verderop.' De mannen geloven hem niet: hij moet mee naar het politiebureau en als hij daar kan aantonen dat hij werkelijk Eddie Cudahy is, laten ze hem weer vrij.

Eddie tuint erin en klimt op de wagen. De hond blaft en springt ook op de wagen. Het paard krijgt een klap van de zweep en gaat in galop. Ze komen langs de terreinen van de Cudahy's, waar de hond van de wagen springt en naar huis loopt. Pat gooit zijn jas over het hoofd van Eddie. Mocht hij onderweg om hulp roepen, dan zal niemand het horen. Bovendien ziet hij zo niets; inmiddels heeft hij wel in de gaten dat hij ontvoerd is.

Zijn ontvoerders rijden via allerlei omwegen naar de schuilplaats. Van onder de jas horen ze hem zeggen: 'Ik weet wat jullie willen: mijn vaders geld. Mijn vader geeft veel om mij.' 'Blij om te horen,' reageert Pat. 'Laat het niet te lang duren,' vraagt Eddie, 'mijn moeder is snel ongerust. Ik ben nu zestien en volgend jaar ga ik studeren.' De ontvoerders gaan hier niet op in.

Aangekomen bij de schuilplaats op Melrose Hill wordt Eddie naar boven gebracht. Hij ziet niks, maar hoort des te meer, zo zal later blijken. Hij maakt geen bange indruk op zijn belagers. Eenmaal op zijn kamer vragen ze hem of hij nog wensen heeft. Hij wil graag roken, en de ontvoerders regelen shag en vloei. Eddie is geblinddoekt en zijn benen zijn vastgeketend aan een stoel, maar zijn handen zijn vrij. Zo kan hij de ene na de andere sigaret draaien. Verder krijgt hij koffie en crackers.

Pat pakt de losgeldbrief die hij achter het behang heeft verstopt.

Meneer Cudahy,

Wij hebben uw zoon ontvoerd. U moet 600.000 dollar in gouden muntstukken betalen voor zijn veilige terugkeer. Meneer Cudahy, u staat voor de keuze. Betaal het geld. Als u betaalt, krijgt u uw zoon veilig terug, zoals u hem voor het laatst zag. Als u dit niet doet, zullen wij ervoor zorgen het slecht met uw zoon afloopt, dan gooien wij zoutzuur in uw zoon zijn ogen, zodat hij blind wordt. We zullen dan onmiddellijk een ander miljonairskind ontvoeren dat we op het oog hebben en 100.000 dollar meer eisen. Dit zullen we krijgen ook, hij zal de conditie van uw zoon zien en zich realiseren dat met ons niet valt te spotten.

Zorg dat het geld, allemaal in goudmuntstukken van 5, 10 en 20, bij ons komt. Stop het in een witte tarwedraagzak in de wagen op de avond van 19 december om 19.00 uur en rijd vanaf uw huis in zuidelijke richting naar Center Street, ga daar westelijk op Center Street, voorbij Ruser's Park, en volg de verharde weg richting Fremont. Als u bij een lantaarnlamp komt langs de weg, plaats het geld bij de lamp en keer onmiddellijk uw paard en keer huiswaarts, u herkent onze lantaarn aan twee linten, een zwarte en een witte aan het handvat. Plaats een rode lamp voor in uw wagen. Op een plek waar wij deze goed kunnen zien, zodat we u op een kilometer afstand kunnen zien aankomen. De losgeldbrief en elk deel ervan moeten bij het geld aan ons worden teruggegeven, iedere poging om ons te pakken zal u berouwen, zoals nog nooit iets u berouwd heeft.

ATTENTIE HIER SCHUILT HET GEVAAR: Zoals u zich wellicht nog herinnert, werd ongeveer 26 jaar geleden Charley Ross ontvoerd in New York City. Er werd 20.000 dollar losgeld gevraagd. De oude Ross was bereid te betalen, maar Byrnes, de grote politiebaas, en anderen weerhielden de oude man ervan om te betalen. Hij verzekerde de man dat de boeven wel zouden worden gepakt. Ross overleed uiteindelijk aan een gebroken hart, vol spijt dat hij deed wat de politie hem opdroeg. Niemand anders dan u mag deze brief te zien krijgen. Als de politie of vreemden deze brief zien, lopen we het risico dat anderen, die komen opdagen en ergens een lamp neerzetten en zich als ons voordoen, er vervolgens met het geld vandoor gaan. Dit zou net zo fataal voor u zijn als wanneer u ons niet betaalt. Zo ziet u dus welk gevaar er schuilt in het laten zien van deze brief aan anderen.

Meneer Cudahy, u staat ervoor, en er is maar één manier om eruit te komen. Betaal het geld.

Geld is wat we willen en geld is wat we krijgen. Als u niet betaalt, zal de volgende het wel doen, omdat hij ziet dat we het serieus menen. Dan mag u hem de rest van uw leven begeleiden en iedereen vertellen dat het is gekomen omdat u meer van geld dan van uw bloedeigen zoon hield. Doe wat u moet doen en dan doen wij wat wij moeten doen. Als u weigert, zult u snel het meest trieste zien wat u ooit heeft gezien.

WOENSDAG, 19 DECEMBER, DEZE AVOND OF NOOIT. Volg de instructies in deze brief op en u en de uwen zal niets worden aangedaan.

Bandieten

Voordat hij de brief de deur uit doet, leest Patrick hem nog een keer aandachtig door. Weemoedig denkt hij aan de keer dat Edward Cudahy hem een overjas leende, alweer een jaar geleden. Hij denkt ook even terug aan de goedheid van Cudahy toen die zijn vrouw Hettie aan een baan hielp, terwijl hij zelf vastzat in de Jolietgevangenis.

Nu hij daarover nadenkt, verandert hij de losgeldbrief: de eis van 600.000 dollar wordt naar beneden bijgesteld tot 25.000 dollar. Jim Callahan, die de kettingrokende Eddie bewaakt, wordt erbij geroepen. Hij moet akkoord gaan met de verlaging, en stemt daarmee pas in nadat Pat hem zijn plannen heeft verteld voor een volgende ontvoering; dan zal de buit maar liefst 4 miljoen dollar bedragen. Het beoogde slachtoffer – de oliemiljardair John D. Rockefeller – houdt Pat nog even geheim.

Hij pakt een zware trekpen, waar hij de brief omheen rolt. Pat verzegelt de brief met een paar strikken en steekt hem in zijn binnenzak. Hij haalt de pony van stal en rijdt naar het landgoed van de familie Cudahy. Hier gooit hij de losgeldbrief in de grote tuin voor de voordeur. De ontvoering is dan ongeveer een uur bezig, en de familie heeft waarschijnlijk nog geen argwaan. Ongezien rijdt Pat weer terug. Om beurten houden hij en Jim die nacht de wacht over Eddie.

Als Eddie na een paar uur nog niet thuis is, slaat de ongerustheid toe in huize Cudahy. Vader Edward belt naar de buurman en vraagt of

Eddie nog bij hem is. De buurman vertelt dat Eddie maar heel even binnen is geweest. Daarop bellen de Cudahy's de politie. Twee politiemannen komen op de fiets naar het landgoed van de Cudahy's en stellen een eerste onderzoek in, zonder resultaat.

De volgende dag verschijnt een extra editie van *The Herald Tribune*, waarin melding wordt gedaan van de verdwijning. Een grootschalige zoektocht is het gevolg. Meer dan zevenduizend mensen zoeken naar Eddie Cudahy, onder wie tweeduizend werknemers van het Cudahyconcern. Ook worden dure privédetectives ingeschakeld.

Inmiddels heeft de politie haar intrek genomen bij de familie Cudahy. Terwijl de grote zoektocht gaande is, gaat om 9 uur de telefoon. Politiechef John Donahue neemt op.

Crowe: 'Is meneer Cudahy aanwezig?'
Donahue: 'Met wie spreek ik?'
Crowe: 'Ga weg bij de telefoon en geef hem aan de lijn.'
(…)
Cudahy: 'Hallo!'
Crowe: 'Hebt u de brief gevonden?'
Cudahy: 'Zojuist, we willen met u praten.'
Crowe: 'Volg gewoon de instructies.'

Vlak voor het telefoontje heeft een werknemer, koetsier Andrew Gray, de brief gevonden. De hele dag wordt naar Eddie gezocht, maar tevergeefs. Hij wordt niet gevonden, terwijl hij op nog geen 5 kilometer van zijn eigen huis wordt vastgehouden. De ontvoerders houden de zoekende menigte intussen goed in de gaten. Tegen de avond ziet Crowe dat de meeste mensen naar huis zijn gegaan.

Jim Callahan staat inmiddels iets te lang droog en begint ontwenningsverschijnselen te vertonen. Pat geeft hem onder het toeziend oog van Eddie een paar slokken uit zijn drankflacon. Eddie krijgt ook wat. Patrick waarschuwt Eddie: 'Mocht deze man dronken worden, probeer dan niet zijn sleutel te stelen. Aan de andere kant van de deur staat nog een bewaker. Zodra jij naar buiten loopt, schiet hij je kop eraf. Onder aan de trap patrouilleren nog twee bewakers.'

Eddie haalt zijn schouders op en steekt een nieuwe sigaret op. De vloer ligt bezaaid met peuken. Hij kan van onder zijn blinddoek zien dat zich in de zo goed als lege kamer alleen maar een benzinekachel en een stoel bevinden. De ramen zijn afgeplakt met oude kranten.

Pat maakt zich op voor de losgeldoverdracht en belooft Eddie dat hij wordt vrijgelaten zodra zijn vader betaald heeft. Eddie hoopt dat het allemaal niet te lang meer duurt. Crowe heeft de losgeldovergave zorgvuldig voorbereid. Van grote afstand kan hij de rode lamp zien aankomen.

Intussen adviseert politiechef John Donahue Edward Cudahy om niet te betalen. Het is de moeder van Eddie die uiteindelijk de doorslag geeft. 'Het is onze zoon en ons geld,' vindt ze. Om 17 uur laat ze koetsier Andrew samen met een collega naar de bank gaan om het geld op te halen. Het geld blijkt te zwaar om in tassen te stoppen, dus regelt een bankmedewerker een koffer.

Pat houdt er rekening mee dat de familie de politie heeft ingeschakeld bij de losgeldoverdracht. Vanaf een heuvel heeft hij goed zicht op de 65 kilometer lange weg van Omaha naar Nebraska. Zo kan hij goed zien of de paard-en-wagen van Edward Cudahy worden gevolgd.

Klokslag 19 uur vertrekt Edward A. Cudahy van huis, in het gezelschap van zijn hoofdverkoper Paddy McGrath. Ze rijden voorzichtig, omdat ze bang zijn de lamp met het lint voorbij te rijden. Pas nadat ze zo'n 16 kilometer hebben gereden, zien ze de lamp. Ze stoppen. Cudahy zegt tegen Paddy dat hij het geld bij de lamp moet neerzetten. Aan de koffer met losgeld zit een briefje geknoopt, bestemd voor de ontvoerders: 'Wij hebben aan onze verplichtingen voldaan, wij gaan ervan uit dat jullie dat ook doen.'

De gewapende Patrick Crowe hoort en ziet alles op gepaste afstand gebeuren. Hij heeft zijn paard even verderop verstopt. Mocht de politie tevoorschijn komen, dan zal hij het vuur openen en vluchten, zo is zijn plan.

Cudahy en McGrath rijden, honderd kilo lichter, snel terug naar Zuid-Omaha. Ze zijn tegen 23 uur thuis. Zodra ze uit zicht zijn, grijpt Pat Crowe de buit. Hij heeft er een zware kluif aan, want de koffer, gevuld met gouden dollarmunten, weegt bijna honderd kilo. Hij is blij dat hij de losgeldeis heeft verlaagd van 600.000 naar 25.000 dollar.

Terug bij de schuilplaats in Melrose Hill vindt Patrick Jim Callahan laveloos op de vloer. Hij snurkt en is totaal van de wereld. Eddie is wakker en steekt de zoveelste sigaret op. Callahan wordt door Crowe wakker gemaakt: ze moeten Eddie terugbrengen. De jongen wordt geblinddoekt naar beneden gebracht en op de wagen gezet.

Vlak bij zijn ouderlijk huis worden zijn handen losgemaakt en mag hij van de wagen af. Zijn ontvoerders vragen hem of hij weet waar hij is. Eddie kijkt om zich heen en knikt. Hij vraagt om een laatste sigaret en neemt afscheid van de twee mannen. 'So long, fellows,' zegt hij, terwijl hij in de richting van zijn huis loopt. Het is 1 uur geweest als Eddie 's nachts de kamer binnenloopt waar zijn ouders met een paar goede vrienden in spanning zitten te wachten.

De ontvoerders zijn ondertussen snel teruggegaan naar de schuilplaats om zo veel mogelijk sporen uit te wissen. Het meeste wordt verbrand; de pony wordt gedumpt bij een asiel. Pat gaat ervan uit dat de operatie geslaagd is en dat er geen spoortje bewijs is achtergebleven. Hij en Jim verdelen de buit en gaan ieder hun eigen weg. Jim gaat naar zijn zuster; Pat gaat naar de melkfabriek van een vriend, die van de ontvoering af weet, en verstopt daar zijn deel van het losgeld.

Een dag later is de terugkeer van Eddie Cudahy voorpaginanieuws. Het is de eerste ontvoering in de geschiedenis die voor de ontvoerders is 'gelukt'. Eddie vertelt dat hij goed behandeld is: het grootste deel van zijn 24 uur durende gevangenschap heeft hij vastgeketend aan een stoel doorgebracht. Hij is ongeveer 5 uur 'los' geweest, zodat hij wat kon slapen. Een van de ontvoerders had van zijn overjas een kussen voor hem gemaakt om op te liggen.

Eddie heeft de mannen niet met elkaar horen praten, hij hoorde ze alleen fluisteren. Hij werd continu bewaakt en hooguit enkele minuten alleen gelaten. Verder vertelt hij dat een van zijn ontvoerders een behoorlijke drankschuit was, die na een paar borrels steeds spraakzamer werd. Deze ontvoerder had hem verteld dat ze eerst een van zijn zusjes op het oog hadden, maar dat hij blij was dat ze toch voor Eddie hadden gekozen: hij had zich goed staande weten te houden.

Vader Edward Cudahy looft via de krant een beloning uit van 30.000 dollar voor de tip die naar de daders leidt. Justitie verhoogt dat bedrag met nog eens 25.000 dollar. Een dag later komt de Omaha World-Herald met een enorme scoop: de politie heeft een verdachte op het oog; het zou gaan om Patrick Crowe. De politie is hem op het spoor gekomen dankzij een tip uit het criminele circuit.

Ook de schuilplaats wordt al snel gevonden. Eddie was wel geblinddoekt, maar wist dat hij in de buurt van zijn vaders bedrijf werd vastgehouden, want hij hoorde het gefluit van de machines en het gedender van de locomotieven. Als Eddie samen met de politie het huis bezoekt waar hij mogelijk is vastgehouden, liggen zijn vele sigarettenpeuken nog op de vloer. Dat moet de plek zijn. Crowe realiseert zich dat hij een fout heeft gemaakt door de sigaretten niet op te ruimen.

In een interview uit Edward Cudahy zijn ongeloof over de suggestie dat Pat Crowe een van de ontvoerders zou zijn. 'We kennen elkaar al jaren,' zegt Cudahy. 'Het klopt dat hij twee keer in de gevangenis heeft gezeten, maar ik kan niet geloven dat hij tot zoiets afgrijselijks in staat is. We hadden een goed contact. Onlangs heb ik hem nog een goede baan aangeboden.'

In verschillende kranten valt commentaar van pers en publiek te lezen op de snelle betaling van het losgeld. Veel mensen zijn het erover eens dat op deze manier ontvoeringen juist in de hand worden gewerkt. In een enkele krant wordt gesuggereerd dat de ontvoering in scène is gezet door de familie zelf.

Pat Crowe is ervan overtuigd dat hij is verraden door een zekere Denison. Met deze Denison heeft hij ooit gesproken over een ontvoering, zonder in details te treden. Voor de zoveelste keer in zijn leven moet hij op de vlucht. Hij gaat naar zijn vriendin Mabel in Chicago, die dolblij is Pat weer te zien. Die blijdschap is echter van korte duur. De twee krijgen een krant onder ogen die kopt dat Jim Callahan is opgepakt op verdenking van betrokkenheid bij de ontvoering.

De 38-jarige Jim loopt tegen de lamp door veel te opvallend met geld te smijten. Op een dag slaapt hij zijn roes uit aan de kant van de weg, in de sneeuw. De politie geeft hem een boete wegens landloperij. Deze betaalt hij nonchalant met een muntstuk van twintig dollar. De politie is direct gealarmeerd en begint Callahan te observeren. Omdat Callahan alle politiemensen uit de regio kent, worden hiervoor speciaal twee agenten van buiten ingezet. Op een dag zien zij dat Callahan acht kroegen bezoekt. In zeven van deze kroegen betaald hij met een muntstuk van twintig dollar. De munten worden veiliggesteld en al snel blijkt dat ze afkomstig zijn van het losgeld.

Op 21 maart 1901 wordt hij gearresteerd. Op het politiebureau wordt Jim aan de hand van zijn stem geïdentificeerd door Eddie Cudahy. Vervolgens weet de jongen hem aan te wijzen in een rij van zes mogelijke ontvoerders.

Crowe laat zijn baard groeien en duikt voor meer dan een halfjaar onder in Chicago. Vanuit Chicago regelt hij via tussenpersonen een alibi voor Jim voor de periode van de ontvoering. Het alibi wordt gegeven door Kelly, de zus van Jim, en een bevriende kroegbaas.

Tijdens de rechtszaak, die in mei 1901 begint, komt het criminele verleden van Callahan uitgebreid aan de orde. In 1893 kreeg Callahan bijvoorbeeld vijf jaar cel voor overvallen. Naast de getuigenis van Eddie Cudahy is er onder meer de getuigenis van ene Daniel H. Burris, die Callahan herkent als een van de mannen die de paard-en-wagen bij hem kochten. De eigenaar van het huis op Melrose Hill, James Schneiderwind, herkent Callahan als de man die een huis van hem heeft gehuurd.

Omdat de wetgeving niet voorziet in het ontvoeren van kinderen boven de tien jaar, kan Callahan echter geen ontvoering ten laste worden gelegd. Het enige waarvoor hij veroordeeld zou kunnen worden, zijn veel lichtere zaken, zoals diefstal. De uitspraak van de jury volgt op een warme zomeravond, en wekt de verbazing van iedereen die de zaak volgt: vrijspraak. Volgens de jury is Callahan het slachtoffer geworden van de gekte rond de hele ontvoering en van de scoringsdrang van justitie. Dit leidt tot heftige reacties. Edward A. Cudahy sr. noemt de uitspraak onbegrijpelijk.

Ondertussen wordt Crowe op de hielen gezeten door politie, privé-detectives, premiejagers en andere criminelen die uit zijn op de hoge beloning. Door het hele land worden duizenden posters verspreid met de tekst: *$55.000,- for Pat Crowe. Wanted Dead or Alive.* Het wordt hem wat te heet onder de voeten en in januari 1902 vlucht hij naar Zuid-Afrika met een vals paspoort op naam van Barry Gordon, een overleden vriend. De Boerenoorlog is nog in volle gang. Crowe komt terecht in de stad Durban, waar hij meevecht aan de zijde van de Canadezen en de Zuid-Afrikanen tegen de Engelsen.

Na twee jaar is hij het zat om op de vlucht te zijn en keert hij terug naar Chicago. Crowe heeft dan al een tijdje last van gewetenswroeging en bezoekt op advies van zijn broer een pastoor in Omaha. Samen met deze pastoor schrijft hij een brief aan de familie Cudahy, waarin hij vergeving vraagt voor de ontvoering van Eddie. Het is de eerste keer dat hij de ontvoering openlijk bekent. Sterker nog: hij biedt zelfs aan om de 21.000 dollar die hij nog overheeft van het losgeld terug te betalen. De Cudahy's weigeren het aanbod.

Op 2 oktober 1905 geeft Pat Crowe zichzelf aan bij de politie van Butte, Montana. In afwachting van zijn proces verblijft hij in de cel op het politiebureau. In die tijd is gevangenen bekijken een geliefd tijdverdrijf. Als men hoort dat Pat Crowe, de ontvoerder van Eddie Cudahy, in de cel zit, verzamelen zich drommen mensen om een glimp van hem op te vangen. Aan aandacht geen gebrek voor Crowe, zeker niet aan vrouwelijke aandacht: regelmatig krijgt hij cadeautjes van vrouwen die speciaal voor hem naar de gevangenis komen.

In februari 1906 start de rechtszaak over de ontvoering. Het personeel van Edward Cudahy's vleesverwerkingsbedrijf heeft net gestaakt voor hogere lonen en Cudahy ligt behoorlijk onder vuur. Het proces neemt twee weken in beslag en er worden meer dan veertig getuigen gehoord, onder wie vader en zoon Cudahy. De ontvoerde Eddie is inmiddels 21 jaar en zit in het leger. Hij is uitgegroeid tot een ietwat arrogante jongeman – heel anders dan de jongen die indertijd bij Pat Crowe en Jim Callahan op de wagen stapte.

De brief die Crowe samen met de pastoor naar de familie heeft gestuurd, speelt een belangrijke rol in het proces. Volgens de aanklager geldt de brief als een bekentenis en moet Crowe daarom worden veroordeeld. De jury – die vooral bestaat uit arbeiders die niet veel ophebben met de rijke Cudahy's – oordeelt anders: na een beraad van zeventien uur komt de jury tot het oordeel dat Pat Crowe moet worden vrijgesproken. De rechter en de aanklager zijn geïrriteerd, maar op straat gaat een luid gejuich op als Pat als vrij man naar buiten loopt. De publieke opinie ten aanzien van de elite heeft hem gered.

Patrick Crowe besluit dat het genoeg is geweest. Hij was twintig jaar actief als crimineel. Zijn leven bestond vooral uit *sex, drugs and rock 'n roll* – of zoals ze in die tijd zeiden: *wine, women and song* – maar nu wil hij zijn leven beteren. In 1906 begint hij opnieuw een slagerij in Omaha en hij geeft lezingen over zijn leven in de misdaad.

Niet veel later bekeert hij zich tot het christendom en reist hij als evangelist het land door om religieus getinte lezingen te geven namens de WCTU: de Woman's Christian Temperance Union, een groepering met als doel een pure wereld te creëren waarin christelijke waarden centraal staan.

Als in 1909 de 8-jarige Billy Whitla wordt ontvoerd, doet Pat op een andere manier van zich spreken. Ongevraagd adviseert hij de familie van de jongen om het losgeld niet te betalen. In de loop der jaren heeft hij een grote afkeer gekregen van ontvoeringen; hij vindt zelfs dat op ontvoeren de doodstraf zou moeten staan. Hij raadt de ontvoerders aan om de jongen ergens geblinddoekt bij een boerderij af te zetten – niet bij zijn huis, en ook niet alleen in een bos, maar bij een boerderij. Ze moeten op de deur bonzen en daarna maken dat ze wegkomen. Gelukkig komt de kleine Billy er zonder kleerscheuren van af.

De hernieuwde levenswandel van Pat Crowe lijkt in 1911 de eerste scheuren te vertonen. Er wordt aangifte tegen hem gedaan door een vrouw die hem beschuldigt van ongewenste intimiteiten, en twee jaar later wordt hij veroordeeld tot negentig dagen celstraf omdat hij de rekening in een restaurant niet kon betalen. In de jaren twintig volgt nog een korte celstraf wegens bedelen, maar daarna blijft het tot 1932 stil rond Pat Crowe.

In maart van dat jaar worden de Verenigde Staten opnieuw opgeschrikt door een ontvoering, deze keer van het twintig maanden oude zoontje van luchtvaartpionier Charles Lindbergh (zie hoofdstuk 4). Pat Crowe stuurt een telegram naar de familie Lindbergh:

Ik wil u helpen om als tussenpersoon het geld af te leveren en uw zoon terug te brengen. Ik adviseer u geen beloning uit te loven. Ik adviseer u gewoon te betalen, als u daartoe tenminste in staat bent.

Charles Lindbergh heeft hierop voor zover bekend niet gereageerd.

Pat overlijdt op 29 oktober 1938 op 79-jarige leeftijd in New York. Enkele dagen daarvoor wordt hij getroffen door een hartaanval in het trappenhuis van zijn appartementencomplex. Hij valt over de trapleuning een paar meter naar beneden. Het levert hem een schedelbasisfractuur op. In zijn sobere, kleine kamer vindt de politie een stapel plakboeken en vergeelde kranten met verhalen uit vervlogen tijden. Dit is het enige wat hij nalaat.

Of Eddie Cudahy nog een rouwkaart heeft gekregen, is onbekend. Wel bekend is dat Pat Crowe zijn vroegere slachtoffer een felicitatiekaart stuurde voor diens huwelijk, in 1919:

Niemand wenst je meer geluk in de handen van je nieuwe ontvoerder dan ik. Ik wens je Gods zegen en hoop dat het je deze keer beter bevalt. Alle geluk toegewenst. Was getekend, je oude ontvoerder.

Eddie Cudahy doet dienst het Amerikaanse leger tijdens de Eerste Wereldoorlog. Als hij in 1925 zijn vader opvolgt als hoofd van het bedrijf, ontvangt hij opnieuw een kaart met felicitaties van Crowe. Hij runt het bedrijf succesvol tot 1961. Daarna trekt hij zich terug in Phoenix, Arizona, waar hij in 1966 op 82-jarige leeftijd overlijdt.

4

De ontvoering van Charles Lindbergh jr.

Wanneer: 1 maart 1932
Waar: Hopewell, New Jersey, Verenigde Staten
Losgeld: 50.000 dollar
Ontknoping: 12 mei 1932

Dinsdag 1 maart 1932 is een koude, regenachtige dag in Hopewell, een klein plaatsje op 20 kilometer afstand van de hoofdstad van New Jersey, Trenton. Tegen 22 uur loopt kindermeisje Betty Gow naar de kamer van de kleine Charles om nog even bij hem te kijken voordat hij de hele nacht moet doorslapen. Charles is het twintig maanden oude zoontje van Charles Lindbergh en Anne Morrow. Zijn vader is een nationale held geworden nadat hij als 25-jarige piloot op 20 mei 1927 als eerste en in zijn eentje over de Atlantische Oceaan was gevlogen. Lindbergh vertrok met het eenmotorige vliegtuigje de Spirit of St. Louis van Roosevelt Field, een vliegveld vlak bij Mineola, Long Island, om 07.53 uur. Precies 33,5 uur later landde hij op luchthaven Le Bourget, bij Parijs.

Naast een geldprijs van 25.000 dollar vergaart Lindbergh hiermee eeuwige roem. Hij wordt benoemd tot kolonel bij de luchtmacht van het Amerikaanse leger en er ligt een mooie carrière in het verschiet als adviseur in de luchtvaartindustrie. In 1929 trouwt de verlegen man van bescheiden afkomst met de dochter van de ambassadeur van Mexico, schrijfster en dichteres Anne Spencer Morrow.

De familie Morrow is een van de rijkste families van de Verenigde Staten. Op 22 juni 1930 wordt hun eerste kindje geboren. Ze noemen hem Charles Augustus, net als zijn vader en zijn opa. Hij is de populairste baby van de Verenigde Staten: van de pers krijgt hij de bijnaam 'de Eaglet', naar de bijnaam van zijn vader 'Lone Eagle'. Het gezin Lindbergh staat iedere dag in de schijnwerpers. Om alle aandacht een beetje te ontwijken laten ze een landhuis bouwen in een afgelegen gebied vlak bij Hopewell, in de staat New Jersey. Het landgoed van 200 hectare ligt op een heuvel in een open ruimte en is omgeven door bossen.

Als het kindermeisje die avond om 22 uur de deur van de kinderkamer op de eerste verdieping opent, ziet ze meteen dat het bedje waar ze Charles een paar uur eerder zelf nog in heeft gelegd, leeg is. Ze is heel ongerust en gaat op zoek naar moeder Anne, maar die zit net in bad. Vader Charles zit in de bibliotheek nog wat te werken. Als hij hoort dat zijn zoon niet meer in zijn bed ligt, besluit hij eerst het hele landhuis te doorzoeken.

In de kinderkamer ziet hij dat het raam openstaat. Er ligt modder op de vloer – dezelfde kleiachtige modder die ook rondom het huis ligt, door de vele regen die de afgelopen tijd is gevallen. Als hij naar buiten kijkt, ziet hij een ladder onder het raam. Op de radiator onder het raam ligt een enveloppe met een brief.

Geachte Heer,

Houd 50.000 dollar gereed. 25.000 dollar in biljetten van 20 dollar, 15.000 in biljetten van 10 dollar en 10.000 in biljetten van 5 dollar. Binnen twee tot vier dagen zullen we u berichten waar u het geld kunt afleveren. We waarschuwen u nergens bekendheid aan te geven en de politie niet te waarschuwen. Het kind wordt goed verzorgd. Het kenteken voor alle brieven is de ondertekening en de drie gaten.

Charles schrikt: zijn zoon is ontvoerd! Hij laat zijn bediende Oliver Whateley de politie bellen. Die komt meteen naar het landhuis gesneld en onderzoekt de losgeldbrief op vingerafdrukken. De brief is opvallend ondertekend, met twee snijdende cirkels die in elkaar overgaan. De omtrekken van de cirkels zijn blauw omlijnd. Het ovale deel waar de cirkels elkaar overlappen, is vuurrood gekleurd. In een horizontale lijn staan in drie delen van de tekening drie vierkante gaten.

Aan de eis van de ontvoerders de politie erbuiten te laten kan Lindbergh al niet meer voldoen. De politie start een grondig onderzoek in en rond het huis. De houten ladder die tegen het huis staat, wordt geïnspecteerd. Hij is gebroken. Eerder die avond, rond 21 uur, heeft Lindbergh wel een vreemd geluid gehoord, maar hij heeft er verder geen aandacht aan besteed. De rest van zijn leven zal hij daar spijt van hebben.

De politie neemt haar intrek in de garage, die normaal gesproken plaats biedt aan drie auto's. Ook de pers heeft lucht gekregen van de ontvoering en verzamelt zich rond het landgoed. De volgende dag is de ontvoering wereldnieuws en begint de grootste klopjacht in de Amerikaanse geschiedenis. President Herbert Hoover kondigt aan alles op alles te zetten om de daders te pakken: 'We will move heaven and earth to find this criminal.' Zelfs de grootste crimineel van het land, Al Capone, biedt vanuit de gevangenis zijn hulp aan, in ruil voor zijn vrijlating.

Op 3 maart verschijnt op de voorpagina van iedere grote krant het volgende bericht:

> *Mevrouw Anne Lindbergh verzoekt dat aan navolgend dieet van de baby de hand wordt gehouden: een half kopje sinaasappelsap bij het wakker worden, een liter melk per dag, drie eetlepels pap 's morgens en 's avonds. Twee eetlepels gekookte groente eenmaal per dag, een eierdooier per dag, twee eetlepels gestoofde vruchten per dag, een half kopje pruimensap na het middagslaapje, veertien druppels viosterol, een vitaminepreparaat, per dag.*

Diezelfde dag schrijft het stel een brief. Hierin doen ze onder meer een oproep aan de ontvoerders tot persoonlijk contact. De brief verschijnt een dag later in de krant.De ontvoerders zijn niet blij met alle publiciteit om de zaak. In de volgende brief schrijven ze:

> *Geachte Heer.*
>
> *Wij hebben u gewaarschuwd niets bekend te maken en evenmin de politie te waarschuwen.*

Voor straf wordt de losgeldeis met 20.000 dollar verhoogd. De verhoging moet bestaan uit biljetten van 50 dollar. De brief is op 4 maart om 21 uur gepost in Brooklyn, New York. De ontvoerders zijn bang dat de losgeldbrieven die ze naar het adres van Lindbergh hebben gestuurd, worden achtergehouden door de politie. De volgende brief wordt daarom gestuurd naar de raadsman van Lindbergh, kolonel Breckinridge.

Deze Breckinridge adviseert Lindbergh een bemiddelaar in te zetten die bekend is met de onderwereld. Lindbergh gaat akkoord. Op 6 maart 1932 verschijnt op de voorpagina's een advertentie van Lindbergh met een nieuwe aankondiging:

Als de ontvoerders niet geneigd zijn met ons te onderhandelen, machtigen wij 'Salvy' Spitale en Irving Bitz volledig om als onze bemiddelaars op te treden. We zullen ook elke manier volgen door de ontvoerders voorgesteld, waarvan we zeker kunnen zijn dat hij ons kind terugbrengt.

Charles A. Lindbergh
Anne Lindbergh

De inzet van deze twee onderwereldfiguren wekt nogal wat weerzin op bij de politie en de samenleving. De kranten publiceren over de reputatie van de mannen, die een behoorlijk strafblad hebben. De op Sicilië geboren Italiaan Salvatore 'Salvy' Spitale is gevreesd in de onderwereld. Hij zou deel hebben uitgemaakt van een beruchte coöperatie van dranksmokkelaars, The Big Seven, samen met beruchte maffiosi als Charles 'Lucky' Luciano, Bugsy Siegel en Meyer Lansky.

Ook de 72-jarige John F. Condon is verontwaardigd over de inzet van twee criminelen als bemiddelaars, en de gepensioneerde leraar besluit zelf zijn diensten aan te bieden. Charles Lindbergh is een van zijn helden. Hij schrijft een brief naar de uitgever van *Home News*. In de brief biedt hij zijn hulp aan bij de bemiddeling. Ook biedt hij aan om 1000 dollar te betalen boven op het gevraagde losgeldbedrag. De krant publiceert de brief op 8 maart. De hoofdredacteur is een oude vriend van dr. Condon en voorziet de brief van een positief redactioneel commentaar.

De volgende dag is er al een reactie van de ontvoerders. Er wordt een brief bezorgd bij Condon. De ontvoerders laten hierin weten dat ze akkoord gaan met hem als bemiddelaar. Zodra Condon het geld van Lindbergh heeft ontvangen, moet hij een advertentie plaatsen in de *New York Journal-American* met de tekst: '*Mony is redy*'.

De politie heeft dan nog geen idee of de ontvoerders de Engelse taal niet goed beheersen, of dat ze met opzet spelfouten maken. Verder laten de ontvoerders aan Condon weten niet uit te zijn op zijn 1000 dollar. Ze dragen hem op iedere avond thuis te zijn tussen 18 en 24 uur, zodat ze hem kunnen bellen met nadere instructies.

In dezelfde enveloppe zit ook een brief voor Charles Lindbergh, met de vraag of Condon die wil overhandigen. Condon belt met Lindbergh om een afspraak te maken. Lindbergh vraagt Condon tijdens dit gesprek om te brief te openen en voor te lezen. In de brief zeggen de ontvoerders dat ze Condon als bemiddelaar willen. Hij moet het losgeld plaatsen in een kist van 18 bij 15 bij 36 centimeter. Na betaling van het losgeld zullen ze de baby vrijlaten. Lindbergh moet een vliegtuig gereed hebben staan, zo schrijven de ontvoerders, omdat de baby op ongeveer 250 kilometer afstand wordt vastgehouden.

Op 11 maart staat de advertentie met de gevraagde drie woorden in de krant. Diezelfde dag gaat even na het middaguur de telefoon in huize Condon. Mevrouw Condon neemt op. Een zware mannenstem met een vreemd accent vraagt of dr. Condon thuis is. Ze vertelt dat haar man die avond om 18 uur thuis zal zijn. Om 19 uur wordt er opnieuw gebeld, met de mededeling dat Condon een nieuwe brief met instructies zal ontvangen.

Deze wordt de volgende avond rond 20.30 uur bezorgd. Taxichauffeur John Joseph Perrone is eerder die avond staande gehouden door een onbekende man, die hem vroeg een enveloppe te bezorgen op het adres van de familie Condon. Tegen betaling van 1 dollar had de taxichauffeur deze klus aangenomen. In de brief staan de instructies: Dr. Condon moet binnen drie kwartier met het losgeld naar het eindpunt van de metro rijden, aan Jerome Avenue. Ongeveer 30 meter voorbij dit station is een plein. Op het midden van dat plein ligt een briefje verstopt onder een steen. Condon is bereid om met het losgeld te rijden, maar het geld ligt nog niet klaar en het kost hem meer dan drie kwartier om het te regelen. Toch gaat hij op pad, vergezeld door zijn goede vriend, de oud-bokser Al Reich. Hij zal uitleggen dat het geld meer tijd kost, en bovendien is dit een uitgelezen kans om de ontvoerders te ontmoeten

Op het briefje onder de steen staat dat hij de straat moet oversteken naar het hek van begraafplaats Woodlawn, in de richting van 223 Street. Rond 21.30 uur die avond ziet Condon een witte zakdoek wapperen. Als hij ernaartoe loopt, ziet hij een man, die de zakdoek nu als masker voor zijn gezicht draagt. De man stelt zich voor als John en vraagt aan Condon of hij het geld heeft meegebracht. De twee spreken bijna een uur met elkaar, terwijl bokser Al Reich 100 meter verderop in de auto zit te wachten.

Het gesprek gaat over de voorwaarden waaronder het losgeld betaald zal worden. Condon wil gelijk oversteken, maar dit is volgens John niet mogelijk, omdat de baby zich bevindt op een boot, die op ongeveer zes uur afstand ligt. Bovendien willen zijn medeontvoerders, die in rang boven hem staan, dit absoluut niet. Condon probeert John over te halen om uit de bende te stappen en de plek prijs te geven waar de baby wordt vastgehouden, maar John is bang dat hij dan zal worden vermoord. Hij vraagt Condon een advertentie te plaatsen in de krant waaruit blijkt dat ze elkaar gesproken hebben. John belooft dat ze dan een bewijs zullen opsturen dat ze de baby daadwerkelijk hebben.

Op zondag 13 maart staat een advertentie in *Home News*: 'Baby is gezond en wel. Geld ligt klaar. Stuur bericht en kom.'

Op 16 maart wordt een pakketje bezorgd bij dr. Condon. Er zit een slaapzak in. Lindbergh bevestigt dat het de slaapzak is van de kleine Charles. De slaapzak blijkt door de ontvoerders te zijn gewassen. Er zit een brief aan vastgeplakt met dezelfde instructies als in de vorige brieven. De ontvoerders zijn stellig: ze laten de baby pas vrij na betaling van het losgeld. Condon doet nog een paar pogingen om de ontvoerders op andere gedachten te brengen en toch gelijk over te steken. Uiteindelijk hakt Charles Lindbergh de knoop door: hij wil geen risico's nemen en gewoon betalen.

Op donderdag 17 maart 1932 is het grootste gedeelte van het losgeld gereed. Lindbergh heeft nogal wat moeite gehad om het geld bij elkaar te krijgen. Veel van zijn aandelen heeft hij met verlies moeten verkopen. Vrienden hebben aangeboden hem financieel te steunen, maar dat heeft hij geweigerd.

Na nog een paar brieven en een aantal advertenties wordt Condon op 1 april per brief geïnstrueerd het geld de volgende dag gereed te hebben. Op 2 april krijgt hij weer een taxichauffeur aan de deur, die de inmiddels elfde brief van de ontvoerders bij zich heeft. Daarin staat dat hij de twaalfde brief kan vinden onder een steen bij een toonbank voor bloemenwinkel J.A. Bergen in New York. Dr. Condon krijgt drie kwartier de tijd om de plaats te vinden.

Samen met Lindbergh rijdt hij er in een Ford naartoe. Ze hebben de kist met het losgeld bij zich. Het was nog moeilijk om alle 5150 biljetten in de kist te krijgen; bij de bank zijn 14 medewerkers meer dan 8 uur bezig geweest het geld te selecteren en de serienummers te noteren. Er zitten geen twee opeenvolgende serienummers tussen. Een groot deel van de biljetten heeft een zogenoemde gouddekking, die herkenning van de 50-dollarbiljetten gemakkelijker maakt. Bij de bloemenwinkel vinden ze inderdaad de brief:

Steek de straat over, loop naar de volgende hoek en volg de Whittemore Avenue in zuidelijke richting. Neem het geld mee, kom alleen en lopend. Ik zal u ontmoeten.

Terwijl Lindbergh in de auto wacht, loopt Condon in de aangegeven richting. Hij komt uit bij het St. Raymondskerkhof, maar treft daar niemand aan. Hij roept naar de auto dat er niemand is. Dan klinkt plotseling een stem vanaf het kerkhof: 'Hé Doctor!' Lindbergh hoort de stem ook.

Condon gaat er alleen op af. De stem uit het donker roept: '*Here Doctor, over here, over here!*' De man zit achter een grafsteen en komt na het roepen langzaam omhoog. Er volgt een kort gesprek. Condon herkent hem als dezelfde man die hij eerder heeft gesproken. Er zit slechts een heg tussen de twee mannen wanneer de kist met het losgeld aan de ontvoerder wordt overhandigd.

Condon legt uit dat er 50.000 dollar in zit, in plaats van de geëiste 70.000 dollar. Vanwege de crisis is het ook voor Lindbergh moeilijk om de extra 20.000 dollar bij elkaar te sprokkelen. De ontvoerder toont begrip en gaat akkoord met 50.000 dollar. Ze steken gelijk over: dr. Condon krijgt een brief waarin de verblijfplaats van de baby staat. Daarna geven ze elkaar een hand. John verdwijnt in het donker en Condon loopt terug naar de auto, waar Lindbergh gespannen zit te wachten.

Officieel moeten ze zes uur wachten voordat ze de brief mogen openen, maar Lindbergh opent de brief onmiddellijk. Hij leest dat zijn zoon op een boot is: '*The boy is on Boad Nelly*', zo staat letterlijk in de brief. De boot is 8½ meter lang en er zijn twee personen aan boord. Die zijn onschuldig. De boot ligt tussen Horsenek Beach en Gay Head, bij Elizabeth Island.

De twee mannen zijn opgelucht. Ze brengen het nieuws over aan moeder Anne, en ook het onderzoeksteam wordt ingelicht. Dr. Condon vertelt trots dat hij 20.000 dollar bespaard heeft door alleen de

50.000 dollar te overhandigen. Dit wordt hem niet in dank afgenomen door de chef van het Departement van Financiën, die het geld heeft laten klaarmaken. Het niet-betaalde deel bestond namelijk uit vierhonderd biljetten van 50 dollar, allemaal met gouddekking. Uitgave van deze biljetten door de ontvoerders zou juist gemakkelijk te herleiden zijn.

Het overhandigde geld bestaat uit biljetten van 20, 10 en 5 dollar, die maar voor een klein deel gouddekking hebben. Het belangrijkste kenmerk van de dollar met gouddekking is dat de overheid garant staat voor een vaste wisselkoers van de valuta van een ander land dat ook de goudstandaard gebruikt. De biljetten zijn vrij converteerbaar in gouden munten.

Lindbergh en dr. Condon gaan die nacht niet naar bed. Ze rijden naar vliegveld Bridgeport, in Connecticut. Daar staat een vliegboot klaar: een tweemotorig amfibievliegtuig. Lindbergh start de motoren, en zo begint in de vroege ochtend van zondag 3 april 1932 de zoektocht naar boot *Nelly*. Condon ziet dat Lindbergh in een hoekje van de cabine wat babykleertjes en een flesje melk heeft neergezet.

Rond het middaguur wordt de zoektocht gestaakt. Er is in de verste verte geen boot aangetroffen die voldoet aan de omschrijving van de ontvoerders. Charles Lindbergh rijdt teleurgesteld naar huis. Thuis is alles ingericht voor de terugkeer van de baby. Lindbergh stelt zijn vrouw gerust: de volgende dag gaat hij weer zoeken. Maar ook de volgende dag is er geen resultaat. Er worden nieuwe advertenties geplaatst: 'Wat is er mis? Heb je me bedrogen? A.U.B. duidelijke instructies.' Het blijft echter stil: de ontvoerders laten niets meer van zich horen.

Op donderdag 12 mei zet vrachtwagenchauffeur William Allen in de buurt van Hopewell zijn vrachtwagen even aan de kant om een stukje te wandelen. Wanneer hij bukt voor een laaghangende tak valt hem iets op. Het lijken wel botresten van een dier. Als hij goed kijkt, ziet hij een menselijk voetje omhoogsteken. Hij rent naar zijn vrachtwagen en roept naar zijn bijrijder: 'Er ligt daar een kind, een dood kind!' Het lichaampje ligt met het gezicht omlaag in een ondiepe kuil. Weer en ongedierte hebben hun sporen achtergelaten. De mannen waarschuwen meteen de politie. Zo komt er na 72 dagen een einde aan de zoektocht naar de kleine Charles. De vindplaats van het kind is slechts een paar kilometer verwijderd van het landhuis in Hopewell. Samen met dokter Van Ingen, die de kleine Charles op de wereld heeft geholpen en hem kort voor zijn ontvoering nog heeft onderzocht, identificeert kindermeisje Betty het gevonden babylijkje als dat van Charles jr.

De lijkschouwing wijst uit dat de baby is gestorven aan een schedelfractuur, veroorzaakt door uitwendig geweld. De conclusie van het rapport luidt dat het kind al minstens twee maanden dood was toen het werd gevonden, mogelijk zelfs langer. Er wordt rekening mee gehouden dat de baby op de avond van de ontvoering meteen is vermoord of van de ladder is gevallen.

Op vrijdag 13 mei 1932 wordt Charles Augustus Lindbergh gecremeerd in het Rose Hillcrematorium in Linden, even ten zuiden van Elizabeth. Alleen de vader is erbij aanwezig.

Een paar maanden later bevalt Anne Lindbergh van een tweede zoon, Jon. Niet iedereen gunt de familie hun prille geluk: binnen enkele maanden na de geboorte komen de eerste dreigbrieven binnen dat ook hij zal worden ontvoerd. De politie verricht verschillende arrestaties.

Vanuit de maatschappij is er grote kritiek op de politie. De grootste vraag is waarom zij zich afzijdig heeft gehouden bij de losgeldoverdracht.

De politie doet er ondertussen alles aan om de daders te vinden. Er wordt rekening mee gehouden dat de daders hulp van binnenuit hebben gekregen. Alle personeelsleden van de familie Lindbergh worden verhoord. Ook de staf van landhuis Next Day Hill in Englewood wordt verhoord. Op dit landgoed van Annes familie verbleef het gezin Lindbergh normaal gesproken door de week om Annes moeder gezelschap te houden, die kort daarvoor weduwe was geworden.

Omdat de kleine Charles griep had, hadden de Lindberghs in de week van de ontvoering besloten nog een paar dagen in Hopewell te blijven. Mogelijk hebben de ontvoerders deze informatie van binnenuit gekregen. Na het verhoor van de in totaal 32 personeelsleden komt de politie tot de conclusie dat deze niets met de zaak te maken hebben.

Een van de personeelsleden, het 28-jarige dienstmeisje Violet Sharpe, pleegt zelfmoord als ze hoort dat ze opnieuw zal worden verhoord. Dit maakt haar verdacht, maar onderzoek wijst uit dat ze niets met de ontvoering te maken had. Ze had in een eerste verhoor gelogen over haar alibi omdat ze op stap was geweest; ze was bang dat ze door dit losbandige gedrag haar baan kwijt zou raken.

Ook is er twijfel over de rol van dr. Condon. Een verhoor levert echter niets op. In de zomer van 1932 wordt zijn telefoon een tijdlang afgeluisterd, wordt zijn post geopend en komt hij onder observatie. De politie trekt de conclusie dat hij niets met de zaak te maken heeft. De oude dokter is door dit alles behoorlijk in zijn eer gekrenkt, maar als hij in maart 1933 door Lindbergh wordt uitgenodigd voor een etentje, is alles weer goed.

Dr. Condon heeft zijn hulp altijd compleet belangeloos aangeboden. Na de ontvoering maakt hij zelfs enorme kosten: hij reist het hele land af om tips te onderzoeken die kunnen leiden in de richting van 'Cemetery John', zoals de ontvoerder nu wordt genoemd. Eén keer heeft hij toevallig bijna beet, en nog wel dicht bij huis: in augustus 1934 ziet hij vanuit een bus ter hoogte van de Williamsbridge Road in New York een man lopen. Condon herkent hem onmiddellijk als de man aan wie hij de 50.000 dollar heeft overhandigd. Hij vraagt de buschauffeur te stoppen. Dit is lastig omdat ze zich midden op een druk kruispunt bevinden. Als de bus even later stopt, is de man onvindbaar.

Dr. Condon meldt dit voorval bij de politie. Die beschikt dan al over informatie dat diezelfde dag in die regio losgeld is uitgegeven. De kans is dus groot dat Cemetery John in of in de buurt van de Bronx gezocht moet worden. Dankzij de eerdere verklaring van Condon en verklaringen van getuigen bij wie met losgeld is betaald, kan bovendien worden geconcludeerd dat hij vermoedelijk van Duitse afkomst is. Hij heeft in elk geval een opvallend Duits accent. Dit vermoeden bestond al op basis van de losgeldbrieven. Het dollarteken was in die brieven achter het getal geschreven: 10$. Amerikanen schrijven echter $10. In Duitsland staat de afkorting voor Duitse mark altijd achter het getal: 10 DM.

In september 1934 is er eindelijk een doorbraak. Op zaterdagmorgen 15 september komt een donkerblauwe Dodge Sedan aangereden bij het Warner-Quinlan Servicetankstation, op de hoek van 127th Street en Lexington Avenue. De pompbediende, Walter Lyle, vraagt de bestuurder of hij de tank moet volgooien. 'Nee,' zegt de man achter het stuur, 'doe maar twintig liter.'

De kosten bedragen 98 cent. De man betaalt met een biljet van 10 dollar met gouddekking. De pompbediende is argwanend: de biljetten die de man gebruikt, zijn officieel niet meer in omloop, en bovendien is onlangs bij het tankstation een keer betaald met vals geld.

Toch neemt hij het biljet aan en geeft de man zijn wisselgeld, 9 dollar en 2 cent. Voor de zekerheid noteert Lyle het kenteken van de auto op het biljet: 4U-13-41. Zelf kan Lyle het serienummer niet vergelijken met de nummers van het losgeld. De lijst met serienummers heeft steeds naast de kassa gehangen, maar is twee weken geleden weggegooid omdat hij was gescheurd en vuil was geworden.

Bij de bank waar het geld wordt gestort, wordt het biljet er uitgepikt: het staat op de lijst. De politie wordt ingelicht. Het kenteken blijkt op naam te staan van de 35-jarige timmerman Bruno Richard Hauptmann, geboren op 26 november 1895 in Kamenz (Saksen), Duitsland.

Een interessant detail is dat een analist van Scotland Yard al in een vroeg stadium de conclusie had getrokken dat de dader mogelijk de initialen BRH had, op basis van de losgeldbrieven. Het opvallende symbool waarmee de brieven steeds waren ondertekend, bestond uit een blauwe cirkel (B), rode stippen (R) en drie gaten in het papier (*holes*, H).

Hauptmann verblijft al meer dan elf jaar in de Verenigde Staten. Hij is niet bekend bij de politie en is getrouwd met serveerster Anna Schoeffler, met wie hij een zoontje heeft, Mannfried Richard. Hauptmann komt meteen onder observatie te staan, en een dag na de ontdekking van het geld wordt hij met zijn auto klemgezet en gearresteerd. Hij is op dat moment in het bezit van losgeld.

Hauptmann ontkent dat hij met de zaak te maken heeft. Bij huiszoeking vindt de politie in zijn garage in totaal 13.760 dollar van het losgeld. Geconfronteerd met deze vondst verklaart Hauptmann dat hij een schoenendoos in bewaring heeft gekregen van een zekere Isodor Fisch, en dat hij na verloop van tijd de doos heeft opengemaakt en het geld is gaan uitgeven. Dit had hij verantwoord geacht omdat deze voormalige zakenpartner hem nog geld schuldig was.

Fisch, die erg kwakkelde met zijn gezondheid, blijkt in december 1933 te zijn teruggekeerd naar zijn geboorteland Duitsland, waar hij op 23 maart 1934 is overleden aan longtuberculose.

Handschriftexperts tonen aan dat de losgeldbrieven zijn geschreven door Hauptmann. Stukken hout van de ladder die bij de ontvoering is gebruikt, blijken afkomstig te zijn van planken van de zolder van Hauptmanns garage. Verder blijkt dat hij in Duitsland wel met justitie in aanraking is geweest: hij heeft in de gevangenis gezeten voor verschillende inbraken en overvallen. Bij een van die inbraken had hij zelfs gebruikgemaakt van een ladder.

In juli 1923 heeft Hauptmann geprobeerd onder een valse naam illegaal de Verenigde Staten binnen te komen. Hij werd gearresteerd en het land uitgezet. Een tweede poging, op 10 oktober 1925, slaagde wel. In de Verenigde Staten is hij aan de slag gegaan als timmerman. Opvallend is dat hij in de periode na de ontvoering nooit meer heeft gewerkt en zogenaamd de kost heeft verdiend met handel in aandelen.

Op 3 januari 1935 begint het proces tegen Hauptmann voor de Hunkerton Countyrechtbank van Flemington, New Jersey. Voor het proces zijn 32 dagen uitgetrokken. Charles Lindbergh komt elke procesdag opdagen.

Ondanks de vele bewijzen tegen hem, blijft Hauptmann ontkennen dat hij ook maar iets van de ontvoering af weet. Op 13 februari 1935 komt de jury na een beraad van ruim elf uur met zijn oordeel: Bruno Richard Hauptmann is schuldig aan moord in de eerste graad. Hij wordt ter dood veroordeeld.

Op 3 april 1934 wordt hij om 20.47 uur gedood in de staatsgevangenis van Trenton, op 'Old Smokey', de elektrische stoel. Zijn laatste maaltijd bestond uit koffie, melk, olijven, graanbeignets, selderij, een plakje kaas, een zalm- en fruitsalade, en cake. Zijn laatste woorden uit hij schriftelijk in een brief aan de dominee die hem in zijn laatste dagen heeft bijgestaan:

Ich bin absolut unschuldig an den Verbrechen, die man mir zu Last legt.

Hauptmanns vrouw Anna is altijd blijven geloven in zijn onschuld. Ze krijgt veel bijval: veel boeken en websites delen haar theorie.

Ook Peter R. de Vries hield er rekening mee dat ze zeer waarschijnlijk gelijk had. Eind jaren tachtig had hij nog contact met haar. De Vries overwoog een boek of documentaire over de zaak, zo scheef hij in de jaren negentig in zijn column in *Panorama*. De weduwe was zeer vereerd met zijn belangstelling en zegde haar medewerking toe. Wat de redenen voor De Vries zijn geweest om aan Hauptmanns schuld te twijfelen, weten we niet. Door tijdgebrek, hoge kosten en het overlijden van Anna Hauptmann in 1995, op 95-jarige leeftijd, komt het er niet meer van.

De bekende FBI-*profiler* John E. Douglas, die model stond voor het karakter van Jack Crawford in de film *The Silence of the Lambs*, doet wel onderzoek naar de zaak. Hij gaat daarbij terug naar het huis van de Lindberghs in Hopewell. Het gebouw is tegenwoordig een school voor tieners. Vrijwel alles is nog in de oude staat. Zelfs het uit Nederland geïmporteerde Delfts blauw hangt nog in de babykamer.

In een documentaire voor de Amerikaanse televisie trekt Douglas de conclusie dat Hauptmann wel degelijk schuldig is, maar het onmogelijk alleen gedaan kan hebben. Hij gelooft niet dat een persoon alleen, zonder hulp, ongezien in het donker zo dicht bij het huis kan komen; er moet iemand op de uitkijk hebben gestaan om te kijken of de kust veilig was. Ook is ondenkbaar dat hij in zijn eentje met een ladder en gereedschap naar het huis is gelopen, de trap op ging met het gereedschap, de kamer in klom, de baby onder de arm nam of in een zak stopte, en vervolgens de kamer weer uit klom.

Het is volgens Douglas veel waarschijnlijker dat hij de baby heeft overhandigd aan een hulp die op de ladder stond. Volgens zijn analyse waren waarschijnlijk nog twee personen uit de Duitse immigrantengemeenschap in de South Bronx bij de ontvoering betrokken. Hauptmann ging eigenlijk alleen om met landgenoten. Vermoedelijk was er nog iemand bij betrokken als het brein, en een ander als meeloper.

Douglas baseert zijn conclusie mede op verklaringen van Charles Lindbergh en Al Reich, die in de buurt waren van dr. Condon ten tijde van de ontmoetingen met Cemetery John. Zij meenden twee mannen te hebben gezien die op de uitkijk stonden. Ook heeft Condon verklaard dat hij tijdens een van de telefoongesprekken met John een man op de achtergrond hoorde. Daarnaast vindt Douglas het opvallend dat Hauptmann in het bezit was van ongeveer een derde van het losgeld. Dit zou kunnen betekenen dat de buit in drieën is gedeeld. Daar staat tegenover dat na de arrestatie van Bruno Richard Hauptmann nooit meer losgeld is uitgegeven dat afkomstig was van de Lindberghkidnapping.

Bij een Nederlandse en een Duitse ontvoering waren de kenners ook van mening dat deze onmogelijk het werk van één persoon konden zijn. Misschien dat Douglas na het lezen van de betreffende hoofdstukken in dit boek op andere gedachten komt.

5

De ontvoering van Charles F. Urschel

Wanneer: 22 juli 1933
Waar: Oklahoma City, Oklahoma, Verenigde Staten
Losgeld: 200.000 dollar
Ontknoping: 31 juli 1933

Zaterdagavond 22 juli 1933 is in de NW18th Street van Oklahoma City de straatverlichting uit. Op nummer 327 woont de familie Urschel. Charles F. Urschel en zijn vriend en buurman Walter R. Jarrett zijn samen met hun vrouwen fanatiek aan het bridgen. Het is een warme zomeravond en de buitendeur staat open. Een hordeur moet voorkomen dat er vliegen binnen kunnen komen.

Van vliegen hebben de bridgende buren geen last, maar de hordeur kan een ander soort ongedierte niet tegenhouden: rond 23.15 uur stormen twee gewapende mannen de kamer binnen. De ene man zwaait met zijn pistool, de andere richt een machinegeweer op de bevriende stellen.

De mannen vragen wie van hen Charles Urschel is. Niemand geeft antwoord. Na een paar seconden staat Urschel op, waarna ook Jarrett meteen gaat staan. 'Oké, dan nemen we jullie allebei,' zeggen de indringers, en tegen de vrouwen: 'Blijf zitten en beweeg jullie niet, anders schieten we jullie hoofd eraf.' Jarrett en Urschel worden hardhandig achter in de auto van de twee mannen gegooid. Hun vrouwen vangen nog een glimp op van het gezicht van de ongemaskerde mannen; dan scheurt de auto, een Chevrolet Sedan, met piepende banden weg.

Nauwelijks bijgekomen van de schrik bellen de achtergebleven

dames de politie. De sheriff adviseert de vrouw van Charles, Berenice, een nieuw nummer te bellen dat speciaal in het leven is geroepen voor ontvoeringen en pas sinds een week in gebruik is. Ze belt
National 8-7117. Nog diezelfde nacht staat de FBI voor de deur.

Dit jaar is voor het eerst de 'Lindbergh Law' van kracht, die is genoemd
naar de Lindberghontvoering (zie hoofdstuk 4). De wet houdt in dat
ontvoering een federale zaak is, dus wordt de FBI ingeschakeld. Daarnaast is de strafmaat aangepast: voor ontvoering kan naast levenslang nu ook de doodstraf worden opgelegd. De FBI neemt de zaak
hoog op: Charles Urschel is een persoonlijke vriend van Franklin D.
Roosevelt, die drie maanden eerder president is geworden.
    Onderweg wordt het de ontvoerders al snel duidelijk wie van de
twee mannen hun prooi is. Na het controleren van de identiteitspapieren wordt Walter Jarrett vrijgelaten. Wel houden de ontvoerders de 61 dollar die ze in zijn portemonnee vonden. Jarrett krijgt
10 dollar mee voor een taxi, maar gaat liftend naar huis. Rond 1 uur
's nachts is hij weer in het huis van zijn buren. Hij kan de FBI de eerste informatie verschaffen over de vluchtroute, over hobbelige land-
weggetjes.
    Urschel biedt de ontvoerders een bedrag van 2000 dollar aan voor
zijn vrijlating, maar ze gaan hier niet op in. Onderweg stoppen ze
om te tanken, en even verderop wordt Urschel in een garage overgeladen in een andere auto. Bij een volgend tankstation kopen ze een
paar flesjes cola. Eén flesje is voor Urschel: het is het enige wat hij
onderweg krijgt.

Na een rit van veertien uur komen ze zondagmiddag 23 juli rond
14.30 uur aan bij hun schuilplaats in Paradise, Texas. Het is een verlaten ranch op circa 200 hectare grond. Urschel wordt geblinddoekt
vastgehouden in de garage tot het donker wordt, pas dan wordt hij
naar binnen gebracht. Daar wordt hij met een ketting vastgelegd aan
een ijzeren bed. Hij krijgt katoen in zijn oren, zodat hij niks hoort.
    De volgende dag wordt hij overgebracht naar een huisje iets ver-
derop. Hij krijgt een oude pyjama aan en wordt dan op bed gelegd en
met een ketting aan een hoge kinderstoel vastgeketend. Urschel blijft
geblinddoekt, maar hoort des te meer: de beesten buiten, het weer,
maar ook de bijnamen van zijn bewakers: 'Boss' en 'Potatoes'. Hij
vermoedt dat ze vader en zoon zijn. Zelf probeert hij zo veel mogelijk vingerafdrukken achter te laten.

De ontvoerders hebben zich niet heel goed voorbereid: ze wisten niet eens hoe Urschel er precies uitzag. Ze weten alleen dat hij rijk is, maar zijn niet op de hoogte van zijn sterke karakter.

Charles Frederick Urschel wordt op 7 maart 1890 geboren op een boerderij in Fostoria, Ohio. Na zijn middelbareschoolperiode gaat hij in militaire dienst en hij vecht mee in de Eerste Wereldoorlog. Hij is onderscheiden met de World War Victory Medal. Na zijn militaire loopbaan gaat Urschel aan de slag in de oliehandel. Zijn talenten vallen op bij Tom Slick, een van de grootste oliehandelaren in de omgeving. Urschel gaat voor hem werken en wordt later zijn compagnon. Hij trouwt met Toms jongere zusje, Flored Slick.

In 1930 overlijdt Tom onverwachts. In zijn testament heeft hij laten vastleggen dat na zijn dood Charles Urschel de beslissende stem krijgt in zijn zakelijke belangen. Tevens wordt hij voogd over Toms drie kinderen: Betty, Tom jr. en Earl. Vlak daarna overlijdt ook Flored. Twee jaar later trouwt Charles met zijn schoonzusje Berenice Slick, de weduwe van Tom. Met dit huwelijk ontstaat in één klap een van de rijkste oliebedrijven in Texas. In verschillende publicaties wordt hun vermogen geschat tussen de 6 en 23 miljoen dollar.

Toch blijven Charles en Berenice gewone mensen, die zich graag mengen onder de bevolking. Ze proberen zichzelf en hun zakelijk vermogen zo veel mogelijk uit de media te houden. Ze hebben geen dure auto's met chauffeur. Integendeel, Charles loopt iedere dag van zijn huis naar kantoor, achttien straten verderop. De bodyguard die hij heeft overgenomen van Slick, heeft hij ontslagen.

Zo kort na de Lindberghontvoering trekt deze ontvoering volop de aandacht. Berenice Urschel komt al snel met een verklaring richting de ontvoerders, die in verschillende kranten wordt gepubliceerd:

Ik ben er op geen enkele manier in geïnteresseerd om jullie te pakken of te vervolgen. Ik wil alleen een veilige terugkeer van mijn man. Om dit mogelijk te maken heb ik de politie bij ons huis weggestuurd, er is nu alleen nog familie. Wij zitten nu bij de telefoon te wachten op een belletje van jullie. Wij, onze familie, hebben besloten om vertrouwelijk en snel met jullie te onderhandelen. Arthur Seelington, mijn mans beste vriend, is de tussenpersoon. Jullie kunnen hem vertrouwen. Het welzijn van mijn man, en zijn veilige terugkeer, is mijn enige zorg.

Er komen veel tips en nepbrieven binnen van zogenaamde ontvoerders, maar er zit niets bruikbaars tussen. Pas op 26 juli, vier dagen na de ontvoering, wordt iets van de echte ontvoerders vernomen. Een onbekende man heeft bij het Western Unionpostkantoor vlak bij Tulsa een brief afgegeven aan een jonge postbezorger op een fiets. Die kreeg een zilveren muntstuk op voorwaarde dat hij een enveloppe bij John G. Catlett in de brievenbus zou gooien. Catlett zit ook in de olie en is een vriend van Urschel.

In de enveloppe zitten drie brieven, geschreven door Urschel. Een ervan is gericht aan Catlett, waarin hem wordt gevraagd om te fungeren als tussenpersoon. Als tussenpersoon moet hij er zorg voor dragen dat de inhoud van de twee andere brieven bij de juiste mensen terechtkomt. Hij krijgt het verzoek om de politie erbuiten te houden.

Catlett doet wat van hem verlangd wordt. Een van de twee andere brieven is een persoonlijke brief voor Berenice, de andere is de losgeldbrief. Deze is bestemd voor E.E. Kirkpatrick, een bekende van de familie en voormalig krantenmagnaat, en Arthur Seelington, een zwager van Berenice. Bij de brief zitten de identiteitspapieren van Urschel, om te bewijzen dat hij afkomstig is van de echte ontvoerders. Ze vragen een bedrag van 200.000 dollar voor Urschels vrijlating, bestaande uit gebruikte biljetten van 20 dollar.

De ontvangers van de brief krijgen de opdracht een postbus te nemen en een week lang anoniem de volgende advertentie te plaatsen in *The Daily Oklahoman* in de rubriek 'Onroerend goed':

FOR SALE – 160 Hectare land, goed woonhuis met vijf kamers, veel ruimte. Ook koeien, gereedschap, tractor, graan en hooi. $3750,00 voor de snelle beslisser. REACTIES: Postbus # -

Verder wordt vermeld dat hun kansen verkeken zullen zijn als ze hieraan niet voldoen: dit is de enige mogelijkheid, en de enige vorm van contact die zal plaatsvinden tussen hen en de ontvoerders. Na het plaatsen van de advertentie zullen de ontvoerders weer contact opnemen over het verdere verloop van de losgeldoverdracht.

Berenice is bereid te betalen. Arthur Seelington gaat naar de krant om de advertentie op te geven. De volgende dag, donderdag 27 juli 1933, staat de advertentie in de krant met postbusnummer 807. Een dag later zijn er zes reacties op de advertentie, waaronder die van de ontvoerders. Het betreft een enveloppe, persoonlijk gericht aan Kirkpatrick. De brief is verzonden per speciale luchtpost en gestempeld in Joplin, Missouri. Hij is met dezelfde schrijfmachine getypt als de vorige brief, een Remmington. Het bedrag dat moet worden betaald, wordt in de brief herhaald.

Deze keer wordt ook een dreigement geuit: als ze politie erbij halen, zullen ze het moeten doen met de overblijfselen van Charles Urschel.

De instructies zijn als volgt: het losgeld moet in een lederen tas worden vervoerd. Kirkpatrick moet een kaartje boeken voor de nachttrein van aanstaande zaterdag. Die vertrekt om 22.10 uur vanaf het station van Oklahoma. Hij moet plaatsnemen op het open passagiersplatform van de trein. Zo kunnen de ontvoerders hem in de gaten houden vanaf de stations langs het spoor, op het traject Oklahoma-Kansas City. Als alles goed gaat, zal Kirkpatrick aan de rechterkant van de trein langs het spoor een vuur zien. Dan moet hij goed opletten, want op het moment dat hij een tweede vuur ziet, moet hij de tas met het geld langs het spoor gooien. Spoedig daarna zal Urschel worden vrijgelaten.

De ontvoerders houden in de brief rekening met een plan B: mocht er buiten de schuld van Kirkpatrick om iets misgaan, dan moet hij in Kansas City inchecken in het Muehlebach Hotel onder de naam E.E. Kincaid uit Little Rock, Arkansas. Daar zal hij dan nieuwe instructies ontvangen.

De familie voldoet aan alle eisen van de ontvoerders, behalve de eis dat de politie zich er niet mee mag bemoeien. De 200.000 dollar in gebruikte briefjes van twintig is afkomstig van de First National Bank van Oklahoma en wordt bewaard in een grote zwarte lederen tas. De serienummers worden geregistreerd en de lijsten worden in een oplage van zestigduizend verspreid over banken in het hele land.

Op het aangegeven tijdstip stapt Kirkpatrick in de trein; John Catlett reist onopvallend met hem mee. Catlett heeft precies dezelfde tas bij zich als die van Kirkpatrick, alleen is zijn tas gevuld met papier. Mochten ze worden overvallen of mocht er iets anders misgaan, dan zullen ze deze tas afgeven.

De reis beslaat een afstand van 550 kilometer en duurt 10 uur. De trein stopt maar liefst 51 keer op tussenliggende stations. Hoe goed Kirkpatrick onderweg ook oplet, hij ziet geen vuur. Ook Catlett ziet niets. Mogelijk hebben de ontvoerders Catlett gezien of hebben ze autopech gehad.

Het is zondagmorgen wanneer de trein aankomt in Kansas City, op het station dat zes weken eerder nog het toneel was van een bloedbad. Op zaterdag 17 juni vond hier 's ochtends vroeg een schietpartij plaats die zijn weerga niet kende. Twee officieren van justitie en vier justitiemedewerkers, onder wie een FBI-agent, brachten gevangene Frank 'Jelly' Nash per trein terug naar de gevangenis Leavenworth in Kansas, waar hij een straf van 25 jaar moest uitzitten. Plotseling werden ze overvallen door 3 met automatische wapens rondschietende mannen die de gevangene wilden bevrijden. De schietpartij op het station duurde nog geen 2 minuten en vond plaats voor de ogen van honderden reizigers. De gevangene en 4 justitiemedewerkers kwamen om het leven.

Voor Kirkpatrick en Catlett betekent de aankomst op het station van Kansas City dat het tijd is voor plan B. Ze checken in bij het Muehlebach Hotel. Op de kamer aangekomen kunnen ze niets anders doen dan afwachten.

Om 10.10 uur belt de receptie: er is een telegram binnengekomen voor de heer Kincaid. Kirkpatrick leest het telegram aandachtig door. Het is afkomstig uit Tulsa en ondertekend door een zekere C.H. Moore. In het telegram wordt gerefereerd aan de mislukte losgeldoverdracht. Deze zal worden hersteld door middel van een telefoontje. Om 18.00 uur, zo staat in het telegram, zal er worden gebeld met het hotel.

De twee mannen wachten de hele middag af. Een halfuur eerder dan gepland gaat de telefoon. Het is C.H. Moore. Hij vraagt of het telegram is aangekomen. Kirkpatrick bevestigt dit. Moore wil dat Kirkpatrick een taxi neemt en met het geld naar het LaSalle Hotel gaat. Kirkpatrick vertelt dat hij iemand bij zich heeft en vraagt of hij deze persoon mag meenemen. Moore staat dit niet toe en vertelt dat ze de tweede man inderdaad al hadden waargenomen op de trein. Hij benadrukt nog een keer dat Kirkpatrick alleen en ongewapend moet komen. Bij het hotel moet hij een stukje gaan wandelen in westelijke richting langs twee huizenblokken aan de Linwood Boulevard.

Kirkpatrick doet wat hem is opgedragen, maar draagt wel een wapen. Hij heeft nog geen 100 meter gelopen of hij wordt aangesproken door een onbekende man, die van achter een geparkeerde auto vandaan komt. De man steekt zijn hand uit en zegt: *'I'll take that grip.'* Kirkpatrick vraagt om garanties omtrent de vrijlating van de heer Urschel, maar de donkere man, gekleed in een zomers pak

en met een panamahoed op, kijkt recht voor zich uit. Hij verzoekt
Kirkpatrick om te keren en terug te gaan naar het hotel en zegt dat
Urschel binnen twaalf uur zal worden vrijgelaten.

De ontvoerders, George Barnes en Albert Bates, hebben de buit binnen. Voor hen geldt dat driemaal scheepsrecht is. Een jaar eerder,
in januari 1932, hebben ze in South Bend, Indiana, de zoon van een
bankdirecteur ontvoerd. De losgeldeis bedroeg 50.000 dollar. Toen
het slachtoffer, Howard Woolverton, zijn ontvoerders ervan wist
te overtuigen dat door de crisis dit hoge bedrag niet kon worden
betaald, lieten ze hem vrij. Wel moest Woolverton een document
ondertekenen waarin hij beloofde dat hij het geld alsnog zou betalen
zodra het er wel was.

Een tweede poging betrof de ontvoering van Guy Waggoner, de
zoon van een oliehandelaar uit Texas. Ook deze poging mislukt, deze
keer omdat ze twee politiemannen uit Fort Worth op de hoogte hebben gebracht van hun plannen. Ze gingen ervan uit dat de politiemannen corrupt waren en hebben hun daarom gevraagd om mee te
doen met de ontvoering. Om zo veel mogelijk informatie binnen te
krijgen, hebben de agenten het spel meegespeeld. Ze haakten zogenaamd af omdat ze het te riskant vonden, en te dicht in de buurt van
hun werkgebied, maar in werkelijkheid zorgden ze ervoor dat het
beoogde slachtoffer een tijdje politiebescherming kreeg.

George Barnes, beter bekend onder de naam Machine Gun Kelly,
komt ter wereld op 17 juli 1900 in Memphis, Tennessee. Als zoon
van George F. Barnes en Elizabeth Kelly Barnes groeit hij op in een
welgesteld gezin, samen met zijn zus. Vader doet goede zaken als
directeur bij een verzekeringsmaatschappij.

George is een voorbeeldige leerling op de Central High School
in Memphis. In 1917 gaat hij landbouw studeren aan de Mississippi
State University. Dit houdt hij slechts vier maanden vol. Tijdens zijn
studie rommelt hij al wat in de illegale drankhandel en als hij stopt
met studeren, zet hij dit een tijdje voort, totdat hij een relatie krijgt
met Geneva Ramsey. Ze trouwen als hij negentien jaar is en krijgen
twee kinderen: George jr. ('Sonny') en Bruce.

Barnes werkt bij het goedlopende bedrijf van zijn schoonvader,
George F. Ramsey. Dat produceert spoorrails en slagbomen voor
treinen. De band met zijn schoonvader is sterker dan die met zijn
eigen vader; tussen die twee heeft het nooit geboterd. George geeft

zijn vader er bijvoorbeeld de schuld van dat zijn moeder zo vroeg is overleden: zijn vader gaf haar volgens hem te weinig aandacht en liefde, waarop ze is gestorven aan een gebroken hart. Om die reden neemt George de achternaam van zijn moeder aan, Kelly.

Begin jaren twintig overlijdt zijn schoonvader aan de gevolgen van een bedrijfsongeval met een stuk dynamiet. Schoonmoeder verkoopt het bedrijf en regelt een startkapitaal voor een eigen bedrijfje voor haar dochter Geneva en George Kelly. Eerst starten ze een bedrijf voor tweedehandsauto's. Dit wil niet echt lopen; ze doen het van de hand en beginnen een geitenboerderij. Ook dit gaat mis.

Noodgedwongen gaat George aan de slag bij zijn eigen vader in de verzekeringsbranche. De inkomsten vallen tegen en het huwelijk van Geneva en George komt onder druk te staan. Zij verlaat hem een paar keer; hij probeert het goed te maken door een serieuze baan in een groentewinkel aan te nemen. Als hij daar wordt ontslagen wegens stelen uit de kassa, is een scheiding onvermijdelijk.

George Kelly vervalt in oude gewoonten, iets waarin hij wél goed is: de illegale drankhandel. We komen hem voor het eerst tegen in de politieregisters in de zomer van 1927. Hij is dan al meerdere malen gearresteerd voor illegale drankhandel, landloperij en roekeloos rijgedrag.

Later dat jaar belandt hij zelfs voor drie jaar achter de tralies van de Leavenworthgevangenis, na een veroordeling wegens het smokkelen van drank op een indianenreservaat. In de gevangenis komt hij in aanraking met doorgewinterde criminelen. George werkt op de fotografieafdeling en is daardoor in staat valse identiteitspapieren te maken. Zo helpt hij in 1930 twee beruchte bankovervallers te ontsnappen.

Wanneer George enige tijd later zelf vrijkomt, blijkt dat ze hem niet zijn vergeten. Hij mag meedoen met hun bankovervallen, maar voor het zover is, maakt hij een ontmoeting mee die later de ommekeer in zijn leven zal blijken. Na zijn vrijlating uit de gevangenis werkt George samen met een andere dranksmokkelaar, ene Steve Anderson. Hij wordt verliefd op Steves minnares: Kathryn Thorne. De twee besluiten er op een dag vandoor te gaan, niet alleen met de hond van Steve, maar ook met zijn gloednieuwe Chevrolet. George en Kathryn vertrekken ermee naar Minneapolis, waar ze op 23 september 1930 met elkaar trouwen. Het is zijn tweede en haar vierde huwelijk.

Kathryn is in 1904 geboren als Cleo Mae Brooks in Saltillo, Mississippi. De criminaliteit zit haar in de genen. Twee ooms van haar zitten een lange gevangenisstraf uit, een tante is veroordeeld voor prostitutie en haar moeder zat in de illegale drankhandel. Op haar vijftiende trouwde ze voor het eerst. Uit haar eerste huwelijk heeft ze een dochter, Pauline. De achternaam Thorne dankt ze aan haar derde huwelijk, met Charlie Thorne. Zelf is ze meerdere keren veroordeeld voor uiteenlopende delicten, van winkeldiefstal en heling tot prostitutie en overvallen.

Het is dan ook Kathryn die van de betrekkelijk kleine crimineel George Kelly een legende maakt. In februari 1933 koopt ze voor 250 dollar een machinegeweer, een Thompson. Het is een cadeau voor George, voor wie ze de bijnaam Machine Gun Kelly bedenkt.

Als een ware marketingstrateeg gaat Kathryn te werk om de naam van haar man bekend te maken, nog voordat die ook maar één schot gelost heeft. Machine Gun Kelly: de man die al schietend zijn eigen naam in de muur kan schrijven. In de saloons strooit ze met lege kogelhulzen, waarbij ze rondbazuint dat deze afkomstig zijn uit het geweer van haar man.

Zijn nieuwe naam en imago komen George goed van pas bij de serie bankovervallen die hij mag plegen met zijn oude bajesmaten. De eerste vindt plaats op 15 juli 1930 en de laatste op 30 november 1932. George is bij zeker acht van deze spectaculaire overvallen betrokken. De totale buit bedraagt honderdduizenden dollars. Machine Gun Kelly wordt nu overal gezocht en gevreesd. Zijn *Wanted: Dead or Alive*-posters hangen verspreid door het hele land.

In 1932 leert hij Albert L. Bates kennen, en met hem boekt hij zijn grootste succes: de bankoverval in de staat Washington op de First Trust and Savings Bank van Colfax levert 77.000 dollar op. Samen met Albert Bates plannen Machine Gun Kelly en Kathryn Kelly hun derde ontvoering. Ze hebben een lijstje gemaakt met potentiële slachtoffers. Hierop staan een bankier uit Texas, een bierbrouwer uit Missouri en twee zakenmannen uit Oklahoma. De keus valt uiteindelijk op Charles Urschel.

Terwijl de familie Urschel thuis in spanning zit te wachten, ligt de vrijlating achter op schema. Onderweg van Kansas City naar Paradise, Texas – een rit van 800 kilometer – hebben George en Albert het geld eerst grondig gecheckt en geteld. Om onderweg niet op te vallen en eventuele politie te omzeilen zijn ze bovendien via allerlei omwegen gereden.

De dag na de betaling komen ze om 14 uur aan bij de boerderij in Paradise. Ze worden opgewacht door Kathryn. Het geld wordt nog een keer geteld. Het klopt precies. Na aftrek van 11.500 dollar aan gemaakte onkosten wordt de buit verdeeld tussen Machine Gun Kelly en Albert Bates: ieder krijgt 94.250 dollar. Ze tossen over wie de geldkoffer mag houden als souvenir.

Het is nog even spannend of Urschel daadwerkelijk wordt vrijgelaten. Kathryn wil hem het liefst uit de weg ruimen, omdat ze zich zo kunnen ontdoen van een belangrijke kroongetuige. Bates wil hem vrijlaten, en voor het eerst in zijn leven gaat Machine Gun Kelly tegen zijn vrouw in. Hij is het eens met Bates. Beide heren vrezen dat er een klopjacht op hen zal worden geopend en dat ze zullen eindigen op de elektrische stoel wanneer ze hem vermoorden.

Albert en George krijgen hun zin. Ze frissen Urschel een beetje op: hij wordt geschoren en krijgt nieuwe kleren aan, een sportshirt met korte mouwen en een iets te krap zittende strohoed. Bewaker Boss schudt hem de hand en spreekt de hoop uit dat hem verdere ellende in de toekomst bespaard zal blijven.

De rit van Paradise naar Oklahoma beslaat amper 300 kilometer, maar ze doen er acht uur over, met de bedoeling om een dwaalspoor te creëren. In het universiteitsstadje Norman, ongeveer 30 kilometer buiten Oklahoma City, wordt Urschel uit de auto gezet. Ze dreigen nog dat ze hem en zijn familie zullen vermoorden wanneer hij de politie inschakelt. Ze geven hem zijn horloge terug en 10 dollar voor een taxi; daarna scheuren ze weg met piepende banden.

Urschel zet zijn zonnebril af. Deze moest zijn afgeplakte ogen in de auto verbloemen. Hij scheurt de tape van zijn ogen. Voor het eerst in negen dagen kan hij weer zien. Wanneer hij de bewoonde wereld bereikt, loopt hij de bier- en barbecuetent Classens binnen. Charles Urschel mengt zich tussen de aanwezige gasten, die hem niet kennen. Hij praat met ze mee over het weer en andere dagelijkse zaken, drinkt een kop koffie en bestelt een taxi. De taxi brengt hem tot aan de voordeur van zijn woning. De rit kost 2,50 dollar. Hij betaalt met 3 dollar en laat de rest zitten als fooi.

Maandag 31 juli om 23.30 uur, bijna dertig uur na het betalen van het losgeld, loopt Urschel naar zijn voordeur. De massaal aanwezige journalisten zitten op dit late tijdstip in hun auto's te kaarten. Ze herkennen Urschel in zijn nieuwe outfit niet. Ook de politieman die de wacht houdt bij de voordeur, herkent hem niet en laat hem niet door. Urschel ziet er de humor wel van in en besluit onopvallend achterom te gaan. De familie die binnen in spanning zit te wachten, vangt hem op. Urschel is uitgeput. In de afgelopen tien dagen heeft hij in totaal hooguit negen uurtjes slaap gehad. Ieder keer schrok hij wakker uit een nachtmerrie.

De FBI wil meteen van alles van hem weten, maar Berenice verbiedt dat. Ze wil dat haar man eerst een goede nachtrust krijgt. De volgende ochtend is Charles Urschel om 8 uur paraat. Hij staat de pers te woord. Tegen de fotografen grapt hij: 'De ontvoerders vonden mijn foto's in de krant niet mooi, ze zeiden dat ik in het echt knapper ben.' Berenice doet er nog een schepje bovenop: 'Ze zeiden tegen mijn man: "Als je er in het echt zo had uitgezien als op de foto's, hadden we je in opdracht van je vrouw moeten ontvoeren."'

Charles Urschel blijkt over een feilloos geheugen te beschikken. Hij omschrijft zeer gedetailleerd hoe de rit naar de schuilplaats is verlopen. Zo heeft hij onderweg een oliepomp gehoord en gas geroken. Hij weet te vertellen dat er onderweg werd gestopt bij een tankstation. Even later stopten ze weer en werd hij overgeladen in een andere auto, vermoedelijk een Cadillac of een zevenpersoons Buick. Na een rit van tussen de twee en drie uur moest ook deze auto worden bijgetankt. Rond 14.30 uur waren ze aangekomen bij het huis waar hij de eerste dag is vastgehouden.

Hij beschrijft hoe hij de volgende dag werd overgeplaatst naar een ander huis, waarschijnlijk een boerderij, want hij hoorde kippen, varkens en koeien. Urschel weet precies hoeveel van elke soort. Op deze locatie kreeg hij iets meer bewegingsvrijheid. Met een handboei aan zijn pols werd hij vastgelegd aan een lange ketting, die verbonden was aan een kinderstoel. Gedurende de hele ontvoering was hij geblinddoekt. Het drinkwater dat hij kreeg, werd aan de achterkant van het huisje opgepompt uit een bron. Hij noemt de bijnamen van zijn bewakers en spreekt zijn vermoeden uit dat het ging om een vader en een zoon.

Een van de belangrijkste details die Charles de FBI kan vertellen, is dat hij iedere dag 's ochtends om 9.45 uur en 's middags om 17.45 uur hetzelfde vliegtuig hoorde overkomen, behalve op zondag. Die dag was het noodweer; Urschel vermoedt dat het vliegtuig daarom niet was opgestegen. Het exacte tijdstip weet hij te vertellen doordat hij de seconden heeft geteld van het moment van overvliegen tot bijvoorbeeld lunchtijd. Dan vroeg hij tussen neus en lippen door aan zijn bewakers hoe laat het was.

De politie checkt alle vluchtschema's in de periode van de ontvoering in een omtrek van 1000 kilometer van Oklahoma City. Het blijkt dat de vlucht Fort Worth-Amarillo iedere dag om 9.15 uur vertrekt en om 15.30 uur weer retour vliegt. Het vliegtuig komt rond de aangegeven tijden over een gebied genaamd Paradise, in Texas.

Dankzij een tip van de twee eerder door Kathryn benaderde politiemannen uit Fort Worth komt de mogelijke betrokkenheid van Machine Gun Kelly en Kathryn ter sprake. Urschel, Jarrett en hun vrouwen krijgen naar aanleiding van deze tip een foto van Machine Gun Kelly onder ogen en bevestigen dat Kelly de man is die op zaterdagavond 22 juli hun kamer binnenstormde. In combinatie met het goede geheugen van Urschel brengt dit de politie bij een klein huisje in Paradise, dat op naam staat van Robert 'Boss' Shannon. De moeder van Kathryn is met deze Shannon getrouwd. De zoon van Boss heet Armon en heeft een boerderij, ongeveer 1,5 kilometer verderop.

De politie observeert beide objecten en constateert dat alles precies overeenkomt met de beschrijvingen van Urschel. Armon moet 'Potatoes' zijn, vermoedt de politie. Nu ze zeker weten dat ze de juiste locatie hebben, besluiten ze erop af te gaan met dertien man: officieren van justitie, FBI-agenten en Charles Urschel zelf. Ook hij is gewapend.

Het is nog donker wanneer ze in de vroege ochtend van zaterdag 12 augustus aankomen bij het huis van Robert Shannon. Ze splitsen zich op in kleine groepjes en bestormen het huis van alle kanten. De eerste die ze aantreffen, is Harvey J. Bailey. Hij ligt te slapen in een kinderbed naast zijn wapens, een machinegeweer en twee automatische wapens. Voordat hij de gelegenheid krijgt om ze te pakken, is hij al in de boeien geslagen. Bailey is een grote vangst voor de politie. Hij wordt gezocht sinds 30 mei, toen hij wist te ontsnappen uit de beruchte Kansas State Penitentiary, waar hij een jarenlange straf uitzat voor een bankoverval. Daarnaast wordt hij verdacht van de bloedige schietpartij op het station van Kansas City, waarbij vijf doden vielen.

Bailey is de succesvolste bankrover uit de Amerikaanse geschiedenis. In de jaren twintig heeft hij meer dan 1 miljoen dollar bij elkaar geroofd. Hij heeft een stapel opgerolde dollarbiljetten in zijn zak, in totaal 1211 dollar, waarvan 680 dollar afkomstig is van het losgeld. Hij verklaart dat hij niets met de ontvoering te maken te heeft. Het geld heeft hij van Kelly gekregen om naar een dokter te gaan. Hij heeft niets met de ontvoering te maken; hij is in het huis om te herstellen van een schotwond die hij opliep tijdens een vuurgevecht. Zijn pech is dat hij op het verkeerde moment op de verkeerde plek is.

Ook Kathryns moeder Ora en Robert Shannon worden gearresteerd. Urschel neemt zijn hoed af voor Ora en bedankt haar voor de lekkere maaltijd die ze op zondag voor hem heeft bereid: gebraden kip, aardappelpuree, jus, beschuit, groente, een tomatensalade en een plakje cake. Het was de enige keer gedurende die negen dagen dat hij een fatsoenlijke maaltijd heeft gekregen. De overige dagen kreeg hij vooral eenzijdig voedsel uit blik, tomaten en gebakken bonen.

Ora en Boss ontkennen dat ze Urschel eerder hebben gezien. Een paar agenten blijven om de gearresteerden te bewaken; de rest, inclusief Urschel, gaat naar de boerderij van zoon Armon. Daar treffen ze de 23-jarige man aan, met zijn vrouw en een kind van een paar weken oud. Armon is een stuk bereidwilliger dan zijn vader en stiefmoeder: hij bekent alles.

De FBI loopt alle punten na waarover Urschel gesproken heeft, in totaal meer dan 25. Alles klopt precies. Armon Shannon verklaart dat hij alles heeft gedaan in opdracht van Kelly en Bates, en dat hij niet anders kon. De politie is aangenaam verrast. De naam Bates is niet onbekend; nieuw is dat hij bij een ontvoering is betrokken. Albert Bates heeft een meterslang strafblad, dat teruggaat tot 1916: diefstal, overvallen, banken beroven, kluizen kraken, illegaal wapenbezit en rijden met drank op. Daarnaast wist hij tot twee keer toe uit de gevangenis te ontsnappen. Ook is hij verdacht geweest van moord, maar daarvoor is hij nooit veroordeeld.

Nog diezelfde dag kan Bates worden gearresteerd in Denver, Colorado. Hij wordt opgepakt op het moment dat hij net wil wegrijden in zijn nieuwe Buick Victoria. Hij is in het bezit van 33 briefjes van 20 dollar, afkomstig uit het losgeld. Bates wordt door Urschel geïdentificeerd als een van de ontvoerders.

Het scheelde weinig of Machine Gun Kelly en Kathryn waren

een dag later gearresteerd. Bij de grens met Mexico wordt hun auto staande gehouden, maar nadat de douane hun auto en bagage heeft gecontroleerd, mogen ze doorrijden. Hun gezichten waren op dat moment nog niet bekend. Op verzoek van de FBI was de arrestatie van de andere verdachten uit de pers gehouden, in de hoop dat de Kelly's nietsvermoedend in de buurt van Paradise gearresteerd zouden kunnen worden.

Twee dagen later worden de ontvoering en de arrestatie van de eerste verdachten breed uitgemeten in de pers. De jacht op Kathryn en Machine Gun Kelly wordt geopend. De laatste wordt in de pers de nieuwe *Public Enemy No.1* genoemd. De FBI verspreidt door de hele Verenigde Staten posters met zijn foto, zijn vingerafdrukken en een omschrijving van zijn persoon en strafblad, maar het lukt niet om het voortvluchtige echtpaar te traceren.

Wel krijgt de FBI een aantal brieven. Kathryn Kelly waarschuwt daarin dat haar man Charles Urschel en zijn familie iets zal aandoen. Ze is bereid hem aan te geven in ruil voor de vrijlating van haar moeder, die volgens haar onschuldig is. De FBI kan maar beter gehoor geven aan haar oproep, schrijft ze, want 'Machine Gun Kelly staat op het punt een bloedbad aan te richten in Oklahoma City'.

Machine Gun Kelly en Kathryn besluiten dat ze beter zo min mogelijk samen gezien kunnen worden. Dat is veiliger, omdat iedereen op zoek is naar een koppel. Wanneer Kathryn op een middag alleen op pad is in haar pick-uptruck, neemt ze drie lifters mee: het echtpaar Luther en Flossie Marie Arnold, met hun dochter Geraldine.

Luther Arnold vertelt dat hij door de crisis geen werk meer heeft en dat het gezin hierdoor in armoede leeft. Kathryn weet wel een manier waarop ze aan geld kunnen komen. Ze vertelt hem over de ontvoering en dat ze op de vlucht zijn. Ze wil graag dat Luther tegen een vergoeding naar de autoriteiten stapt en voorstelt dat Kathryn haar man aangeeft, in ruil voor vrijwaring van strafvervolging voor haarzelf en haar moeder.

Luther zit financieel aan de grond en is bereid alles te doen om drie hongerige mensen te voeden. Voor een vergoeding van 50 dollar reist hij per bus naar Fort Worth. De autoriteiten gaan echter niet op het voorstel in. Observatie van Arnold brengt de politie niet verder, en justitie krijgt maar geen vat op het stel. Charles en Kathryn zijn al minstens zes keer van auto verwisseld en worden zigzaggend door Noord-Amerika waargenomen, onder meer in Omaha, Chicago, Minneapolis, Cleveland, Detroit, Reno en zelfs Mexico. In al deze plaatsen wordt losgeld uitgegeven. Er is totaal geen logica te ontdekken in hun vlucht: ze hebben minstens zestien staten doorkruist en justitie is steeds te laat ter plekke.

In overleg met Luther en Flossie Arnold nemen Machine Gun Kelly en Kathryn hun 12-jarige dochter Geraldine mee op 'autovakantie'. Eigenlijk fungeert het meisje als een soort dekmantel. Het hele land kijkt uit naar twee personen op de vlucht; met een kind erbij vallen ze minder op.

Ondertussen begint in de tweede helft van september onder leiding van rechter Edgar S. Vaught het proces tegen alle verdachten, behalve de twee voortvluchtige Kelly's. Toch zijn ook zij op een bepaalde manier aanwezig, want op de tweede dag van het proces wordt een brief voorgelezen. Het is een dreigbrief van Machine Gun Kelly, waarin hij aangeeft de familie Urschel te zullen uitroeien. Dit leidt tot extra beveiliging van de rechtbank en de omgeving. Ook de familie Urschel krijgt optimale beveiliging.

Alle verdachten worden op 30 september 1933 door de jury schuldig bevonden. Albert Bates, Harvey Bailey en de Shannons worden veroordeeld tot een levenslange gevangenisstraf. Bewaker Armon Shannon krijgt tien jaar celstraf opgelegd.

De Kelly's zijn intussen na een rondreis van twee weken met hun 'dochter' neergestreken in Memphis. Geraldine heeft gedurende die twee weken goed opgelet en het een en ander opgevangen. Machine Gun Kelly heeft zijn zwager ingeschakeld om een deel van het losgeld te gaan opgraven bij een boerderij in Coleman, Texas. Kelly's zwager neemt Geraldine mee naar de boerderij. De eigenaar, een oom van Kathryn, vertrouwt het niet en weigert hun de plek aan te wijzen. Gefrustreerd en zonder geld verlaten ze de boerderij.

Geraldine vraagt of ze naar huis mag. De zwager zet Geraldine op de trein naar haar ouders in Oklahoma City. Op 25 september komt ze daar aan. Op het station staat niet alleen een blije vader, maar ook de FBI. Het meisje weet veel details te vertellen. Ze heeft ook de naam opgevangen van ene Tich, die onderdak zou verschaffen aan het stel in Memphis.

De politie achterhaalt zijn werkelijke naam, John Tichenor. Observatie van deze autodealer brengt de politie bij een bungalow. Op

26 september 1933, om 6.45 uur, doet de politie van Memphis met acht man sterk een inval. De deur van de woning is niet op slot. De agenten treffen Machine Gun Kelly aan in bed, omringd door lege bier- en ginflessen en volle asbakken. Zijn pistool, een Colt .45, laat hij vallen. Terwijl een agent zijn wapen in zijn buik gedrukt houdt, zegt Kelly: 'I've been waiting all night for you.' 'Well, here we are,' antwoordt de agent.

Kathryn wordt aangetroffen in een andere kamer. Ze verzet zich hevig bij haar arrestatie. Bij de verhoren schuift ze de schuld in de schoenen van haar man.

De twee worden per vliegtuig overgebracht naar Oklahoma. Het is de allereerste keer dat criminelen per vliegtuig worden getransporteerd. Nieuw is ook dat er voor het eerst camera's worden toegelaten in de rechtszaal. Een groot deel van de Amerikaanse bevolking krijgt zo een duidelijk beeld bij *Public Enemy No.1* en is er op 12 oktober 1933 getuige van dat rechter Vaught Machine Gun Kelly en Kathryn beiden veroordeelt tot een levenslange gevangenisstraf.

Geraldine krijgt een groot deel van de beloning van 12.000 dollar voor haar informatie die heeft geleid tot de arrestatie van Kathryn en Machine Gun Kelly. Het losgeld is op verschillende plaatsen verstopt. Bij Texas wordt 73.250 dollar opgegraven, bij de vrouw van Albert Bates vindt de FBI 44.000 dollar, en later kan op haar aanwijzingen nog geld worden opgegraven in Washington en Californië. Een groot deel van het losgeld (ongeveer 60.000 dollar) is nooit teruggevonden en ligt waarschijnlijk nog altijd ergens in de grond.

Machine Gun Kelly, Albert Bates en Harvey Bailey worden overgebracht naar de Leavenworthgevangenis. 'I'll be out of here by Christmas,' bluft Kelly. Zijn vrouw Kathryn en haar moeder Ora Brooks belanden via de gevangenissen van Michigan, Californië en Texas uiteindelijk in de vrouwengevangenis van Alderson, West-Virginia.

Op 16 juni 1956 komen Kathryn en haar moeder na 25 jaar vrij. Kathryn is dan 54, haar moeder is 70 jaar oud. Ze hebben het plan om op tournee te gaan om hun kant van het verhaal te vertellen, maar zover komt het niet. Beiden vinden een baan als boekhoudster in een rusthuis. Kathryn overlijdt in 1985 op 81-jarige leeftijd in Tulsa. Haar man, Machine Gun Kelly, heeft ze sinds de rechtszaak in 1933 niet meer gezien. Haar laatste woorden tegen hem waren: 'Be a good boy,' waarop hij antwoordde: 'I will.'

Een jaar na de rechtszaak worden Kelly, Bates en Bailey in een speciale trein overgebracht naar de nieuwe gevangenis Alcatraz in Californië. Albert Bates overlijdt daar in 1948 op 54-jarige leeftijd. Harvey Bailey komt vrij in 1962. Hij wordt meteen weer opgepakt voor een oude ontsnapping uit 1933, en komt in 1965 definitief vrij. Urschel en Kirkpatrick hebben ervoor gezorgd dat hij eerder vrijkwam. Ze hebben altijd geweten dat hij niets met de ontvoering te maken had. Als goedmaker regelen ze voor hem een baan en huisvesting na zijn vrijlating. Bailey overlijdt op 1 maart 1979. Hij wordt 91 jaar.

Machine Gun Kelly staat in Alcatraz geregistreerd als No. 117. De beruchtste gevangene is No. 85: Al 'Scarface' Capone. Samen zitten ze nog een tijdje in dezelfde band: Capone speelt mandoline en Kelly drumt. Kelly is een modelgevangene. Hij leest de Bijbel en is van zijn rookverslaving afgekomen. In 1951 wordt hij weer teruggeplaatst naar Leavenworth. Daar werkt hij in op de ziekenboeg en in de wasserij. Na 21 jaar gevangenschap overlijdt hij op 17 juli 1954, zijn verjaardag, op 54-jarige leeftijd aan de gevolgen van een hartaanval.

In 1958 verschijnt de film Machine Gun Kelly, met Charles Bronson in de rol van Kelly. De film neemt het niet zo nauw met de feiten; het lijkt erop dat de filmmakers zich niet echt in de ontvoering hebben verdiept. Zo bestonden de wapens die in de film worden gebruikt nog niet op de hoogtijdagen van de echte Machine Gun Kelly.

In 1933 was er nog een 'slachtoffer': Pauline Elizabeth Frye, de 14-jarige dochter van Kathryn. Zij bleef alleen achter nadat haar moeder, oma, opa en stiefvader door rechter Vaught tot levenslang waren veroordeeld. Jaren na zijn dood vond een kleindochter allerlei brieven waaruit bleek dat Vaught nog jarenlang met Pauline heeft gecorrespondeerd.

Pauline, die werd opgevoed door een tante, kon dankzij de rechter studeren. Hij regelde huisvesting en een studiebeurs, maar fungeerde in werkelijkheid als tussenpersoon. De werkelijke opdrachtgever was... Charles Frederick Urschel. Urschel en zijn vrouw Berenice verhuizen in 1945 van Oklahoma naar San Antonio, waar Charles het concern Slick-Urschel Oil Company leidt. Ze geven veel geld aan goede doelen. Op 30 mei 1970 overlijdt Berenice. Een paar maanden later, op 26 september, overlijdt Charles Urschel op 80-jarige leeftijd na een lang ziekbed.

6

De ontvoering van Eric Peugeot

Wanneer: 12 april 1960
Waar: Parijs, Frankrijk
Losgeld: 50 miljoen Franse frank (ca. 3,9 miljoen gulden)
Ontknoping: 15 april 1960

Het woord 'kidnapping' speelt een belangrijke rol in het leven van Pierre-Marie Larcher. Ver voor de Tweede Wereldoorlog droomt hij van het volgende bericht in de Franse krant *Paris Soir*: 'De kleine Pierre Larcher gekidnapt'. De droom van de 13-jarige jongen uit Parijs komt maar niet uit, en daarom besluit hij zichzelf te 'ontvoeren'. Hij loopt weg van huis. Men gaat uit van een *rapt*: het Franse woord voor 'kidnap' of 'ontvoering'.

Enkele weken later blijkt dat er van een ontvoering geen sprake is geweest. De moeder van Pierre is hertrouwd met haar nieuwe vriend en die heeft een bloedhekel aan het zoontje van zijn nieuwe geliefde. Van zijn moeder krijgt hij niet veel steun, reden voor Pierre om alles achter zich te laten en van huis weg te lopen. Hij zwerft door Parijs en slaapt onder bruggen en in portieken. Na achttien dagen meldt hij zich weer thuis.

Sindsdien heeft fenomeen ontvoering Pierre nooit meer losgelaten. Hij leest het boek *Rapt*, de Franse vertaling van *Snatched* van Lionel White. In deze roman wordt een meisje ontvoerd. Het inspireert hem tot het daadwerkelijk plegen van een ontvoering, puur voor het geld.

Pierre Larcher heeft genoeg van zijn baantje in de automatenhandel en van zijn leven als inbreker, kluizenkraker, smokkelaar, overvaller en afperser. Deze 'beroepen' hebben ertoe geleid dat hij al meer dan 7 jaar in de gevangenis heeft gezeten, een vijfde van zijn leven. Op zijn 36e vindt hij het tijd voor een nieuwe start.

Hij bespreekt zijn plan met Raymond Rolland, een 23-jarige oud-parachutist uit het leger, die als militair heeft gediend in Algerije. In tegenstelling tot Larcher heeft Rolland geen strafblad. Raymond Rolland, zoon van een automaten- en jukeboxhandelaar uit Sable, trouwt op zijn negentiende met zijn jeugdliefde, de drie jaar oudere Ginette. Het huwelijk duurt slechts een paar jaar. Vanwege zijn knappe verschijning wordt Raymond in Parijs 'mooie Serge' genoemd. Net als zijn vader zit hij in de jukebox- en speelautomatenhandel.

Tijdens Raymonds militaire dienst gaat de handel gewoon door; hij verkoopt jukeboxen en speelautomaten aan de kantines op de kazernes. Zijn leven staat in het teken van gokken. Dagelijks komt hij in horecagelegenheden waar speelautomaten van hem of zijn vader staan. Hier heeft hij Pierre Larcher leren kennen.

Raymond en Pierre richten samen een bedrijf op in speelautomaten en jukeboxen, genaamd Automatique Européenne. Ze trekken door heel Frankrijk en staan met hun speelautomaten op kermissen. Dit is echter geen succes. Een andere activiteit, de handel in tweedehandsauto's, loopt ook niet lekker. Er moet toch geld binnenkomen, en Raymond reageert daarom enthousiast op het ontvoeringsplan van Pierre.

De twee mannen beginnen met het bestuderen van Le Bottin Mondain, een soort Kamer van Koophandelregister. Zo komen ze uit bij de naam Peugeot. In tegenstelling tot bijvoorbeeld Citroën of Renault is Peugeot nog een echt familiebedrijf. Dit vergroot de kans dat er betaald wordt, zo redeneren de twee ontvoerders in spe.

Er zijn nogal wat familieleden. De keus valt op de vier jaar oude Eric Peugeot. Een kind ontvoeren, dat kan niet moeilijk zijn, denkt Larcher. Ze kiezen voor Eric in plaats van zijn drie jaar oudere broer Jean-Philippe, omdat ze denken dat een kind van vier een dergelijke ervaring eerder zal vergeten dan een jongen van zeven.

Wat DAF is in Nederland, Ford in de Verenigde Staten en VW in Duitsland, dat is Peugeot in Frankrijk. Peugeot staat in de top drie van Franse autobedrijven en is bezig de hele wereld te veroveren. Het eeuwenoude familiebedrijf bestaat uit meer dan vijftig verschillende industriële bedrijven, en er werken meer dan dertigduizend mensen bij de firma. Het totale familiekapitaal is nooit naar buiten gebracht, maar wordt geschat op honderden miljoenen frank. In 1959 bedraagt de omzet 1000 miljoen Franse frank. De autotak is het bekendste onderdeel. Rond 1890 rolde de eerste auto van de band: de Peugeot Type 1. Zeventig jaar en vele types verder staat het bedrijf onder leiding van Jean-Pierre Peugeot, de opa van Eric. Diens zoon Roland, de vader van Eric, is zijn gedoodverfde opvolger. Roland is al vicepresident van het concern.

Roland Peugeot heeft in de Verenigde Staten gestudeerd aan de universiteit van Harvard. Hij golft graag en is bezeten van auto's. Roland en zijn vrouw Colette Mayesky hebben twee kinderen, Jean-Philippe van zeven en Eric van vier jaar. Het jonge gezin woont aan de Avenue Victor Hugo in Parijs, op nummer 170.

Vanaf begin april 1960 wordt het zes verdiepingen tellende appartement in een van de betere buurten van Parijs ruim een week lang nauwlettend geobserveerd door Larcher en Rolland. Ze constateren dat Eric en Jean-Philippe er iedere dag op uitgaan. Ze worden rondgereden in een limousine door een chauffeur, Georges Perelli. Het kindermeisje van het gezin, Jeanine de Germanio, gaat altijd mee.

Ze gaan elke dag naar de St. Cloud Club, een exclusief golfresort even buiten Parijs, alleen toegankelijk voor leden. Roland Peugeot is als fervent golfspeler lid van deze club. Bij de club is een speeltuin, waar de kinderen zich kunnen vermaken terwijl de ouders aan het golfen zijn. De speelplaats is volledig afgesloten en wordt aan drie kanten omringd door hoge hekken. De vierde kant is een stenen muur. In een van de hekken zit een gat. Raymond Rolland schaduwt de kinderen in het park en bekijkt waar en hoe ze het best kunnen toeslaan.

Op maandagmiddag 11 april 1960 worden de kinderen door de chauffeur en het kindermeisje naar de speeltuin gebracht. De ouders zijn er niet bij. Larcher en Rolland hebben deze dag uitgekozen voor de uitvoering van hun plan. Pierre Larcher heeft speciaal voor deze gelegenheid een uniform en een zwarte chauffeurshoed aangeschaft. Op een zorgvuldig uitgekozen plek op het parkeerterrein bij de speeltuin zit Pierre zenuwachtig te wachten in een zwarte Peugeot 403, die ze ruim een maand eerder, op 9 maart, hebben gestolen in een rustige buitenwijk van Parijs. De gestolen auto is op listige wijze van valse kentekenplaten voorzien: de mannen hebben een andere Peugeot 403 gehuurd. Met de smoes dat ze de kentekenplaten waren verloren, kregen ze nieuwe kentekenplaten.

Met draaiende motor en zijn voet ongeduldig op het gaspedaal wacht Pierre Larcher op Raymond Rolland, die ieder moment met de kleine Eric kan komen aanlopen. Rolland blijft een kwartier weg en komt met lege handen terug. De kinderen spelen te ver uit de buurt van het kapotte hek; hij zou een te lange route moeten afleggen met het kind in zijn armen.

Een dag later proberen ze het opnieuw. Jean-Philippe vermaakt zich op de glijbaan, terwijl broertje Eric kastelen bouwt in de zandbak met een paar leeftijdgenootjes, onder wie zijn vriendinnetje Carole. Rolland en Larcher arriveren weer rond 16 uur bij de speeltuin. Door de 'geheime' opening in het hek loopt Raymond het park binnen.

Deze keer neemt hij de kleine Eric onopvallend bij de hand. Samen lopen ze naar de uitgang, waar chauffeur Pierre zit te wachten in de zwarte Peugeot. Zodra ze zijn ingestapt, geeft Pierre vol gas. Eric is snel gewend aan zijn nieuwe begeleiders en hij gelooft de mannen wanneer ze hem wijsmaken dat ze hem naar opa brengen.

De andere kinderen spelen gewoon verder alsof er niets is gebeurd. Georges, de echte chauffeur van Eric, en kindermeisje Jeanine hebben niet goed opgelet. Even later beginnen ze zich zorgen te maken en ze vragen de andere kinderen waar Eric is. Die vertellen dat Eric is meegegaan met een keurige man van begin twintig, met zwart haar, gekleed in een groene sweater en een flanellen grijze broek.

Meteen is er paniek. Iedereen in de omgeving wordt ondervraagd. Een tuinman heeft twee mannen gezien in een donkerkleurige Peugeot. Een andere getuige zag rond 17 uur een auto achteruit de straat in rijden. De chauffeur was volgens hem nog vrij jong, met blond haar en circa 1,70 meter lang. Hij droeg een donkerblauw kostuum. Een soortgelijke Peugeot was een week eerder ook al gezien door een Duitse studente die in de buurt woont. Volgens haar zijn de laatste twee cijfers van het kenteken 75.

Het kindermeisje en de chauffeur vinden onder aan de glijbaan bij de zandbak een enveloppe, gericht aan Roland Peugeot. Tegen de tijd dat de politie ter plaatse is en alle wegen afzet, zijn de ontvoerders al gevlogen. Ze zijn onderweg naar hun schuilplaats in het dorp Épiais Rhus, ruim 40 kilometer buiten Parijs.

De kleine Eric wordt ongeduldig en vraagt of ze bijna bij opa zijn. 'We zijn er zo,' liegen zijn ontvoerders. De rit naar het dorpje op het platteland ten noordwesten van de Franse hoofdstad duurt ongeveer veertig minuten.

Larcher parkeert de auto zo op het erf dat hij uit het zicht van de buren staat en tilt Eric uit de auto. 'Hier woon ik niet!' roept Eric. Opnieuw houden de mannen hem voor de gek: 'Papa komt zo!' Raymond heeft het huisje eerder gehuurd en toen een sleutel laten bijmaken. Hij weet dat de eigenaar de hele maand april met vakantie is naar de Rivièra. Dit is een ideale schuilplaats om Eric vast te houden.

Het luxe huis is van alle gemakken voorzien, min of meer vergelijkbaar met de omgeving die Eric gewend is. Het jongetje krijgt een tv tot zijn beschikking en mag, in tegenstelling tot thuis, aan de knopjes zitten. Hij zapt van de ene naar de andere zender.

Wonderlijk genoeg komt hij geen berichten tegen over zijn eigen ontvoering, hoewel die groot nieuws is. Het signalement van het jongetje met blond haar en blauwe ogen, gekleed in een korte broek en sweater, is niet van de Franse beeldbuizen te branden. Eric mist ook de oproep die zijn vader op dinsdag 12 april doet op de nationale televisie. 'Ik smeek jullie: breng ons kind levend terug! In godsnaam, doe hem niks aan!' Niet alleen de familie Peugeot, maar ook het hele land is in alle staten.

De ontvoering is wereldnieuws. Het is de tweede grote ontvoeringszaak in de Franse geschiedenis na de Tweede Wereldoorlog. De vorige ontvoering dateert van 18 januari 1949. Het ging toen om Alain Sadovic. De losgeldeis betrof 3 miljoen frank, omgerekend zo'n 10.000 euro. De daders werden gepakt; de kleine Alain mankeerde niks.

Deze keer gaat het om de zoon van een van de machtigste industriëlen van het land, met een wereldberoemde achternaam. De in de speeltuin aangetroffen enveloppe bevat de losgeldbrief met de volgende tekst:

Geachte heer Peugeot,

Wat zou u ervan denken als zometeen in de kranten te lezen valt, wanneer u ons niet serieus neemt: Kleine Peugeot, zes jaar, is overleden aan de gevolgen van gruwelijke martelingen omdat zijn ouders weigerden te betalen en omdat ze met de politie spra-

ken en omdat zijn ouders niet bereid waren om het losgeld van 50.000.000 frank te betalen? Misschien dat ik de jongen wel overdraag aan Dede, een goede jongen, maar soms een beetje gek.

Wat betreft het losgeld, we accepteren alleen biljetten van 10.000 en 5000 frank, ze moeten in omloop zijn geweest. We accepteren geen nieuwe biljetten. Als de biljetten worden genoteerd of gemerkt, verliezen jullie je kind. Jullie krijgen 48 uur de tijd om het te regelen. Vergeet niet dat het lot van het kind in jullie handen ligt.

Het begin van de tekst is letterlijk overgenomen uit *Rapt*, het van origine Amerikaanse boek dat als inspiratiebron voor de ontvoering heeft gediend. De brief is door Raymond met handschoenen aan getikt in hoofdletters op een schrijfmachine met rood lint, terwijl hij werd gedicteerd door Pierre Larcher. Raymond had de typemachine geleend van zijn ex-vrouw Ginette.

Roland en Colette Peugeot willen er alles aan doen om hun zoon heelhuids terug te krijgen, en verzoeken de politie om zich afzijdig te houden zolang ze hun zoontje niet in handen hebben. De familie staat wel toe dat de politie een tap op de telefoon zet voor het geval de ontvoerders contact opnemen.

Eric vermaakt zich ondertussen prima in zijn nieuwe onderkomen. Hij speelt kaartspelletjes met zijn ontvoerders, en om hem op zijn gemak te stellen laten ze hem steeds winnen. De ontvoerders hebben geen rekening gehouden met de voortdurende eetlust van het verwende rijkeluiszoontje en zijn eigenzinnige keus als het gaat om eten en drinken. Erics wil is wet.

De ontvoerders halen allerlei lekkernijen voor hem bij een supermarkt in een dorpje een paar kilometer verderop: vlees, hachee, fruit, yoghurt, wat hij maar wenst. Zijn ontbijt bestaat uit chocolade, melk, brood en jam. Desgewenst krijgt hij gebakken aardappelen voorgeschoteld wanneer hij maar wil. Als tussen de middag bij de warme maaltijd geen flesje water van zijn favoriete merk op tafel staat, wordt Eric boos. Thuis krijgt hij Evian, en dat wil hij nu ook. Larcher zorgt dat het er komt. Afgezien van dit soort strubbelingen heeft Eric het prima naar zijn zin op zijn 'logeeradres'.

De ontvoerders nemen verschillende keren telefonisch contact op met de ouders. De eerste keer doen ze dat op de avond van de ontvoering, om 23 uur, ongeveer zes uur na de kidnap. De beller vraagt naar de vader van Eric en hangt vervolgens op. Een uur later belt hij opnieuw en vraagt of de losgeldbrief is gevonden. Wanneer Roland Peugeot bevestigend antwoordt, hangt de beller wederom op.

De volgende ochtend om 7 uur wordt er weer gebeld. Roland Peugeot gaat naar de bank om het geld te regelen. Wat hij niet weet, is dat een bankmedewerker zo veel mogelijk biljetnummers probeert te noteren. Dit op verzoek van Jean-Pierre Peugeot, de grote baas van het autobedrijf en de opa van Eric.

Donderdag 14 april 1960 krijgt de familie Peugeot per post een tweede losgeldbrief. In de brief staat dat Eric levend en gezond is, en dat alles goed komt, zolang de familie zich stilhoudt. De ontvoerders geven aan dat ze diezelfde avond contact zullen opnemen. In de brief staat ook een wachtwoord: '*Gardez la clé*' ('Houd de sleutel'). Later die dag volgt een telefoontje met instructies over de losgeldoverdracht. Het geld, 50 miljoen Franse frank, in biljetten van 5000 en 10.000, moet die avond worden afgeleverd op de hoek van Passage Doisy en Avenue des Ternes, een donkere steeg in de buurt van de Arc de Triomphe. Het gaat in totaal om 5945 biljetten, verpakt in een koffer.

Terwijl Eric boven rustig ligt te slapen, rijden de twee ontvoerders naar Parijs. Het laatste stukje doen ze met de taxi. Roland Peugeot, volgens opdracht met hoed en zwarte bril, heeft die middag zijn woning met gierende banden verlaten. Om te voorkomen dat de massaal aanwezige pers hem zal volgen, blokkeert zijn broer Alain de weg door zijn auto dwars op de weg te parkeren.

Op de plaats van de losgeldoverdracht loopt Roland Peugeot de Passage Doisy in en wacht op instructies. Hij heeft de koffer met 50 miljoen Franse frank in zijn linkerhand. Hij ziet een man die tot twee keer toe roept: 'Draai je niet om!' Toch vangt Roland Peugeot een glimp van de man op.

Larcher wacht ondertussen zenuwachtig in de taxi. Hij overweegt even om de taxichauffeur te laten wegrijden wanneer een passant bij de taxi stopt om een sigaret op te steken. Hij is bang dat het een undercoveragent is.

Een paar honderd meter verderop spreekt Raymond het wachtwoord uit: '*Gardez la clé.*' Roland Peugeot – nog steeds met zijn rug naar Raymond gekeerd – laat de tas vallen en loopt weg. Raymond pakt de tas, loopt naar de taxi en stapt in. De mannen laten zich afzetten in de omgeving van hun auto, een paar straten verderop.

Nog geen drie kwartier later arriveren ze veilig met de buit bij hun schuilplaats. De alleen achtergelaten Eric ligt nog te slapen. De buit is binnen. De ontvoerders vieren dit zo luidruchtig dat een buurvrouw later zal verklaren dat ze dacht dat het dak eraf ging.

Diezelfde avond nog maken de ontvoerders Eric wakker en zetten hem onder de douche. Ze willen hem spic en span afleveren, om toch nog een beetje een goede indruk achter te laten bij de familie. Eric, die graag met water speelt, vindt het schitterend onder de douche. Tijdens zijn logeerpartij heeft Eric niet één keer gehuild. Wel heeft hij vaak naar zijn vader of naar chauffeur George gevraagd. Iedere keer wanneer Larcher de deur uit was om boodschappen te doen of te bellen, vroeg Eric aan Raymond: 'Waar is je vader?' Hij dacht dat Pierre de vader van Raymond was.

Na de douchebeurt krijgt Eric dezelfde kleren aan die hij droeg bij zijn ontvoering: een korte broek en een warme sweater. Voordat ze Eric terug naar Parijs rijden, krijgt hij nog flink wat chocolade. Ze stoppen ook een paar stukjes in zijn zakken. 'Die zijn voor je broer,' zegt Larcher.

Even na middernacht, op vrijdag 15 april 1960, komt Eric klaarwakker aan in Parijs. De auto stopt vlak bij café Brazza op Avenue Raymond Poincaré, in de buurt van Erics ouderlijk huis. De ontvoering heeft in totaal 56 uur geduurd. De ontvoerders zetten Eric uit de auto. Ze vertellen hem dat hij het café moet binnenlopen en moet zeggen dat hij Eric Peugeot heet. Ze krijgen echter niet de kans om zo weg te rijden, want het jongetje wil eerst een knuffel. Beide mannen krijgen een innige omhelzing en een zoen van Eric, en hij blijft hen net zo lang uitzwaaien tot ze uit het zicht zijn verdwenen.

Eric volgt het advies om het café binnen te lopen niet op. Hij blijft op de stoep staan en begint te huilen. De 45-jarige buurtbewoner Lucien Bonnet, die net zijn labrador uitlaat, treft Eric onthredderd aan en brengt hem het café binnen. De aanwezige gasten en de barkeeper ontfermen zich over de late jonge bezoeker. Hij zegt: 'Ik ben Eric Peugeot.' Barkeeper Jean pakt van de leestafel een krant met een foto van Eric en vergelijkt deze met de jongen. Er is geen twijfel mogelijk. Dit is Eric Peugeot.

'Heb je dorst?' vraagt de barkeeper. 'Nee,' zegt Eric. Maar hij lust wel een warme chocolademelk. Die krijgt hij, en de zes aanwezige gasten proosten op de vrijlating van de jongen. Eric vertelt nog dat zijn ontvoerders aardig tegen hem waren.

De politie is er al als Eric zijn beker chocolademelk amper leeg heeft. Hij wordt naar een politiebureau bij Avenue Foch gebracht, waar hij wordt opgehaald door zijn vader. Met tranen in zijn ogen neemt Roland Peugeot zijn in een deken gehulde zoontje mee naar huis. Drie uur later komt de familie Peugeot met een verklaring. De kleine Eric maakt het goed. De dokter heeft hem gecontroleerd. Hij verkeert in een uitstekende gezondheid. Hij slaapt.

Later die vrijdag toont het gezin Peugeot zich aan de massaal toegestroomde pers. Meer dan honderd journalisten van over de hele wereld staan voor de woning van het gezin. Moeder Colette houdt de beduusd kijkende Eric in haar armen. Vader draagt het oudere broertje Jean-Philippe en leest een korte verklaring voor:

> *Ik heb alleen gehandeld, zonder hulp van de politie. Dit alles in het belang van Eric. Ik ben heel blij. Ik denk dat er verder niet veel valt te vertellen. Ik denk dat de politie nu aan het werk gaat. Maar tot nu toe heb ik absoluut geweigerd haar te helpen. Ik gaf er de voorkeur aan om mijn eigen plan te volgen, ziet u.*
>
> *Ik wilde Eric levend terughebben. Over het vangen van de ontvoerders maakte ik me minder zorgen. Maar nu staat het de politie vrij een grootse opsporingsactie te beginnen.*

De vrijlating is wereldnieuws. Nooit eerder zette de Franse justitie zo'n grote jacht in op mensen: meer dan dertigduizend politiemensen uit het hele land openen een klopjacht op de ontvoerder, maar zonder resultaat. Eric helpt de politie ook niet veel verder. Hij vertelt dat hij goed behandeld is en denkt dat hij vlak bij zijn ouderlijk huis werd vastgehouden.

Roland Peugeot is in eerste instantie erg terughoudend met informatie tegenover de politie. Hij is bang voor represailles en hij heeft de ontvoerders beloofd niet op hen te gaan jagen. Met deze houding haalt de familie Peugeot zich de woede op de hals van de politie, en ook van een deel van de Franse bevolking. Het is Jean-Pierre, de opa van Eric en de baas van Peugeot, die het roer omgooit. Hij verklaart: 'Ik ben degene geweest die het geld geregeld heeft.'

Een halfjaar later wordt een eerste balans opgemaakt. Los van de klopjacht werkten ruim tweehonderd politiemensen aan de zaak. Er kwamen drieduizend tips binnen. Vijftienhonderd mensen zijn verhoord. Er zijn tachtigduizend manuren in het onderzoek gestoken, en vijftienhonderd Peugeots van het type 403 zijn gecontroleerd.

Dan komt een tip binnen van een anonieme persoon. Zijn naam is alleen bekend bij de politie en een paar redacteuren van de grote Franse krant *France-Soir*. Deze krant heeft na de ontvoering een beloning van 50.000 frank uitgeloofd voor het verhaal over de ware toedracht van de ontvoering. De anonieme persoon wordt aangeduid als 'Monsieur X'.

Monsieur X is opgegroeid in het plaatsje La Flèche, een dorpje in de buurt van Sablé-sur-Sarthe. In dit laatste dorpje bracht Raymond Rolland zijn jeugd door, in een modaal arbeidersgezin. Als monsieur X eind april in Parijs zijn vroegere buurtgenoot over de Champs-Élysées ziet rijden in een dure Amerikaanse auto, is hij zeer verbaasd. Als een detective gaat hij op onderzoek uit, en hij ontdekt dat Raymond in het uitgaansleven van Parijs met geld smijt – en dat voor een jongen van eenvoudige afkomst zonder baan.

Bovendien ontdekt monsieur X dat Raymond sinds kort de eigenaar is van twee riante appartementen in de betere buurten van Parijs. In het criminele milieu vangt hij op dat Raymond in het gezelschap vertoeft van de beruchte onderwereldfiguur Pierre Larcher en dat de twee mannen onlangs naar het buitenland zijn vertrokken. Ze zouden samen de bloemetjes buiten zetten in Frankfurt.

Monsieur X blijft speuren en vangt in de Parijse onderwereld nieuwe informatie op. Larcher heeft aan een gabber verteld dat hij niets meer met drugshandel van doen wil hebben. Overvallen behoren ook tot het verleden. 'Doe mij maar een ontvoering,' zou hij gezegd hebben. Met deze informatie meldt monsieur X zich bij een politiebureau, waar hij een Interpolmedewerker kent. Deze hoort de informatie enigszins sceptisch aan, maar hij belooft de informatie te checken. Monsieur X verneemt niets meer van Interpol.

Intussen nemen de ontvoerders het er flink van. Van ongeveer de helft van het losgeld zijn de serienummers genoteerd. De genoteerde nummers hebben paginagroot in de Franse kranten gestaan. Naar aanleiding hiervan hebben de ontvoerders het losgeld verdeeld in twee stapels: genoteerde en ongenoteerde serienummers. De bankbiljetten met ongenoteerde serienummers geven ze uit in Frankrijk; van de stapel met genoteerde serienummers maken ze tripjes naar het buitenland.

Raymond Rolland probeert een vriendinnetje uit Denemarken naar Frankrijk te halen. Lise Bodin is een model uit Kopenhagen; een paar jaar eerder heeft ze een Missverkiezing gewonnen, en in Engeland mocht ze Denemarken vertegenwoordigen tijdens een Miss Worldverkiezing. Met Raymond Rolland heeft ze in die tijd een heftige relatie gehad, maar nadat Raymond Rolland het geld dat hij had verdiend als parachutist in het leger er samen met haar doorheen had gejaagd, had ze hem verlaten en was ze teruggekeerd naar haar geboorteland.

Rolland belt Lise met de smoes dat zijn oma is overleden. Oma had hem benoemd in haar testament en hiermee was Raymond in één klap miljonair geworden. De liefde tussen hem en Lise bloeit weer op. Lise pakt het vliegtuig en komt naar Parijs. Ze leven er een paar weken flink op los. Even later vliegen ze samen naar Kopenhagen, waar Lise opnieuw meedoet aan een Missverkiezing. Raymond kan hier flink met het besmette geld smijten. Daarna volgt een trip door Europa waarbij de twee onder andere Spanje, Zwitserland en Italië aandoen.

Pierre Larcher is wat voorzichtiger, omdat hij nog wordt gezocht voor een paar oude zaken. Wel durft hij het aan om naar Duitsland te reizen. In Frankfurt ontmoet hij Rolande Niemezyk, die ook wel de valse achternaam Grosset gebruikt. In Duitsland ontmoeten de twee ook Raymond en Lise. Eenmaal terug in Frankrijk voegen zich nog twee mensen bij de twee stelletjes: medicijnenstudent Jean Simon en stripteasedanseres Mitsouko. Met zijn zessen verblijven ze regelmatig in een luxe skioord in de Franse Alpen.

Tien maanden na de ontvoering is de zaak nog steeds niet opgelost. Halverwege februari 1961 komt monsieur X opnieuw iets ter ore: Raymond Rolland geeft nog steeds geld uit als water en, nog veel interessanter, hij heeft zijn ex-vrouw Ginette aangeboden een nieuwe typemachine voor haar te kopen. Zij is daarmee niet akkoord gegaan; ze wilde beslist de oude terug. Deze keer weet monsieur X het zeker: de oude typemachine heeft met de ontvoering te maken. Raymond zal hem gebruikt hebben om de losgeldbrieven te tikken.

Na maanden van vruchteloos onderzoek komt monsieur X met het ontbrekende puzzelstuk. Ditmaal gaat hij niet naar Interpol, maar wendt hij zich rechtstreeks tot een hoge baas bij justitie, Guy Denis. Deze vertelt hem dat zijn tip door Interpol wel degelijk is onderzocht. Pierre Larcher en Raymond Rolland zijn grondig geobserveerd, maar technisch bewijs ontbrak. 'We hadden niets, geen vingerafdrukken, niets, waardoor er te weinig gegronde redenen waren om over te gaan tot arrestatie. We konden hen simpelweg niet linken aan de ontvoering,' aldus Guy Denis.

Monsieur X vraagt daarop welk type schrijfmachine de ontvoerders hebben gebruikt. Laboratoriumonderzoek heeft uitgewezen dat het gaat om een Japy of een Hermes 2000. 'Een Hermes 2000!' roept monsieur X stellig. Ginette had zo'n schrijfmachine en heeft deze op 3 april 1960 uitgeleend aan haar ex-man Raymond Rolland. Ze was zeer gehecht aan de machine.

De politie zoekt Ginette op. Ze woont nog steeds in Sable en vertelt dat Raymond op haar aanhoudend vragen wanneer ze haar schrijfmachine zou terugkrijgen, steeds ontwijkend heeft geantwoord. De politie vraagt of ze nog papier heeft waarop het lettertype terug te vinden is, maar helaas heeft ze wegens wateroverlast ten gevolge van een overstroming veel spullen moeten weggooien, waaronder alle administratie die ooit is getypt op de bewuste machine. Teleurgesteld keren de rechercheurs terug naar Parijs. Onderzoek naar Raymond Rolland levert letterlijk geen snippertje bewijs op.

Opnieuw zorgt monsieur X voor een doorbraak. Hij ontdekt dat de vader van Ginette de schrijfmachine een keer heeft geleend. Ginettes vader zit, net als Pierre Larcher, in de speelautomaten- en jukeboxhandel. Hij heeft lijsten gemaakt waarop staat welke platen in welke machine zitten. De titels en de namen van de artiesten op deze lijst zijn getikt met de schrijfmachine van zijn dochter. Uiteraard heeft hij deze lijsten nog.

Met dit technisch bewijs is de zaak rond en sluit het net zich rond de ontvoerders. Die verblijven sinds begin februari 1961 in een achtpersoonschalet met de naam 'Les Six Enfants' in het luxe skioord Megève in de Franse Alpen. Het toeval wil dat Roland en Colette Peugeot en de kinderen hier onlangs nog met vrienden op skivakantie zijn geweest. Op een avond hebben ze zelfs een keer gegeten in een restaurant waar – zonder dat ze het in de gaten hadden – een tafel verderop Pierre Larcher en Raymond Rolland met hun aanhang zaten te eten. Dit blijkt later uit politieobservatie. Volgens de politie heeft Roland Peugeot zelfs met de daders gesproken op de skibaan. Daarbij herkenden ze elkaar niet; het was een gesprek van skiër tot skiër.

Wanneer een lokale krant na een tip publiceert over de aanwezigheid van de politie in het skigebied en speculeert over een ophanden zijnde arrestatie, besluit de politie de groep van zes verdachten à la minute op te pakken. Het is 5 maart 1961, bijna elf maanden na de kidnap, als de politie het luxe appartement binnenvalt.

In eerste instantie treffen de agenten alleen het 19-jarige Deense model Lise Bodin aan. Zij heeft een dag eerder haar enkel verstuikt bij het skiën. Even later vinden ze in het appartement ook Raymond Rolland, die haar verzorgt. Raymond gebruikt de valse naam Roland de Beaufort. Hun auto, een Ford Thunderbird, staat volgeladen met bagage voor het appartement. Kennelijk stonden ze op het punt om te vertrekken.

De anderen zijn al gevlogen; door het krantenbericht waren ze op de hoogte van de komst van de politie. Ze zijn gevlucht in een Peugeot, maar lopen vast in een wegafzetting van de politie, vlak bij de snelweg richting Annecy. In de auto zitten Pierre Larcher, geneeskundestudent Jean Simon Rotman, Rolande Niemezyk en stripteasedanseres Mitsouko.

Na hun arrestatie worden ze overgebracht naar het Paleis van Justitie in Versailles. Bij aankomst is het een gekkenhuis. Honderden agenten hebben de grootste moeite om de duizenden nieuwsgierigen in het gareel te houden. Het volk roept om de doodstraf voor de ontvoerders. Kreten als 'Naar de guillotine!' en 'Maak ze af!' klinken massaal. Mitsouko wordt dezelfde dag vrijgelaten: het is duidelijk dat zij niets met de ontvoering te maken heeft gehad.

Tijdens de verhoren spreken Larcher en Rolland elkaar steeds tegen. Ze bekennen dat de schrijfmachine die ze hebben gebruikt om de losgeldbrieven te typen, is gedumpt in de Seine, ter hoogte van de Pont de Bir-Hakeim. De Peugeot 403 waarin Eric Peugeot is ontvoerd, hebben ze in brand gestoken en in een ravijn geduwd. Hoofdcommissaris Guy Denis is dolgelukkig. Hij wist tien maanden geleden al dat zijn 'oude bekende' Larcher met de ontvoering te maken moest hebben. Denis had hem een maand na de ontvoering al gearresteerd, maar moest hem laten gaan wegens gebrek aan bewijs. Dat zal deze keer niet gebeuren. Larcher heeft in een restaurant betaald met een uit het losgeld afkomstig biljet. Dat is vrij uniek, omdat de politie in de elf maanden na de ontvoering slechts tien biljetten heeft kunnen traceren.

Larcher leidt de politie naar een garagebox in Parijs. Hier vinden agenten 57.750 Franse frank in de kofferbak van een auto. Via de Deense douane kan de politie nog 7000 frank tegenhouden die Lise Bodin naar haar familie heeft gestuurd, maar het grootste deel van het losgeld is erdoorheen gejaagd. De twee mannen hebben het geld vooral besteed aan dure vakanties, gokken en het kopen van juwelen. De politie vindt slechts een vijfde deel van het losgeld terug. Het geld is door Larcher en Raymond ingewisseld bij banken in Duitsland, Zwitserland, Denemarken en België.

In mei 1961 hebben twee rechercheurs uit Frankrijk een bezoek gebracht aan Nederland. In samenwerking met de Nederlandse politie is toen onderzocht of er ook geld in ons land was omgewisseld. Dit bleek niet het geval. De vijf auto's die de ontvoerders van het losgeld hebben gekocht, worden in beslag genomen. Ook de appartementen in Parijs en een klein landgoed in het departement Seine-et-Oise komen in handen van justitie.

De grootvader van Eric Peugeot schrijft een bedankbrief aan de minister van Binnenlandse Zaken, Pierre Chatenet. Hij voegt een cheque bij van 50.000 Franse frank, bestemd voor het centrale weeshuis voor kinderen van omgekomen politiemannen. Ook dient hij een civiele aanklacht in tegen de ontvoerders.

Tussen de ontvoering en de ontknoping zijn elf maanden verstreken. Dat de zaak is opgelost, betekent een persoonlijke overwinning voor directeur-generaal Jean Verdier van de Sûreté, de Franse politie. Kort na de ontvoering begeleidde hij de president van Frankrijk, Charles de Gaulle, bij een staatsbezoek aan de Verenigde Staten. Tijdens dat bezoek hadden ze de directeur van de FBI ontmoet, J. Edgar Hoover. Hoover had toen zijn twijfels uitgesproken of de zaak ooit zou worden opgelost. Wedden van wel, en zelfs binnen een jaar, had Jean Verdier gebluft.

De rechtszaak begint op maandag 29 oktober 1962. De zaal is afgeladen. Meer dan zeventig journalisten hebben plaatsgenomen op de perstribune. Pierre Larcher wordt bijgestaan door mr. René Floriot en Raymond Rolland door mr. Jean-Marie Tixier Vignancourt – op dat moment de bekendste en duurste strafpleiters van Frankrijk. Larcher maakt een arrogante indruk en Rolland neemt het niet zo nauw met de waarheid. Van de vriendschap is niks meer over en ze geven elkaar de schuld.

Raymond Rolland wilde naar eigen zeggen eigenlijk helemaal

niet meedoen aan de ontvoering. Larcher had druk op hem uitgeoefend en hij had uiteindelijk meegedaan omdat zijn vriendinnetje Lise
Bodin een auto-ongeluk in Denemarken had gehad. Omdat ze zonder rijbewijs reed, was haar auto in beslag genomen, zo had zij hem
verteld, en hij wilde haar graag helpen.

Volgens Larcher had juist Rolland de leiding gehad bij het uitvoeren van de plannen. Beide heren zijn het wel eens over de behandeling van de kleine Eric. Ze vertellen de rechter dat ze hem hebben
verwend en vertroeteld. Hij kreeg te eten wat hij vroeg, ze speelden
met hem en ze overlaadden hem met snoep. De rechter, mr. Jacquinot, reageert: 'Jaja, maar als u het losgeld niet had gekregen, had u
het kind vermoord.' De mannen antwoorden gelijktijdig: 'Dat zijn
we nooit van plan geweest, het waren alleen maar dreigementen!'

In de aanloop naar het proces heeft de politie haar handen vol aan
de valse verklaringen van beide mannen. Vooral Raymond Rolland
maakte het heel bont. Zo beweerde hij zelfs een relatie te hebben
gehad met de moeder van Eric, Colette Peugeot. Tijdens de rechtszitting trekt hij deze verklaring weer in. De procureur-generaal mr.
Henri Toubas eist voor Larcher en Rolland de maximale straf van
twintig jaar.

In zijn requisitoir noemt hij enkele verschillen tussen de geldhonger van Larcher en Rolland. Larcher leefde iets bescheidener. Hij
reed bijvoorbeeld in tweedehandsauto's, bezocht normale cafés en
heeft een gewone vriendin, die kapster van beroep is. Raymond heeft
een fotomodel als vriendin, bezocht luxe nachtclubs en reed in dure
Amerikaanse auto's. Volgens Toubas hebben de twee criminelen hun
toevlucht genomen tot het misselijkste misdrijf dat er bestaat.

De familie Peugeot wordt bijgestaan door vader en zoon mr.
Cresteil en mr. Cresteil jr. Zij vragen de rechter vooral geen verzachtende omstandigheden toe te passen. 'Laat de maatschappij alsjeblieft tegen dit soort individuen beschermd worden!' roept de 86 jaar
oude (!) Cresteil de zaal in. Na drie kwartier beraad komen de jury
en de rechtbank met het volgende vonnis: vrijspraak voor Bodin,
Niemezyk en Rotman; Pierre-Marie Larcher en Raymond Rolland
worden veroordeeld tot twintig jaar celstraf. Uiteindelijk zitten Raymond Rolland en Pierre-Marie Larcher respectievelijk veertien en
vijftien jaar uit. Het Hof kent de familie Peugeot één nieuwe frank
'smartengeld' toe, en teruggave van wat over is van het losgeld.

De ontvoerders zijn net vrij wanneer Frankrijk in 1978 wederom wordt opgeschrikt door een ontvoering – de vierde in de geschiedenis, en opnieuw in Parijs. Deze keer is het slachtoffer een buitenlander die in Parijs woont: de Belgische industrieel Édouard-Jean Empain. Eric Peugeot heeft dan al zijn rijbewijs en een goede baan binnen het familiebedrijf.

7

De ontvoering van Frank Sinatra jr.

Wanneer: 8 december 1963
Waar: Stateline, Nevada, Verenigde Staten
Losgeld: 240.000 dollar
Ontknoping: 11 december 1963

O p zondag 8 december 1963 zit Frank Sinatra jr. samen met zijn trompettist in de kleedkamer een hapje te eten als er op de deur wordt geklopt. Degene die aanklopt, zegt dat hij iets komt afleveren, maar in plaats daarvan neemt hij iets mee.

In het najaar van 1963 toert Frank Sinatra jr. met het Tommy Dorsey Orchestra door de Verenigde Staten. Hij treedt in de voetsporen van zijn vader, de grote Frank Sinatra, die op dat moment op het toppunt van zijn roem is. Junior is dan negentien jaar. Hij is de middelste in het gezin Sinatra. Vader Frank en moeder Nancy Barbato kregen drie kinderen: oudste dochter Nancy (geboren in 1940), bekend van haar solohit 'These boots are made for walking' en haar duetten met Lee Hazlewood ('Jackson'), Frank junior (geboren in 1944), de enige zoon van Sinatra en vernoemd naar president Franklin Roosevelt, en tot slot jongste dochter Tina (geboren in 1948).

Eind jaren dertig treedt Frank senior veel op met het Tommy Dorsey Orchestra, waardoor hij bekend wordt als zanger. Na zo'n tien jaar verlaat hij de band om carrière te maken in de filmindustrie, en met succes: in 1962 speelt hij een van de hoofdrollen in de politieke thriller *The Manchurian Candidate* en een jaar later presenteert hij de Oscaruitreiking. In datzelfde jaar komt het album Sinatra-Basie uit, het resultaat van zijn eerste samenwerking met de al even legendarische Count Basie.

Eveneens legendarisch zijn de geruchten over Sinatra en de maffia. Maffiabaas Quarico 'Willie' Moretti getuigde ooit dat Sinatra hulp van hem kreeg bij het regelen van optredens. Moretti zou hem ook geholpen hebben om onder het contract met Tommy Dorsey uit te komen. Dorsey kreeg hierbij een pistool onder zijn neus gedrukt. De rol van zanger Johnny Fontaine in *The Godfather I* zou gebaseerd zijn op Frank Sinatra. Sinatra had ook sterke banden met andere vooraanstaande maffiosi, zoals Sam Giancana en Lucky Luciano.

Ook FBI-baas J. Edgar Hoover verdenkt Sinatra van banden met de maffia. Door de jaren heen is er een dossier bijgehouden; het dossier-Sinatra telde uiteindelijk maar liefst 2403 pagina's. Sinatra heeft zijn vermeende banden met de maffia publiekelijk altijd ontkend en is hiervan ook nooit officieel beschuldigd. Volgens sommigen had hij dat te danken aan zijn vriendschappen met hooggeplaatste personen, onder wie president John F. Kennedy.

Zoon Frank jr. wordt bij zijn allereerste optreden in New York, in april 1963, eveneens begeleid door het Tommy Dorsey Orchestra. Hij opent met het nummer 'I'll never smile again', ooit de allereerste hit van zijn vader met het orkest. Zijn vader zit in het publiek. Dankzij goede kritieken in de pers worden het orkest en de nieuwe zanger veel geboekt, en staan ze in het najaar van 1963 drie weken in Harrah's Club, bij Lake Tahoe, in het plaatsje Stateline, op de grens van Californië en Nevada.

Op zondag 8 december 1963 staat om 22 uur een optreden gepland. Het is hun zesde optreden in deze club. De omgeving is volgeplakt met posters waarop de show wordt aangekondigd. Een van deze posters trekt de aandacht van Barry Keenan en zijn jeugdvriend Joe Amsler.

In afwachting van hun optreden eten Frank Sinatra jr., slechts gekleed in onderbroek en T-shirt, en John Foss, de trompetspeler van het orkest, nog een hapje op kamer 417 van het motel bij Harrah's Club. Rond 21 uur wordt er op de deur gebonkt. Het zijn Barry Keenan en Joe Amsler. De twee zeggen een pakketje te hebben. Frank laat de twee binnen en gebaart dat ze het pakketje – een lege wijndoos – ergens moeten neerzetten.

In plaats daarvan trekken de twee 'bezorgers' een pistool. 'Maak

geen lawaai,' zeggen ze, 'dan raakt niemand gewond.' De 26-jarige
John Foss en Frank jr. moeten op de vloer gaan liggen. Amsler maakt
aanstalten om met zijn pistool op Foss in te slaan, maar Keenan
houdt hem tegen – hij wil niemand iets aandoen, zegt hij. De handen
en voeten van John Foss worden met tape vastgebonden terwijl hij
op de vloer ligt. Ook wordt zijn mond afgeplakt. Keenan en Amsler
waarschuwen hem: 'Houd je bek voor tien minuten of we vermoorden je vriend.'

Frank moet zich aankleden. De ontvoerders leggen een blauwe
overjas over zijn schouders. Ongezien komen ze via een zijdeur vanuit het motel naar de auto, een Chevy Impala, die dicht tegen het
motel aan geparkeerd staat. Sinatra wordt gedrogeerd, geblinddoekt
en op de achterbank gezet. Hij heeft een lange rit voor de boeg, door
een zware sneeuwstorm die op dat moment de regio teistert.

De ontvoerders hebben een huisje gehuurd in Canoga Park, in Los
Angeles, Californië, zo'n 700 kilometer verderop. Dat hebben ze
gedaan onder een valse naam, Frank A. Long. Het huisje ligt afgelegen en er zijn geen naaste buren, een perfecte plek om hun slachtoffer vast te houden. Door de sneeuwstorm duurt het uren voor ze er
zijn. Maar de storm is niet het enige probleem: de ontvoerders hebben te weinig geld om hun geleasede Impala van genoeg brandstof
te voorzien. Gelukkig heeft Frank jr. nog elf dollar op zak: precies
genoeg om 8143 Mason Avenue in Canoga Park te bereiken.

Onderweg is ene John Irwin gebeld met de vraag of hij wil meedoen. Hij krijgt 50.000 dollar 'loon' toegezegd van Keenan. Daarvoor
moet hij telefoontjes plegen naar Frank Sinatra sr. en de bewaking
van Frank jr. op zich nemen.

Rond 1960 was de in 1940 geboren Barry Worthington Keenan de
jongste beurshandelaar op de aandelenmarkt van Los Angeles, de
plaats waar hij opgroeide. Terwijl hij nog op de middelbare school
zat, boekte hij grote financiële successen; tienduizend dollar per
maand was voor hem heel gewoon. Zijn ouders gingen uit elkaar
toen Keenan drie jaar oud was. Zijn moeder leed aan depressies en
zijn vader, ook ooit een succesvol beurshandelaar, raakte aan de
drank.

Naar eigen zeggen ging het mis met Keenan nadat hij in 1961
betrokken was geweest bij een auto-ongeluk. Hij hield er chronische
rugpijn aan over en moest zware medicatie slikken. In datzelfde

jaar kwam hij, na een kort huwelijk, in een scheiding terecht, en tot overmaat van ramp crashte niet veel later de beurs. Het eens zo succesvolle leven van de jonge zakenman kwam ten einde en Keenan raakte psychisch in de war.

Verslaafd aan alcohol was hij al, maar met het gebruik van de pijnstiller Percodan wordt het er niet beter op. Halverwege 1963 – Keenan is dan 23 jaar – is er niks meer over van zijn financiële succes en heeft de bank de geldkraan dichtgedraaid.

Als kind droomde Barry Keenan ervan om voor zijn dertigste miljonair te zijn. Gezien de school waar hij naartoe ging, was dat niet eens zo gek: op de University High School in Los Angeles zaten meer mensen die al vroeg rijk en beroemd werden. Zo gingen Marilyn Monroe, Judy Garland, Randy Newman, Jeff Bridges en Elisabeth Taylor allemaal naar UNI High. Keenan zelf zat in de klas bij Jan Berry en Dean Torrence, die het popduo Jan and Dean vormden. In 1963 braken ze door en scoorden een hit met Surf City, in de stijl van The Beach Boys.

Zijn droom lijkt aan diggelen te vallen, maar Keenan is nog steeds vastbesloten om net zo rijk en succesvol te worden als veel van zijn schoolgenoten. Hij stelt een businessplan op dat hem weer op de financiële kaart moet zetten, zijn zogenoemde 'Plan of Operation'.

In 1998 vertelt Keenan aan Peter Gilstrip, journalist bij *LA Weekly*:

Ik zocht naar mogelijkheden om alles financieel weer op de rit te krijgen en bekeek ook de mogelijkheid om dit op een illegale manier te doen. Ik wist niet hoe je drugs moest dealen, en het nut van banken beroven zag ik ook niet in. Vandaar dat ik op het idee van een ontvoering kwam. Hiermee zou ik in één klap veel geld kunnen verdienen.

Barry Keenan schrijft een dik businessplan en gaat daarmee naar zijn schoolmaat Dean Torrence. Dean zit ruim bij kas dankzij zijn pophits. In het verleden hebben ze vaker zaken gedaan, dit moet een volgende samenwerking worden. Barry vraagt aan Dean 5000 dollar als investering voor zijn plan. Hij legt het hele plan uit en vertelt dat hij de zoon van een bekende artiest wil ontvoeren.

De 5000 dollar heeft hij nodig als startkapitaal voor zijn 'ontvoeringskas'. Met een losgeldbedrag van 240.000 dollar heeft hij voldoende geld om weer een belangrijke speler op de beursvloer te

worden. Het geld dat hij verdient met de ontvoering zal hij investeren en uiteindelijk moet het na vijf jaar een dusdanig rendement
opleveren dat hij Dean, maar ook de betaler van het losgeld, kan
terugbetalen. Uiteraard met de wettelijke rente.

Keenan heeft al een lijst met slachtoffers. Op die lijst staan vooral
tienerkinderen van bekende acteurs uit die tijd. Een van hen is Johnny Weismuller jr., de zoon van Tarzanacteur John Weismuller. Nancy
Sinatra, bij wie hij nog in de schoolbanken heeft gezeten, staat ook
op de lijst. Hij is vroeger regelmatig bij haar thuis geweest. Omdat hij
liever geen meisjes of vrouwen wil ontvoeren, valt de keus uiteindelijk op haar broertje Frank. Het losgeld, een bedrag van 240.000 dollar, zal betaald moeten worden door vader Frank senior.

Dean Torrence hoort de plannen gelaten aan en is bereid om 500
dollar te investeren, in plaats van 5000. Netto zal Keenan hieraan
voor zichzelf een ton overhouden, ruim voldoende om in vijf jaar tijd
te laten groeien naar een miljoen.

Frank Sinatra jr. is in de ogen van Keenan een geschikte keus.
Allereerst kan Frank Sinatra sr. het benodigde losgeld met gemak
ophoesten. Verder gaat Keenan ervan uit dat hij de stress rondom de
ontvoering goed aankan. Er is nog een reden om juist de zoon van
Frank Sinatra te ontvoeren. Keenan heeft namelijk ook oog voor de
sociale kant van de zaak: door het enorme succes van vader Frank is
zijn privéleven nogal onder druk komen te staan.

In 1939 is Sinatra sr. getrouwd met zijn jeugdliefde uit New Jersey, Nancy Barbato, met wie hij zijn kinderen Nancy, Frank junior
en Tina krijgt. In 1950 verlaat Frank Nancy voor actrice Ava Gard-
ner, met wie hij in 1951 trouwt, tien dagen na zijn officiële scheiding
van Nancy. Het huwelijk houdt nog geen twee jaar stand.

De kinderen wonen in die tijd bij hun moeder op een landgoed
in Bel Air, Los Angeles. Sinatra ziet zijn kinderen nauwelijks. Frank
jr. vertelt in 2006 aan de *Washington Post*: 'Hij was onbereikbaar.
Hij was altijd onderweg of weer bezig met een film. We zagen elkaar
alleen bij zeldzame gelegenheden.'

Een ontvoering zou het gezin juist dichter bij elkaar brengen, zo
redeneert Keenan. Het zou Sinatra positieve publiciteit opleveren
wanneer hij in de media zou komen als zorgzame vader, die bereid
is om geld te betalen voor de vrijlating van zijn zoon. Dat zou eens
wat anders zijn dan de publiciteit over connecties met de maffia, oordeelt Keenan in zijn 'sociaal plan'. Een bijkomend praktisch voordeel

is dat Frank junior niet al te sterk gebouwd is en daarom fysiek weinig weerstand zal kunnen bieden bij zijn ontvoering.

Voor de daadwerkelijke uitvoering van zijn plan heeft Barry Keenan hulp nodig. Hij haalt er een oud-klasgenoot bij, de 23-jarige Joe Amsler, evenals de 42-jarige huisschilder John Irwin, die Keenan kent via zijn moeder. Later zou Keenan verklaren dat de keus op John Irwin was gevallen vanwege zijn mooie stem, volgens hem de perfecte misdaadstem om onderhandelingen over de telefoon te voeren met vader Sinatra. Daarbij stond Irwin nog bij Keenan in het krijt: in het verleden had Keenan hem een paar keer financieel geholpen toen hij het moeilijk had.

In eerste instantie waren ze van plan Frank jr. al te ontvoeren in oktober 1963, toen hij met het Tommy Dorsey Orchestra optrad op de Arizona State Fair in Phoenix. Dat ging niet door omdat de mannen al te veel vingerafdrukken hadden achtergelaten in het hotel waar ze verbleven.

Een tweede ontvoeringspoging stond gepland op 22 november 1963, in Los Angeles. Ook die ging niet door, omdat diezelfde middag in Dallas John F. Kennedy werd vermoord bij een aanslag. De ontvoerders in spe zijn helemaal van slag door de dood van de president en niet meer in staat om hun plan uit te voeren.

Eigenlijk heeft Joe Amsler überhaupt geen zin meer in de ontvoering. Toch lukt het Keenan om hem met een smoesje over het zoeken van werk mee te krijgen naar Lake Tahoe. Als ze daar toevallig langs een poster rijden met de aankondiging van het concert van het Tommy Dorsey Orchestra met Frank Sinatra jr., geeft Joe Barry een flinke por in zijn zij. 'Je hebt me hier naartoe gelokt,' zegt hij. Barry houdt vol dat het toeval is. De mannen nemen hun intrek in het Beverly Hilton Hotel in Beverly Hills. De dag erna zullen ze verdergaan met werk zoeken.

Wanneer ze de volgende ochtend ontdekken dat ze niet genoeg geld meer hebben om de kamer te betalen, weet Barry Joe over te halen om hem te helpen zijn businessplan alsnog uit te voeren. John Irwin is er niet bij en is ook niet op de hoogte van de 'zoektocht naar werk' van de twee heren. Keenan is door zijn investeringskapitaal heen en heeft er ook al een tweede lening van 500 dollar van Dean Torrence doorheen gejaagd. Als het dan toch moet, dan ook maar gelijk vanavond, vindt Keenan.

Het is zondagavond 8 december 1963, een van de laatste kansen, weet Keenan. Frank Sinatra jr. staat op het punt om voor langere tijd naar Europa te gaan voor een tournee. Barry Keenan en Joe Amsler nemen een lege wijndoos mee naar het motel bij Harrah's Club, kloppen op de deur van kamer 417, en *the rest is history.*

De met tape vastgebonden trompettist John Foss weet zichzelf tien minuten na de ontvoering te bevrijden. Hij laat de beveiliger van het hotel de politie bellen. In een mum van tijd staat er een politiemacht van meer dan honderd man klaar om de omgeving uit te kammen en wegen te blokkeren. Ook de auto van Keenan wordt aangehouden. Joe Amsler is uitgestapt om de blokkade via de bosjes te omzeilen. Hij doet dit op advies van Keenan, die meent dat de politie op zoek zal zijn naar drie mannen in een auto. Amsler loopt hierbij verwondingen op, omdat hij in het donker tegen een boom op knalt.

Sinatra, die slaappillen en whisky heeft gekregen van zijn ontvoerders, houdt zich rustig achter in de auto. Keenan heeft gedreigd dat er een vuurgevecht zal uitbreken tussen de ontvoerders en de politie wanneer hij zich niet rustig houdt. De politie heeft niet in de gaten dat het gaat om de ontvoerders van Frank Sinatra jr. en laat de auto doorrijden. De jongen op de achterbank wordt aangezien voor een dronken kameraad.

De FBI zoekt ondertussen verder naar de vermiste jongen. Voor de Sinatra's is het niet de eerste keer dat ze te maken krijgen met een ontvoering, al bleef het de vorige keer slechts bij een dreiging. De toen 6-jarige Nancy was het beoogde slachtoffer. De familie werd continu bewaakt, totdat de dreiging was afgenomen.

Nu is het echter serieus. De Amerikaanse minister van Justitie, Robert F. Kennedy, laat Frank Sinatra senior weten dat zijn departement alle middelen zal inzetten om de zaak op te lossen. Ook vanuit andere hoeken krijgt de familie hulp aangeboden; zelfs de maffia wil Sinatra helpen. Dit aanbod slaat hij af.

Op het moment dat zijn zoon ontvoerd wordt, zit Frank senior midden in de opnames voor de musical *Robin and the 7 Hoods*. Meteen onderbreekt hij de opnames en hij vliegt nog dezelfde avond naar de luchthaven van Reno, Nevada, waar hij aankomt om 1.45 uur. Hij checkt in bij het Mapes Hotel, waar ook de FBI is neergestreken. Van nu af aan is dit hotel het zenuwcentrum van de ontvoering. Onderzoeksleider Dean Elson stelt twee vragen aan senior: of de ontvoering een publiciteitsstunt is van zijn zoon, en of de maffia erbij betrokken is. Sinatra beantwoordt beide vragen ontkennend. Normaliter staat vader Sinatra sterk in zijn schoenen, maar door de ontvoering raakt hij erg van slag. Hij doet geen oog dicht, kan nauwelijks eten en zit alleen maar in een stoel te wachten bij de telefoon.

Frank junior, die niet echt bang is uitgevallen, weigert pertinent om zijn ontvoerders het telefoonnummer van zijn vader te geven. Via de media komen de ontvoerders erachter dat ze bij het Mapes Hotel in Reno moeten zijn. Op maandag 9 december om 19 uur is er eindelijk contact over de telefoon. Sinatra's zoon is dan al 22 uur vermist. Frank senior biedt een miljoen dollar voor de vrijlating van zijn zoon. De ontvoerders gaan niet akkoord: ze willen slechts 240.000 dollar, zoals in het businessplan staat.

Diezelfde dag rijdt Keenan vanuit Los Angeles terug naar het Beverly Hilton, waar hij en Joe Amsler voor de ontvoering verbleven, om uit te checken en vingerafdrukken te verwijderen. Bovendien moet de hotelrekening nog betaald worden. Als deze open zou blijven staan, zou dat argwaan kunnen wekken.

Tijdens het tweede telefoongesprek, de volgende ochtend, krijgt Sinatra sr. te horen: '*We are holding the boy for money.*' Frank junior krijgt de gelegenheid om zijn vader kort te spreken. Er volgen nog meer telefoontjes. FBI-agent Dean Elson adviseert Sinatra om de gesprekken zo lang mogelijk te rekken. Op die manier kan de FBI achterhalen dat het telefoontje is gepleegd vanuit Los Angeles.

Om 11.40 uur krijgt Sinatra sr. de opdracht om richting een tankstation te rijden voor nieuwe instructies. Hij wordt via verschillende telefoontjes steeds naar andere telefooncellen en tankstations gedirigeerd. Op een gegeven moment ontstaat een misverstand over het tankstation waar hij naartoe moet rijden. Sinatra rijdt naar Reno, terwijl hij naar Carson City had moeten rijden.

Daar is al een paar keer gebeld naar het tankstation door een man die naar Frank Sinatra vraagt. De pompbediende denkt dat hij in de mailing wordt genomen, totdat Frank Sinatra uiteindelijk het juiste tankstation heeft gevonden en aan de pompbediende vraagt of er nog voor hem gebeld is. Tijdens een van de telefoontjes heeft Sinatra instructies gekregen over de betaling van het losgeld en de samenstelling van de biljetten. De ontvoerder die de telefoontjes pleegt, vertelt dat er de volgende keer gebeld zal worden naar het huis van Nancy Barbato in Bel Air. Sinatra vliegt onmiddellijk naar zijn ex-vrouw en

de moeder van zijn kinderen. De FBI reist mee, neemt zijn intrek in
de woning van Nancy en richt deze in als zenuwcentrum.

De telefoongesprekken worden opgenomen. Onderzoek wijst uit
dat de beller vermoedelijk een goed opgeleide jongeman is. Deze
conclusie wordt gebaseerd op zijn woordkeuze en de manier waarop
hij formuleert. Achteraf blijkt dat alleen de eerste telefoontjes zijn
gepleegd door John Irwin, die was uitgekozen vanwege zijn mooie
stem. Later is het Keenan zelf die de telefoongesprekken voert.

Sinatra regelt zelf het losgeld bij de City National Bank in Beverly
Hills: 240.000 dollar, in biljetten variërend van briefjes van 5 tot
briefjes van 100 dollar. In totaal gaat het om 12.400 biljetten met een
gewicht van een dikke 10 kilo. De FBI fotografeert alle biljetten en
noteert de serienummers.

Het eerste telefoontje naar Bel Air komt dinsdag 10 december om
21.26 uur. Opnieuw wordt Sinatra van tankstation naar tankstation
gestuurd. Na ieder telefoontje belt hij zelf de FBI om die op de hoogte
te houden. Op den duur raakt Sinatra door de muntjes van 10 cent
heen, die hij gebruikt om te bellen. Om die reden heeft hij vanaf die
nacht tot zijn dood in 2008 standaard een rolletje met muntjes van
10 cent op zak.

FBI-agent Jerome Crow, die steeds onopvallend in de buurt van
Sinatra blijft, neemt in de loop van de vroege ochtend de plaats
in van Frank Sinatra. Sinatra gaat terug naar Bel Air. Crow wordt
naar allerlei telefooncellen bij tankstations gestuurd, en deze keer
ook naar de luchthaven. Om 12.45 uur, op woensdag 11 december,
komt er een einde aan de lange rit van de FBI-agent. Hij moet de
zwarte koffer met het losgeld neerzetten tussen twee schoolbussen
die geparkeerd staan op een schoolbusparkeerplaats bij een tankstation aan de Sepulvida Boulevard, Cashmere Street in Los Angeles.

Terwijl Barry Keenan en Joe Amsler op pad gaan om het geld op
te halen, blijft John Irwin met Frank junior achter in het huisje in
Canoga Park. De FBI houdt de busparkeerplaats goed in de gaten,
maar toch lukt het de ontvoerders om ongezien met het geld weg te
komen.

Wanneer Barry en Joe terugkomen in het huisje bij Canoga Park,
is er niemand meer. Irwin vertrouwde het niet meer en werd bloed-
nerveus. Hij is de snelweg op gegaan met zijn '57 Plymouth en heeft
Frank Sinatra jr. uit de auto gezet bij een viaduct op de Mulholland

Drive in Los Angeles, vlak bij het huis van Franks moeder in Bel Air.

Als Keenan dit hoort, besluit hij naar het huis in Bel Air te bellen om te vertellen dat Frank is vrijgelaten en waar hij zich ongeveer moet bevinden. Sinatra sr. springt in zijn auto en rijdt erheen, maar zijn zoon is nergens te bekennen. Die zit namelijk in de bosjes, gekleed in een overjas, een lange broek en slippers. Iedere keer dat er een auto voorbijkomt, duikt hij weg, uit angst dat zijn ontvoerders terugkomen en hem weer meenemen.

Op die manier loopt Frank jr. ongeveer 3 kilometer langs de snelweg, tot hij een auto ziet aankomen die lijkt op een politieauto. Als de auto dichterbij komt, herkent Frank het logo van Bel Air. Hij springt de weg op. De auto blijkt een patrouilleauto te zijn van het park van Bel Air. De chauffeur, de 50-jarige beveiliger George Charles Jones, stopt. Frank vraagt of Jones hem naar Nimes Road kan brengen, het adres van zijn moeder. Uit veiligheidsoverwegingen besluiten ze dat het beter is als Frank zich verstopt in de kofferbak.

Later blijkt dat dit niet alleen een veilige, maar ook een slimme zet is: op deze manier ontwijken ze het leger van journalisten en fotografen dat zich ondertussen in Bel Air heeft verzameld. Na een rit van 1,5 kilometer komt de auto aan in Bel Air. De beveiligingsauto kan doorrijden tot aan de voordeur van het huis van Nancy Barbato. Jones belt aan, en als de FBI de deur opent, vertelt hij dat Frank junior achter in de kofferbak zit. Vader Sinatra is ook buiten komen staan. Ze lopen naar de auto en als Jones de kofferbak opent, springt Frank junior eruit. Als hij zijn vader ziet, zegt hij: '*I'm sorry, father.*' Zijn vader omhelst hem en zegt dat hij zich nergens voor hoeft te verontschuldigen.

Frank junior staat kort de pers te woord en vertelt dat hij tijdens zijn ontvoering uiteraard wel een beetje zenuwachtig en bang is geweest. Hij hoopte op een goede afloop, zo laat hij zijn toehoorders weten. Toch heeft hij het idee gehad dat zijn ontvoerders nerveuzer waren dan hijzelf: 'Vergeleken met hen was ik best wel cool.' De beveiliger die Frank veilig heeft thuisgebracht, wordt door vader Sinatra beloond met 1000 dollar. Junior wordt onderzocht door hun vaste huisarts, de beroemde dokter Rex Kennamer. Hij mankeert gelukkig niets. Tijdens zijn ontvoering heeft Frank steeds slaappillen gekregen. Ook was hij steeds geblinddoekt, waardoor hij niet heeft kunnen zien waar hij werd vastgehouden.

De ontvoerders vieren intussen uitbundig hun incassering van het losgeld. In 1998 vertelt Barry Keenan aan *LA Weekly*: 'We hadden een geldgevecht. We gooiden stapels biljetten naar elkaar. We strooi-den met het geld zoals we in films hadden gezien en staken er zelfs onze sigaretten mee aan.'

Achter de schermen werkt minister van Justitie Robert F. Ken-nedy hard aan de zaak. Hij zorgt dat meer dan vijftig FBI-agenten op jacht gaan naar de daders. De Amerikaanse krant *Chicago's Ame-rican* schrijft zelfs dat Kennedy ook bemoeienis heeft gehad met het losgeld: het zou zijn bewerkt met een chemisch goedje waardoor het door iedere bank meteen zou worden herkend. Bovendien zou het sporen achterlaten op de handen van de bezitter.

De ontvoerders hebben daar weinig last van. Na de verdeling van het losgeld gaat ieder zijn eigen weg. John Irwin is met zijn deel – 40.000 dollar – onderweg naar New Orleans. Eerst brengt hij nog een bezoek aan zijn broer James in San Diego. De media-aandacht voor de ontvoering en de vrijlating van Frank Sinatra junior leidt ertoe dat Irwin zich helemaal niet op zijn gemak voelt. Om zijn hart te luchten vertelt hij het hele verhaal aan zijn broer. Als John een paar uur later in slaap valt, belt James Irwin de FBI in San Diego. Niet veel later wordt John van zijn bed gelicht, verlinkt door zijn broer. Hij is in het bezit van zijn deel van het losgeld.

Het duurt niet lang of John vertelt de politie de namen van zijn kom-panen. Op vrijdag 13 december 1963 wordt Barry Keenan gearres-teerd bij Imperial Beach, een plaats op een paar kilometer afstand van de Mexicaanse grens. Hij heeft 47.983 dollar op zak. Een dag later, op 14 december 1963, wordt Joe Amsler gearresteerd in Culver City.

In een aan de ontvoerders gerelateerd appartement vindt de FBI het restant van het betaalde losgeld. Van de in totaal 240.000 dol-lar aan losgeld hebben de mannen iets meer dan 6000 dollar weten uit te geven. Het grootste deel daarvan is opgegaan aan een nieuwe keuken voor de ex-vrouw van Keenan. Als de FBI beslag wil leggen op de nieuwe keuken, grijpt Frank Sinatra senior in: 'Laat dat arme mens dat spul houden.' Hij is allang blij dat zijn zoon gezond en wel weer thuis is.

Voor zijn 48e verjaardag, op 12 december 1963, vraagt hij zijn vrienden dan ook geen cadeaus mee te brengen. 'De terugkeer van Frankie is het beste verjaarscadeau dat ik ooit heb gekregen.' FBI-agent Dean Elson krijgt als dank van Sinatra een duur horloge met de inscriptie: 'For Dean, we love you. The Sinatra's.' Normaal gesproken mogen agenten geen geschenken aannemen, maar Elson krijgt schriftelijk toestemming van FBI-baas J. Edgar Hoover om het horloge te houden.

Eind december komt Frank Sinatra jr. terug naar Harrah's Club in Lake Tahoe om zijn muzikale verplichtingen alsnog na te komen. Twee maanden later mag hij komen optreden in de rechtszaal. Hij is een van de 27 getuigen die zijn opgeroepen. Op de lijst staan ook vader Sinatra en moeder Nancy Barbato, financier Dean Torrence en diens muzikale wederhelft Jan Berry.

De rechtszaak begint op maandag 10 februari 1964 onder leiding van de 55-jarige rechter William G. East. De verdediging is in handen van George S. Forde, Charles L. Crouch en de extravagante advocate Gladys Towles Root – bekend om haar kale hoofd, maar vooral om de pruiken die ze draagt.

De verdediging gooit het erop dat de ontvoering slechts een publiciteitsstunt was om de carrière van Frank junior een handje te helpen. Ze vindt het verdacht dat Frank juniors eerste woorden tegen zijn vader waren: 'Het spijt me.' Daarnaast heeft Frank, toen hij werd vrijgelaten, de hand van een van zijn ontvoerders geschud en gezegd: 'Jammer dat we elkaar niet op een andere manier hebben leren kennen.' Met deze aantijgingen haalt de verdediging zich de woede van de Sinatra's op de hals.

Tijdens de rechtszaak komt aan de orde dat de ontvoering is gefinancierd door een muzikant, Dean Torrence. De aanklager verdenkt hem van meer betrokkenheid bij de ontvoering. De belangrijkste motivatie hiervoor is dat Barry Keenan en Dean Torrence al jaren een kluis delen. Hierin werd 1870 dollar van het losgeld teruggevonden. Ook heeft Keenan een deel van het losgeld tijdelijk verstopt in de douche in het ouderlijk huis van Torrence.

De surfpopzanger van het duo Jan and Dean krijgt het zwaar te verduren. In eerste instantie ontkent hij op de hoogte te zijn geweest van de plannen van Keenan. Uiteindelijk legt hij een verklaring af, waarin hij zijn onschuld probeert aan te tonen. Hij vertelt precies hoe hij door Keenan is benaderd en dat hij Keenan meerdere keren geld heeft geleend voor de ontvoering. Deze verklaring wordt door de jury geaccepteerd. De juryleden geloven niet dat de ontvoering een publiciteitsstunt was.

Na een proces van twintig dagen worden alle drie verdachten – Barry

Worthington Keenan, Joseph Clyde Amsler en John William Irwin – schuldig bevonden aan de ontvoering. De rechter prijst de getuigenis van Dean Torrence. Dankzij zijn verklaring is duidelijk geworden dat er wel degelijk sprake was van een echte ontvoering, en niet van een publiciteitsstunt.

Tijdens het proces duikt nog een brief van Keenan op. De brief werd gevonden in dezelfde kluis van Dean en Barry. Deze niet-verzonden brief is gericht aan zijn ouders en andere liefhebbenden, en dateert van oktober 1963, twee maanden voor de ontvoering. Hierin schrijft Keenan dat hij waarschijnlijk niet meer leeft of is gearresteerd. Om uit de schulden te komen heeft hij de ontvoering op touw gezet. Ook schrijft hij in de brief dat hij van het losgeld een nieuwe keuken en een televisie voor zijn moeder wil kopen.

Barry Keenan en Joe Amsler worden veroordeeld tot een levenslange gevangenisstraf plus 75 jaar. John Irwin krijgt een straf van 16 jaar en 8 maanden opgelegd. Hij krijgt een lagere straf omdat hij bij de ontvoering zelf niet aanwezig was. De vriendin van Joe Amsler, die op dat moment 5 maanden zwanger is, barst in tranen uit als ze de uitspraak hoort. De vader van Barry Keenan hoort het ook aan en laat uit diepe schaamte zijn hoofd zakken.

De ontvoering van Frank jr. was geen publiciteitsstunt, maar levert wel veel publiciteit op. Tijdens de ontvoering zelf was er nogal wat concurrentie in de media door nieuwsberichten over de aanslag op president John F. Kennedy. Ook het eerste bezoek van The Beatles aan de Verenigde Staten heeft wekenlang de voorpagina's gedomineerd. In maart 1964 echter, als de rechtszaak achter de rug is, staat de op een na bekendste ontvoering van de Verenigde Staten volop in de belangstelling (de ontvoering in 1932 van Charles Lindbergh junior, het zoontje van de beroemde piloot Charles Lindbergh, is nog net iets bekender). De carrière van Jan and Dean krijgt een flinke boost, en vader en zoon Sinatra hebben het drukker dan ooit.

In een reactie laat Frank junior weten blij te zijn met de uitspraak. Daarnaast dankt hij de openbaar aanklager. Hij is vooral blij dat voor eens en altijd is aangetoond dat de ontvoering geen publiciteitsstunt was. 'Met deze uitspraak is de hele zaak voorbij; laten we het vergeten.'

Keenan en Amsler worden door de rechter naar het Springfield Center for Psychiatric Study in Missouri gestuurd, waar ze een drie maanden durend mentaal onderzoek ondergaan. Daaruit blijkt dat de mannen *legally insane* waren ten tijde van de ontvoering. Hun straf wordt omgezet naar 24 jaar en 5 maanden. Deze hebben geluk: het beleid van de Amerikaanse justitie in de jaren zestig is nogal soft. Amsler komt al na drieënhalf jaar voorwaardelijk vrij, en Keenan na vierenhalf jaar.

Keenan wordt na zijn vrijlating alsnog een succesvol zakenman in onroerend goed, geholpen door Dean Torrence. Die heeft een fonds opgericht om Keenan na zijn vrijlating een nieuwe start te kunnen geven. Keenans droom om miljonair te worden komt daardoor toch nog uit.

Joe Amsler start een carrière als stuntman in films. Hij wordt de vaste stand-in van een oude schoolmaat, acteur Ryan O'Neal, onder meer in de comedy *The Thief Who Came to Dinner* uit 1973. Amsler krijgt zelfs een paar kleine bijrollen in de films *What's Up, Doc?* (1972) en *The Main Event* (1979), met Ryan O'Neal en Barbra Streisand. Amsler overlijdt op 6 mei 2006 in Salem, Virginia, aan de gevolgen van een leverziekte.

Frank Sinatra senior overlijdt op 14 mei 1998 in Los Angeles, Californië. Hoewel tijdens de rechtszitting werd aangetoond dat de ontvoering geen publiciteitsstunt betrof, is dat wel blijven hangen. Voor komieken was dit gegeven vaak een bron van inspiratie.

Frank Sinatra junior is het nooit gelukt om uit de schaduw van zijn beroemde vader te treden. In 2006 zegt hij in een interview met *The Washington Post*: 'Ik ben nooit succesvol geweest, ik heb nooit een hit gehad of een rol in een succesvolle film gespeeld. In mijn visie wil ik gewoon kwalitatief de beste muziek maken. Er is nu plaats voor mij en mijn muziek, omdat Frank Sinatra dood is.'

In 1998 geeft ontvoerder Barry Keenan een exclusief interview aan *LA Weekly*, waarin hij openlijk vertelt over de ontvoering. Het verhaal wordt verkocht aan filmmaatschappij Columbia Pictures, die er een film van wil maken, getiteld *Snatching Sinatra*. Het zou Keenan zo'n 1,5 miljoen dollar opleveren.

Sinatra junior is het er niet mee eens en spant een rechtszaak aan. Dankzij de 'Son of Sam Law' – een wet die bepaalt dat criminelen niets mogen verdienen aan publiciteit rondom hun misdaden – gaat de film niet door. Het is Keenan echter niet om het geld te doen. Hij wil in de film vooral duidelijk maken dat de ontvoering geen publiciteitsstunt was.

In februari 2002 krijgt Keenan van het hooggerechtshof van Californië alsnog toestemming. Het oordeel komt de laat: Columbia Pictures doet er nu niets meer mee. Maar de concurrentie heeft niet stilgezeten en in 2003 komt er alsnog een film uit met de titel *Stealing Sinatra*, gemaakt door een andere filmmaatschappij.

Keenan beweert dat het script deels op zijn verhaal is gebaseerd. De filmmakers zeggen dat ze zich hebben laten inspireren door krantenartikelen en andere openbare bronnen, en Keenan verdient niets aan de film. Hij had zijn deel willen doneren aan goede doelen. In de televisiefilm is David Arquette te zien als Barry Keenan; James Russo speelt de rol van de ontvoerde Frank Sinatra jr.

Inmiddels is Frank Sinatra jr. de zeventig gepasseerd. Hij is nooit zo groot geworden als zijn vader, The Voice, maar treedt nog steeds op over de hele wereld.

8

De ontvoering van Barbara Jane Mackle

Waar: Decutar, Georgia, Verenigde Staten
Wanneer: 17 december 1968
Losgeld: 500.000 dollar
Ontknoping: 20 december 1968

In de winter van 1968 is een groot deel van de Verenigde Staten in de greep van een nieuwe variant van het Hong Konginfluenzavirus. Een griepepidemie zorgt ervoor dat een groot deel van het land plat ligt – al 24 staten. Het is dat ze nog een paar belangrijke examens voor de boeg heeft, anders had Barbara Jane Mackle allang bij haar ouders in Miami in bed gelegen. In het ziekenhuis van Atlanta is geen plaats meer voor haar. Alle ziekenhuizen in de regio liggen vol met slachtoffers die getroffen zijn door de griep.

Jane, de moeder van de 20-jarige studente aan de Emory University in Atlanta, komt overvliegen vanuit Miami om haar dochter te verzorgen. Barbara heeft haar studentenkamer verruild voor het Rodeway Innmotel in Decutar, Georgia, een voorstad van Atlanta vlak bij de campus. Zij en haar moeder delen daar een kamer. Barbara heeft het flink te pakken. Ze probeert voor zover mogelijk de examens te verschuiven. Een enkel examen probeert ze te maken.

Na afloop van zo'n examen komt Barbara vermoeid terug naar het motel. Moeder Jane zorgt dat Barbara zo veel mogelijk kan uitrusten. Barbara hoeft dan ook niet uit bed wanneer in de vroege ochtend van dinsdag 17 december 1968 om 4 uur op de deur wordt geklopt.

Haar moeder opent de deur op een kier. Er staat politie. De agenten vragen naar Barbara: een goede vriend van haar, Stewart Woodward, heeft een ernstig ongeluk gehad. Hij ligt in het ziekenhuis en vraagt naar Barbara. Zodra Jane de deur iets verder opent, gooit een van de agenten zijn schouder tegen de deur en dringt naar binnen. Barbara wordt wakker van het lawaai. De indringers zijn duidelijk niet van de politie: ze dragen skimaskers en zijn bewapend met jachtgeweren. Ze stormen de kamer binnen.

Moeder Jane gaat ervan uit dat de twee hen willen beroven en biedt de mannen geld en juwelen aan. Een van de indringers gooit haar op bed en stopt een stuk doek met chloroform in haar mond. Ze is vrijwel meteen uitgeschakeld. De mannen binden haar handen met een touw op haar rug, boeien haar enkels en plakken een pleister over haar mond.

Vervolgens pakken ze Barbara vast en nemen haar mee. De door de griep verzwakte Barbara is slechts gekleed in een fluwelen nachtjapon, panty's en zwarte sokken. Buiten staat een auto met draaiende motor klaar. Barbara wordt zonder pardon achter in de auto gegooid. Een van de ontvoerders stapt achter het stuur en de andere neemt plaats bij Barbara op de achterbank. De ontvoerder op de achterbank blijkt een vrouw te zijn. Ze duwt Barbara's hoofd in haar schoot.

Ze rijden circa 32 kilometer in noordelijke richting naar Duluth, Georgia, over de South Berkeley Road. Barbara heeft het onderweg ijskoud. Na een tijdje stopt de auto bij een bosrijk gebied. De rit heeft nog geen kwartier geduurd. Barbara krijgt te horen dat ze is ontvoerd. De ontvoerders halen een paar takken van de grond, waardoor een soort doodskist zichtbaar wordt. De kist is 2,40 meter lang, 60 centimeter breed en 45 centimeter diep, en bevindt zich onder de grond in een kuil van 1 meter diep.

De dichtstbijzijnde weg is 130 meter verderop. Barbara zal in deze capsule onder de grond worden vastgehouden. De ontvoerders garanderen haar dat het absoluut veilig is, mits ze de instructies opvolgt die op een stuk papier in de capsule staan. De capsule is gebouwd van multiplex en versterkt met glasvezel. Een accu voorziet de kist van stroom. Hij bevat water, wat te eten, een trui, een deken, een lamp en een ventilator met twee plastic luchtpijpen, die voor frisse lucht moeten zorgen. Als ze probeert te ontsnappen, zal de capsule vollopen met water en insecten, dreigen de ontvoerders.

Barbara huilt en smeekt of ze alsjeblieft niet onder de grond hoeft en ergens anders kan worden vastgehouden, maar de ontvoerders zijn niet over te halen. Ze beloven haar dat ze om de twee uur zullen langskomen om te kijken of alles nog in orde is. Barbara blijft smeken en tegenstribbelen, maar ook zij krijgt chloroform toegediend. Ze wordt op haar rug in de capsule gelegd.

Door het tegenstribbelen heeft de chloroform maar deels zijn werk gedaan. Barbara is alleen een beetje licht in haar hoofd. De ontvoerders houden een stuk karton onder haar kin met daarop de tekst 'KIDNAPPED'. Ze bevelen haar om te lachen. Er wordt een polaroidfoto gemaakt van een lachende Barbara, met onder haar gezicht het stuk karton. Hierna plaatsen de ontvoerders het deksel op de capsule en schroeven dit dicht. Barbara hoort dat er grond en takken op het deksel worden gegooid. Ze blijft gillen en bonkt met haar vuisten zo hard als ze kan tegen de wanden van de claustrofobische capsule. Niets helpt. Ze realiseert zich dat ze levend begraven is en dat ze geen kant op kan.

In de capsule vindt ze onder een doos met Kotexmaandverband de brief waar de ontvoerders haar op gewezen hebben. Een klein lampje linksboven in de capsule geeft genoeg licht om de in hoofdletters getikte brief te lezen:

Wees niet bang. U bent veilig.

U bevindt zich in een met glasvezel versterkte capsule van multiplex, onder de grond begraven in de nabijheid van het huis waarin de mensen die u hebben ontvoerd verblijven. Ongeveer om de twee uur zal worden gecontroleerd hoe u eraan toe bent. De capsule is zeer stevig, u zult niet in staat zijn hem open te breken. Bovendien moet u weten dat u zich onder het grondwaterpeil bevindt. Als u een naad open kunt krijgen, zult u verdrinken voordat we u hebben kunnen uitgraven. De capsule bevat een waterverklikker die ons zal waarschuwen wanneer een gevaarlijke hoeveelheid water de capsule binnendringt.

Uw leven hangt af van de luchttoevoer, die geregeld kan worden met behulp van de ventilator. Deze ventilator werkt op een accu waarop de motor van de ventilator 270 uur in werking kan blijven. Het urenlange gebruik van de lamp en andere apparaten verhoogt echter het stroomverbruik, waardoor uw veiligheid tot de duur van slechts een week wordt beperkt. Wanneer te veel lucht wordt toegevoerd, kunt u de luchttoevoer met een stuk papier gedeeltelijk remmen. In de toevoerpijp bevindt zich een geluid-demper waardoor geen enkel geluid dat u maakt de oppervlakte kan bereiken; wanneer wij enig teken van opstand ontdekken dat wij gevaarlijk achten, zullen wij ether toevoegen aan de lucht en u aldus doen inslapen.

De ventilator verbruikt zes volt. Hij is verbonden met twee circuits. Als het ene uitvalt, gebruik dan het andere. In de kist bevindt zich een pomp waarmee eventuele lekkage kan worden verholpen; de schakelaar moet dan op 'aan' worden gezet. Deze pomp verbruikt vijftien maal zoveel elektriciteit als de ventila-tor (7,5 amp.); de accu, waarvan uw leven afhangt, stelt u niet in staat de pomp te gebruiken, tenzij in een noodgeval. Het licht verbruikt tweeënhalf maal zoveel elektriciteit als de luchttoevoer. Door gebruik van licht wanneer het nodig is, zal uw veiligheids-marge aanzienlijk verminderen. Wanneer u het licht onafgebro-ken laat branden, zal uw leven worden bekort tot een derde van de week die wij zullen laten verlopen voordat we u vrijlaten.

Uw capsule bevat een watertank met twaalf liter water erin en een slangetje waardoor het water kan worden gedronken. Denk eraan dat u het water nadat u hebt gedronken uit het slangetje moet terugblazen om te voorkomen dat de tank leegstroomt wan-neer het slangetje zich beneden het niveau van het wateropper-vlak bevindt.

Uw capsule bevat een emmer voor sanitair gebruik. In de emmer bevindt zich een ontsmettende vloeistof; gooi hem niet om. Het deksel sluit volkomen af om het ontsnappen van geur te voor-komen. Er is gezorgd voor een rol papier die u moet gebruiken om vervuiling van het bed te voorkomen. Er is ook Kotex voor het geval u dat nodig mocht hebben. Voor dekens en een mat is gezorgd. Uw warmte wordt bepaald door uw lichaamswarmte; regel de lucht-toevoer om warmteverlies van de capsule te voorkomen.

Een doos toffees is aanwezig om uw lichaamsenergie op peil te houden. Er zijn tranquillizers om u te helpen in slaap te komen en te blijven slapen – de beste manier om de tijd door te brengen.

Het ventilatiesysteem is van twee roosters voorzien om te voor-komen dat insecten of andere dieren in de capsule doordringen. Wanneer u deze roosters vernielt, loopt u het risico door mieren te worden opgegeten. De elektrische voorzieningen achter deze schotten zijn kwetsbaar; uw leven hangt ervan af. Raak de circuits niet aan.

Wij zijn ervan overtuigd dat uw vader het losgeld waarom wij hebben gevraagd in minder dan een week zal betalen. Wanneer uw vader het losgeld betaalt, zullen wij hem mededelen waar u bent; hij zal u dan komen halen. Wanneer hij niet betaalt, zullen wij u loslaten, dus wacht u kalm af – u zult hoe dan ook voor Kerstmis thuis zijn.

Op de motelkamer heeft moeder Jane geprobeerd zichzelf te bevrijden, maar dat lukt niet. Ook op haar hulpgeroep komt niemand af. Ze weet met gebonden handen en voeten haar auto te bereiken. Ze heeft geluk dat de ontvoerders de deur van de hotelkamer open hebben laten staan. Jane legt haar hoofd op de claxon. Dit helpt: na een minuut komt er hulp en wordt de politie gebeld. Vader Robert Mackle wordt meteen ingelicht.

De familie Mackle woont bij een golfresort aan de 4111 San Amaro Drive in Coral Gables, Florida. De 57-jarige Robert Mackle is een van de rijkste inwoners van Florida. Robert en zijn broers Elliott en Frank hebben het bedrijf van hun vader overgenomen, de Deltona Corporation, een van de grootste bedrijven op het gebied van stedenontwikkeling. De waarde van Roberts aandeel in het bedrijf wordt geschat op 65 miljoen dollar. Het bedrijf bezit 36.320 hectare grond in de omgeving van onder meer Deltona, Tampa, Panama City, Orlando en Daytona Beach.

De broers zijn ook politiek actief. Ze zijn bevriend met de pas gekozen president Richard Nixon. De president heeft zelfs een door hen ontwikkeld huis in Florida gekocht, waar hij in de winterperiode verblijft en dat ook wel het 'Winter White House' wordt genoemd. Robert en Jane zijn al 25 jaar getrouwd en hebben 2 kinderen: Barbara en haar 4 jaar oudere broer Robert junior.

In de ochtend van 17 december gaat kort na 9 uur de telefoon in het huis van de Mackles. Robert neemt op. De man aan de andere kant van de lijn zegt dat zich in de tuin een boodschap bevindt, onder een palmboom aan de noordoostkant van het huis, onder een steen en op ongeveer 15 centimeter diepte.

De FBI is onderweg naar zowel Atlanta als Miami. FBI-baas J. Edgar Hoover stuurt een van zijn beste mannen, Rex I. Shroder, naar Robert Mackle. In de tuin van de familie Mackle wordt een soort reageerbuisflesje gevonden. Er zitten drie vellen papier in.

AAN ROBERT MACKLE:

Uw dochter is door ons ontvoerd en wordt door ons vastgehouden voor losgeld. Ze is veilig, maar bevindt zich in een tamelijk onge-makkelijke positie. We leveren nog geen bewijs van het feit dat ze in ons bezit is. Dat zal over enkele dagen per post komen. Barbara leeft op het ogenblik in een kleine capsule die op een verafgelegen plek in de aarde begraven is. Ze heeft genoeg eten en drinken voor zeven dagen. Nadat de zeven dagen zijn verlopen, zullen de lucht- en elek-triciteitstoevoer worden afgesneden die haar nu in leven houden.

Overdenk de situatie waarvoor u wordt gesteld. Indien u het losgeld betaalt voordat de zeven dagen zijn verstreken, zullen wij u mededelen waar ze is. Als u de boodschapper die het losgeld komt ophalen onderschept, zullen wij eenvoudigweg niets zeggen en zal Barbara dus stikken. De boodschapper kent maar een van ons en zal ons radiografisch berichten zenden tijdens het ophalen. Wij zullen direct weten wat er met hem gebeurt.

Indien u ons allemaal vindt, zullen wij niets toegeven, omdat dat voor ons zelfmoord zou betekenen, en nogmaals: dat zal haar dood zijn. Zoals u ziet, zult u ons niet willen vinden, omdat u daarmee uw mooie, intelligente dochter ter dood veroordeelt. Het is mogelijk dat de politie u de vrije hand zal laten voordat uw dochter terug is, mocht u zo onverstandig zijn nu politiehulp in te roepen. Wanneer u echter de politie in deze zaak brengt, moet u er rekening mee houden dat hun aanwezigheid ons zal afschrik-ken. Wij kunnen u alleen de behouden terugkeer van uw dochter garanderen als u zich volkomen aan onze instructies houdt.

Hoewel wij altijd op inmenging van de politie in deze situa-tie bedacht zijn, zult u moeten bedenken dat wij onmiddellijk alle onderhandelingen met u zullen afbreken indien u contact opneemt met de politie of indien deze ter plaatse aanwezig is. Wij hebben verscheidene manieren waarop u in contact met de politie kunt treden onder controle en menen dat u de politie hier niet in kunt mengen zonder dat wij daarvan op de hoogte zijn.

Het losgeld zal 500.000 dollar bedragen in recentelijk uitgege-ven 20-dollarbiljetten. Hier volgen de eisen waaraan het losgeld moet voldoen:

-De biljetten mogen niet dateren van vóór 1950.

-Niet meer dan 10 biljetten mogen opeenvolgende serienummers hebben, d.w.z.: er moet een grote variatie in de serienummers zijn – de biljetten mogen niet gewoon door elkaar zijn gemengd.

-Het moeten federale coupures zijn met het normale uiterlijk.

-Niet meer dan de helft van de biljetten mag ongebruikt zijn.

-Geen enkele vorm van merken is voor ons acceptabel. De biljetten zullen minimaal 8 uur worden onderzocht voordat wij u op de hoogte zullen stellen van de verblijfplaats van de betrokkene. Wij hebben een serie van 54 proeven voorbereid die een groot deel van de biljetten zal moeten ondergaan. Geen enkele vorm van verminking of wijze van merken zal door ons over het hoofd worden gezien. De serie tests omvat alle chemische en natuurkundige proeven die ook de onwaarschijnlijkste mogelijkheden zullen dekken.

-De biljetten nemen niet meer plaats in dan 64.000 cm³ en zullen dan ook passen in een grote koffer van standaardformaat, en wel 102,5 x 43,5 x 31,5 cm. Koop een dergelijke koffer, berg het geld erin op en sluit de koffer af. Wanneer het geld er is, moet u de grote kranten van Miami opbellen en de volgende advertentie plaatsen in de rubriek Persoonlijk: 'LOVED ONE: Please come home. We will pay all expenses and meet you anywhere at any time. Your Family.'

Zorg dat uw auto klaarstaat en wacht op de avond dat de advertentie verschijnt thuis op ons telefoontje, waarin wij u zullen mededelen waarheen u het geld moet brengen. U moet zelf het geld brengen. Om te voorkomen dat het telefoongesprek met instructies wordt afgetapt, zal het zeer kort zijn; de instructies worden niet herhaald. Als de telefoon vaker dan drie keer overgaat of als het langer dan vijftien seconden duurt voordat het gesprek tot stand komt, zullen wij geen contact opnemen. De duur van het rendez-vous zal zodanig worden beperkt dat u uw huis binnen een minuut na het telefoongesprek zult moeten verlaten om binnen de tijdslimiet te kunnen blijven. U moet zich naar de plaats van ontmoeting begeven zonder de maximumsnelheid te overschrijden, alsof u geen haast hebt. Wij zullen u niet opwachten indien u de tijdslimiet overschrijdt, die maar iets langer is dan de tijd die u nodig hebt om de plek te bereiken waar u het losgeld moet achterlaten. De afspraak wordt niet nagekomen indien bij-

zondere politieactiviteit of andere activiteit in het gebied wordt opgemerkt.

Wanneer u op de plaats komt, kunt u die herkennen aan een teken: drie korte flitsen, steeds herhaald, van een schijnwerper die op de voorruit van uw auto zal worden gericht. Wanneer u het teken ziet, moet u de auto onmiddellijk stilzetten en de koffer naar het licht brengen. Het licht zal gemonteerd zijn op een kist. De koffer moet in de kist worden gelegd. Daarna moet u teruglopen naar uw auto, deze keren, terugrijden in de richting waaruit u bent gekomen en naar huis gaan. Elke afwijking hiervan zal uw dood tot gevolg hebben. Onze boodschapper zal u kunnen zien vanaf het ogenblik dat u uit uw auto stapt. Binnen twaalf uur na het afleveren van het geld zult u opnieuw worden opgebeld en de verblijfplaats van uw dochter zal u dan worden meegedeeld. Bovendien zal er een brief worden verstuurd om ervoor te zorgen dat uw dochter wordt gevonden.

Diezelfde middag, rond 12 uur, is de ontvoering wereldnieuws. De politie heeft naar de media gelekt, maar de FBI weigert de ontvoering te bevestigen. De First National Bank van Miami wordt ingeschakeld om een half miljoen dollar aan losgeld in briefjes van 20 dollar te regelen. Om 14 uur is het geld gereed. Het weegt in totaal 35 kilo. Onder toezicht van FBI-agenten wordt tot laat in de avond doorgewerkt om alle serienummers te noteren. Andere agenten zorgen ervoor dat de advertentie wordt geplaatst in de *Miami Herald*. De volgende ochtend, woensdag 18 december 1968, staat hij in de krant:

LOVED ONE: Please come home. We will pay all expenses and meet you anywhere at any time. Your Family

Rond 3.45 uur gaat die nacht opnieuw de telefoon bij de familie Mackle. Het is een van de ontvoerders, met de instructies voor de losgeldrit: 'Rijd in uw Lincoln met het losgeld naar Fair Isle Street. Daar komt u bij een muur. Als u over de muur kijkt naar de damweg en de brug, zult u een wit knipperlicht zien. U legt het geld in de kist, waarop het licht zal schijnen, u doet het deksel dicht, u keert de wagen en rijdt weg. U heeft een kwartier de tijd.'

Robert Mackle begrijpt het niet helemaal en vraagt waar het precies is. De ontvoerder legt hem uit hoe hij moet rijden vanaf zijn huis. Mackle bestudeert de plattegronden van het gebied. Hij baalt van de kleine wegenkaarten; normaal gesproken werkt hij als projectont-wikkelaar met enorme plattegronden waarop alles veel duidelijker is.

De FBI heeft er bij Mackle op aangedrongen hem te vergezel-len tijdens de losgeldrit, maar dat wil hij beslist niet, en hij vertrekt alleen. Gekleed in een wit pak vertrekt hij met de koffer met een half miljoen dollar aan losgeld erin. Via een verborgen microfoon luis-tert de FBI mee. Robert Mackle vertelt steeds waar hij rijdt en wat hij onderweg ziet. De zender werkt één kant op: de FBI kan niets terug-zeggen. Dit is uit veiligheidsoverwegingen, voor het geval een van de ontvoerders bij hem in de auto zou stappen.

De FBI hoort dat Mackle moeite heeft om de juiste plek voor de los-gelddrop te vinden. Onderweg vraagt hij aan een paar vissers de weg naar Fair Isle Street. Per abuis sturen ze hem in de verkeerde rich-ting. Robert kan de plek maar niet vinden. Hij is de wanhoop nabij en vreest voor het leven van zijn dochter.

Een van de FBI-agenten, Billy Vessels, is opgegroeid in het gebied waar het geld moet worden gedropt en weet dat de plaats zich op nog geen tien minuten rijden van het huis van Mackle bevindt. Samen met een vriend van Robert rijdt hij naar hem toe. Ze stappen bij hem in de auto, gaan achterin op de vloer liggen en wijzen hem de weg.

Meer dan een uur na het telefoontje van de ontvoerder haalt Mackle de koffer uit de auto. Hij ziet geen knipperlichten of een kist waarin het geld moet worden gedaan. Daarom zet hij de koffer op de grond en rijdt vervolgens naar huis. In de tussentijd heeft een van de ont-voerders daar naartoe gebeld om te informeren naar het geld. Frank Mackle nam op en heeft de ontvoerder uitgelegd dat zijn broer met het losgeld onderweg was naar de aangewezen plek. Mogelijk heeft hij moeite de plek te vinden, heeft Frank er nog aan toegevoegd. De ontvoerder legde daarop nog een keer uit waar de kist zich precies bevond.

Omdat Robert Mackle de koffer niet in de kist, maar ergens anders heeft neergezet, wil hij terug om te kijken of de koffer wel is opge-haald. Zodra het licht is, gaat hij op pad. De koffer is weg. Opgelucht haalt hij adem. Het zal nu niet lang meer duren voordat zijn dochter Barbara wordt vrijgelaten.

Mackles opluchting is van korte duur: ter plekke wordt hem door een buurtbewoner verteld dat er de afgelopen nacht is geschoten en dat de politie een arrestatie heeft verricht. Wat blijkt: lokale politieagenten, die niet van de ontvoering af wisten, hadden een verdachte auto zien staan, een donkerblauwe vierdeurs Volvo stationcar uit 1966. Toen ze even later in de buurt van de auto een man met een koffer wilden aanhouden, sloeg deze op de vlucht en begon te schieten.

Bij de achtervolging te voet wist de man te ontkomen, maar liet hij de koffer achter. Ondanks de inhoud – allemaal gebundelde briefjes van 20 dollar – legden de agenten nog steeds niet de link met de ontvoering van Barbara Mackle. Die had zich afgespeeld in Atlanta, en niet in deze buurt. Terug op het politiebureau hebben de agenten de FBI gebeld.

De in beslag genomen Volvo biedt een schat aan informatie. De FBI vindt een foto van Barbara met het kartonnen bord met KIDNAPPED erop. Een soortgelijke foto is door de ontvoerders naar de familie gestuurd, samen met een 14 karaats gouden ring met een witte steen en twee diamantjes van Barbara, om aan te tonen dat zij de werkelijke ontvoerders zijn.

De auto staat op naam van George Deacon. Navraag leert dat hij een functie bekleedt bij de Universiteit van Miami. In de auto vindt de politie een papier met aanwijzingen van de losgeldbrief en verschillende koffers, waaronder één met de naam Ruth erop. Ook ligt in de auto een sleutel van het motel waaruit Barbara is ontvoerd. Achteraf zou blijken dat de ontvoerders daar enkele dagen voor de ontvoering toevallig verbleven. Ook de skimaskers die zijn gebruikt bij de ontvoering, liggen in de auto.

De FBI schrikt wanneer in het dashboardkastje elf injectienaalden en een buisje lidocaïne-hydrochloride worden aangetroffen. Gevreesd wordt dat de ontvoerders Barbara een injectie hebben gegeven. Verder worden pikante foto's aangetroffen van de vermoedelijke daders. Het blijkt te gaan om Ruth Eisemann-Schier en George Deacon.

Het voltallige personeel van het FBI-bureau in Miami wordt ingezet; 25 man werken nu aan de ontvoering. Beide verdachten worden uitgebreid tegen het licht gehouden. Ruth Eisemann-Schier werd geboren op 8 november 1942 in El Hatillo, Honduras. Door Barbara en haar moeder werd ze in eerste instantie aangezien voor een jongen van een jaar of 12. Dit zal vooral te maken hebben met haar lengte: ze is 1,60 meter lang en weegt slechts 46 kilo. Ze is studente aan de Universiteit van Miami.

George Deacon heeft onder een valse naam als technicus gesolliciteerd bij het Instituut voor mariene wetenschappen aan de Universiteit van Miami. Daar werd hij aangenomen voor een onderzoekproject op het 53 meter lange marinelaboratoriumschip John Elliot Pillsbury. Op dat schip heeft hij Ruth leren kennen. Zij was aan boord als wetenschappelijk onderzoekster. Na een tijdje kregen de twee een relatie.

De echte naam van George is Gary Steven Krist. Hij is getrouwd met Carmen Simon Krist, met wie hij twee zoons heeft, Vince en Adam. Gary kwam ter wereld als tweede zoon in een vissersfamilie op 29 april 1945 in Aberdeen, Washington. Hij groeide op in Pelican, Alaska, en kwam al op 14-jarige leeftijd in aanraking met justitie, toen hij werd opgepakt wegens autodiefstal. Hij werd naar een gesloten vormingsinstituut gestuurd. Bij een verplichte IQ-test scoorde hij daar bovengemiddeld hoog: 142.

Gary is minstens zeven keer gearresteerd voor autodiefstal en eenmaal voor inbraak. Hij is in totaal drie keer ontsnapt uit de gevangenis. De laatste keer was in 1966, uit een gevangenis in Californië. Die ontsnapping deed hij samen met medegevangene Earl Marvin Hardin, een tot levenslang veroordeelde moordenaar. Toen ze bijna buiten de gevangenispoort de vrijheid tegemoet wilden treden, werden ze ontdekt door bewakers met een zoeklicht. Die openden het vuur. Hardin werd gedood, maar Krist wist te ontkomen. Sindsdien gebruikt hij zijn alias George Deacon.

Na het bericht over de inbeslagname van het losgeld door de twee agenten is Robert Mackle volledig van slag. Hij dacht de FBI te kunnen vertrouwen; pas later raakt hij ervan overtuigd dat het niet de schuld is van de FBI. Mackle hoopt weer contact te krijgen met de ontvoerders zodat hij alsnog kan betalen. Via de media komt hij met een smeekbede:

Ik heb niets te maken gehad met het optreden van de politie in Miami die u wilde arresteren en die het geld dat ik voor u had neergelegd in beslag heeft genomen. Ik betreur het dat u het geld niet hebt ontvangen, want de veiligheid van mijn dochter gaat mij boven alles. Ik bid God dat u mijn dochter geen kwaad hebt gedaan. Ik heb mij precies gehouden aan uw instructies, en dat er op de plek toevallig politie van Miami verscheen, is niet door mijn toedoen gebeurd. Dringend verzoek ik u opnieuw contact met mij op te nemen, hoe dan ook. Ik ben tot alles bereid, als mijn dochter maar vrijkomt.

Dit bericht wordt 24 uur lang herhaaldelijk op radio en televisie uitgezonden. Daarnaast verschijnt de oproep in meerdere kranten.

Op donderdagavond 19 december 1968 gaat om iets na 22.30 uur de telefoon in de kerk van Coral Gables. Pater John C. Mulcahy neemt op. Een dag eerder is hij ook al gebeld door een van de ontvoerders met het verzoek een boodschap door te geven aan de familie Mackle.

De eerste keer had de ontvoerder hem verteld over de capsule waarin Barbara werd vastgehouden en hem gevraagd aan de familie door te geven dat het goed met haar ging. Deze keer luistert de FBI mee, in de wetenschap dat het gaat om Gary Krist. Die komt met nieuwe instructies voor de betaling van het losgeld en vraagt aan de pater deze door te geven aan Robert Mackle. Nog diezelfde avond moet Mackle het losgeld in een koffer ergens op een zandweggetje neerzetten en vervolgens wegrijden.

Deze keer rijdt Mackle niet zelf; hij laat dat over aan Billy Vessels, de man die hem de eerste keer de weg wees. Vessels rijdt in de grijze Lincoln van de Mackles naar de aangewezen plek. Een gewapende FBI-agent houdt zich schuil achter in de auto. Even na middernacht wordt de blauwe koffer met de 500.000 dollar losgeld neergezet aan het begin van het zandweggetje. Daarna rijdt Vessels terug naar de villa van de familie Mackle.

Zodra de auto uit het zicht is, komt Gary Steven Krist vanuit de bosjes tevoorschijn en laadt de koffer in een gehuurde lichtgroene Ford. Hij is alleen – Ruth is hij in de hectiek van de eerste losgeldoverdracht kwijtgeraakt. In hun vluchtplan hebben ze hiermee rekening gehouden. In een dergelijk geval zullen ze elkaar weer treffen in Austin, Texas. Als alles goed afloopt, gaan ze vanaf daar via allerlei omwegen naar Australië.

Gary Krist heeft in de periode van de ontvoering bijna geen oog dichtgedaan en is daardoor nauwelijks nog in staat auto te rijden. Daarom besluit hij per boot naar Texas te gaan. Mocht hij in slaap vallen, dan is de kans klein dat hij een ongeluk krijgt, midden op het water. Hij zoekt een boot die groot genoeg is om voldoende jerrycans met benzine mee te nemen, zodat hij de Golf van Mexico kan oversteken en kan doorvaren naar Texas. Krist koopt de boot bij D&D

Marine in West Palm Beach. Hij betaalt de boot, die zo'n 2300 dollar kost, met briefjes van twintig, afkomstig van het losgeld. Rond 13 uur laat hij de boot te water. Aan de verkoper vertelt hij dat hij naar de Bahama's wil varen.

Vlak voor zijn vertrek belt Gary naar het FBI-kantoor in Atlanta, bijna een uur later dan de beloofde twaalf uur na het incasseren van het losgeld. Het meisje aan de telefoon, Trisha Pointdexter, hoort Gary Krist haarfijn uitleggen waar de ontvoerde Barbara Jane Mackle gevonden kan worden. Ze noteert de aanwijzingen: zo'n 5 kilometer voorbij de kruising van Buford en Tucker staat een klein wit huis op een heuvel. Daar moeten ze linksaf, om 1,5 kilometer later een zandweg rechts te nemen. Daarna is het zo'n 30 meter omhoog, het bos in.

Het gesprek duurt nog geen twee minuten. In afwachting van assistentie rijden zes agenten van de FBI alvast in drie auto's naar de doorgegeven plek. Daar aangekomen blijkt dat ze kunnen kiezen uit vijf weggetjes. Welke ze precies moeten hebben, is niet duidelijk.

Nadat ze enkele uren de omgeving hebben uitgekamd, ontdekt een agent de plek waar Barbara moet liggen. Ze beginnen te graven. Nadat ze ongeveer 45 centimeter aarde hebben verwijderd, stuiten ze op de grijs geverfde kist. Ze roepen Barbara's naam, maar er komt geen reactie. Ze vrezen dat ze te laat zijn.

Het is inmiddels 83 uur geleden dat Barbara is ontvoerd als op vrijdagmiddag 20 december om 16.32 uur de FBI het deksel van de capsule verwijdert. Barbara komt langzaam omhoog, met haar ogen knipperend tegen het felle licht. De FBI-agenten strekken hun handen uit om haar uit de kist te helpen. Barbara lacht. De bezwete FBI-agenten die rondom de kist staan, huilen. Barbara zegt: '*You are the handsomest men I've ever seen.*'

Eenmaal uit de kist is ze niet in staat te lopen. Een van de agenten draagt haar naar zijn auto en zet haar op de achterbank. Wanneer een agent op de achterbank een arm om haar heen slaat, grapt ze: 'Normaal gesproken sta ik dat niet toe op een eerste date.'

Ze rijden naar het huis van een van de agenten, waar Barbara door een arts wordt onderzocht. Ze maakt het boven verwachting goed. Ze heeft dorst en drinkt een paar glazen cola achter elkaar. In de kist heeft ze niet durven drinken van het water. Achteraf bekeken is dat een geluk, want in het water blijkt slaapmiddel te zitten. De griep van voor de ontvoering en de ontvoering zelf hebben ervoor gezorgd dat ze nog maar 44 kilo weegt, in plaats van de 50 kilo die ze normaal weegt.

FBI-directeur J. Edgar Hoover belt persoonlijk met de familie Mackle om ze op de hoogte te stellen van het goede nieuws. Robert Mackle haast zich in een vliegtuig van de zaak naar Atlanta. Bij de hereniging omhelst Robert zijn dochter innig en laat haar niet meer los. Barbara moet hem van zich afduwen. Terwijl ze dit doet, grapt ze: 'Ik zei toch dat je een dure dochter hebt.'

Vader en dochter vliegen terug naar Florida. De massaal aanwezige pers bij de woning van de familie Mackle krijgt haar niet te zien. Ze duikt een tijdje onder in het Miami Heart Institute, een ziekenhuis in Miami Beach. Hier vindt de hereniging met haar moeder en broer plaats.

De volgende zondag toont Barbara zich aan de pers. 'Ik voel me geweldig,' laat ze weten. Uit het hele land komen steunbetuigingen, maar ook verzoeken om geld van goede doelen en mensen die krap bij kas zitten.

Nog voordat Barbara werd gevonden, krijgt de FBI van Florida een telefoontje van botenhandelaar Norman Oliphant. Hij vertelt dat hij een boot verkocht heeft aan een wat vreemde man. Mogelijk heeft de man iets te maken met de ontvoering van Barbara Mackle, aangezien de boot contant werd betaald met briefjes van twintig dollar. De bandjes van de bank zaten nog om de bundeltjes biljetten. De FBI brengt meteen een bezoek aan de botenhandelaar en constateert dat de biljetten inderdaad afkomstig zijn van het losgeld.

Er volgt een klopjacht op Gary Krist. De kustwacht zet patrouilleboten in, en vanuit de lucht zoeken vliegtuigen en helikopters mee. Pas de volgende ochtend krijgen twee agenten vanuit hun tweemotorige vliegtuigje Krist in het vizier, in de buurt van de baai van San Carlos. Hij is onderweg naar de Golf van Mexico. Als Krist het vliegtuigje ziet, maakt hij een draai. Vanuit de lucht geven de agenten de positie van Krist door aan hun collega's in een snelle politieboot.

Gary Krist is de wanhoop nabij. Hij koerst op een eilandje af. Hij verlaat de boot en vlucht het oerwoud van het onbewoonde eiland in. In zijn boot vindt de politie in een bergruimte een plunjezak en twee waszakken vol briefjes van twintig dollar.

Hog Island is een 3,7 kilometer lang en 1 kilometer breed eiland, dat ooit nog in bezit is geweest van de investeringsmaatschappij van de gebroeders Mackle. Een groot deel van het eiland bestaat uit moeras. In de loop van zaterdagmiddag kamt een leger van driehonderd agenten het eiland uit. Door de dichte begroeiing is het zicht minder dan 3 meter. Hierdoor verliezen de met mitrailleurs bewapende agenten elkaar telkens uit het oog. De agenten dragen felrode en gele linten om hun nek om elkaar te herkennen.

De FBI reikt foto's van Gary Krist uit aan de agenten. Volgens verklaringen van getuigen die hem voor het laatst hebben gezien, draagt hij een blauw windjack, een wit overhemd, een donkere broek en tennisschoenen. De politie wordt in haar zoektocht bijgestaan door elf bloedhonden.

Aggregaten worden ingezet om het eiland van licht te voorzien wanneer tegen het invallen van de duisternis nog geen spoor van Krist is gevonden. Het is even na middernacht wanneer twee agenten Krist aantreffen. Hij wordt in de boeien geslagen. Gary Krist is volkomen uitgeput. Hij heeft een tas bij zich met tandpasta, scheercrème, een kompas, een verrekijker en 18.000 dollar van het losgeld.

De FBI brengt hem over naar een ziekenhuis voor onderzoek. Onderweg verliest hij achter in de auto zijn bewustzijn. Hij blijkt volledig uitgeput en uitgedroogd. Wanneer hij is opgeknapt, wordt hij overgebracht naar de gevangenis van Dade County. Uit angst voor ontsnapping of zelfmoord wordt hij continu door twee agenten bewaakt.

Een week na de arrestatie van Krist is mededader Ruth Eisemann-Schier nog steeds spoorloos. De FBI plaatst haar op de FBI Most Wantedlijst. Ze is daarmee de eerste vrouw op de lijst sinds deze in 1940 door de FBI in het leven is geroepen.

Ruths moeder, Elfriede Ruth, werkt als tandarts in Catacamas, Honduras. In januari 1969 schrijft ze een brief naar Barbara Mackle waarin ze om vergiffenis voor haar dochter vraagt. In de brief haalt ze de moeilijke jeugd van haar dochter aan. De vader van Ruth overleed aan een kogelwond toen Ruth drie jaar oud was. Het is nooit duidelijk geworden of hij is vermoord of zelfmoord pleegde.

Kort na haar vaders dood verloor Ruth haar jongere zusje Erika. Haar broer Werner was blind en verlamd. Ze heeft hem jarenlang verzorgd. Zijn overlijden op 18-jarige leeftijd is ze eigenlijk nooit meer te boven gekomen.

Wanneer de FBI de moeder vraagt in de media een oproep te doen aan haar dochter om zich vrijwillig bij de politie te melden, weigert ze dit. Ze heeft een sterk geloof en zegt dat wanneer God het wil, Ruth zichzelf wel zal melden.

Op 5 maart 1969 wordt Ruth gearresteerd in Norman, Oklahoma. Ze werkt als serveerster in drive-inrestaurant Boomerang onder de valse naam Donna Sue Wills. Omdat het een parttimebaan betreft, heeft ze gesolliciteerd als verpleegster bij het Central State Hospital. Daar is de standaardprocedure dat van alle patiënten en van ieder personeelslid vingerafdrukken worden afgenomen. Hierdoor loopt ze tegen de lamp. Bij haar arrestatie bekent Sue dat ze eigenlijk Ruth heet. In de weken erna legt ze een volledige bekentenis af.

In de aanloop naar het proces wordt Gary Krist een paar keer onderzocht door een psychiater om vast te stellen of hij krankzinnig is. Volgens een arts bezit Krist voldoende capaciteiten om de aard en het doel te begrijpen van de wettelijke procedure waarbij hij zal worden betrokken. Ook is hij zich bewust van zijn eigen positie ten aanzien van de procedure. Bovendien is hij in staat zijn raadsman op rationele wijze te adviseren bij zijn eigen verdediging. De diagnose luidt dat hij iemand is met een sociopathische karakterstoornis, zonder dat er aanwijzingen van een psychose zijn. Een hongerstaking van Krist van vier weken verandert hier niets aan.

Het proces tegen Gary Steven Krist begint op maandag 19 mei 1969 in de rechtbank van Decutar, Georgia. Hij wordt bijgestaan door de advocaten Mobley Childs en James R. Venable. De laatste heeft ooit bekend dat hij sinds 1924 lid is van de Ku Klux Klan.

Gary Krist vreest dat hij de doodstraf krijgt. 74 getuigen worden in de rechtszaal gehoord. Als laatste komt Barbara Jane Mackle de rechtbank binnen. Tijdens haar verhoor maakt ze een rustige en kalme indruk. Ze identificeert Krist als de man die haar heeft ontvoerd, ook na kritische vragen van de verdediging. Barbara zegt dat ze zijn gezicht nooit zal vergeten.

De jury acht Krist na een beraad van drie uur schuldig. Hij wordt veroordeeld tot een levenslange gevangenisstraf, mede doordat de familie Mackle in de rechtszaal geen haat heeft getoond. Ook Barbara zelf hoopte dat Krist niet ter dood zou worden veroordeeld: hij had immers de FBI gebeld om de plaats door te geven waar hij haar had begraven? Toen ze in de kist lag, was ze bang geweest dat er iets met haar ontvoerders zou gebeuren; als ze bijvoorbeeld waren doodgeschoten door de politie, was zij nooit gevonden.

Drie dagen later staat Ruth Eisemann-Schier voor de rechter. Ze verklaart dat ze heeft gehandeld uit liefde voor Gary Krist, die ze nog altijd George Deacon noemt. Ze was bereid alles voor hem te doen. De rechter ziet haar niet als de hoofddader en ze wordt veroordeeld tot zeven jaar gevangenisstraf.

Tijdens haar gevangenschap wordt haar moeder op brute wijze vermoord bij een inbraak. Ruth krijgt geen verlof om naar de begrafenis te gaan. Als ze na vier jaar vervroegd wordt vrijgelaten, wordt ze meteen gedeporteerd naar Honduras, als onderdeel van haar straf.

Ook Gary Krist komt vervroegd vrij, in 1979. Hij is dan 33 jaar oud. Eerdere verzoeken om vervroegde vrijlating werden steeds afgewezen. Begin jaren zeventig heeft hij geprobeerd te ontsnappen door zich te verstoppen in een vuilniswagen, maar hij werd ontdekt. Barbara heeft niet geprotesteerd tegen zijn vervroegde invrijheidstelling.

Na zijn vrijlating gaat Krist studeren in Alaska, waar hij halverwege de jaren negentig zijn dokterstitel ontvangt. Hij heeft er niet veel aan: zijn verleden als ontvoerder weerhoudt werkgevers ervan om hem aan te nemen. In 2001 kan hij aan de slag als dokter in Chrisney, een klein plaatsje in Indiana. Maar ook dat loopt mis: een lokale krant publiceert een artikel over zijn rol bij de ontvoering van Barbara, waarop hij wordt ontslagen.

Vijf jaar later wordt hij opgepakt terwijl hij probeert met een gehuurde zeilboot cocaïne te smokkelen van Zuid-Amerika naar de Verenigde Staten. De ruwe cocaïne heeft een straatwaarde van 1 miljoen dollar. Bovendien ontdekt de politie aan boord vier vluchtelingen uit Colombia en Ecuador. Ze hebben Krist 6000 dollar per persoon betaald voor de overtocht.

In zijn woning in Auburn, Georgia, vindt de politie een compleet ondergronds laboratorium waar hij ruwe cocaïnepasta kan vermalen tot poeder. Er is zelfs een lange tunnel aangelegd om te kunnen ontsnappen.

In 2007 wordt Krist veroordeeld tot vijf jaar en vijf maanden gevangenisstraf. In 2010 komt hij vrij. Twee jaar later wordt hij opnieuw veroordeeld. Deze keer moet hij veertig maanden zitten, omdat hij het land niet zonder toestemming mocht verlaten en dat toch deed.

Ruth Eisemann-Schier leeft een teruggetrokken leven in Mexico.

Barbara heeft naar eigen zeggen geen trauma overgehouden aan haar ontvoering. Haar positieve instelling en het geloof in God hebben haar erdoorheen gesleept gedurende de tijd dat ze levend begraven was. Ze is getrouwd en woont met haar man en twee kinderen aan zee, in Vero Beach.

Tien jaar na de ontvoering vertelt haar vader in een interview met de *Miami Herald* dat niemand begrijpt dat ze er totaal niets aan heeft overgehouden. Zelf heeft Barbara de pers nooit te woord willen staan, op een korte reactie vlak na haar vrijlating na.

Wanneer hij de familie Mackle bezoekt rond de kerst van 1968, brengt president Nixon haar op het idee van een boek. Hij is dan pas gekozen en moet nog officieel worden geïnstalleerd. Nixon vertelt tijdens het bezoek dat hij heel ongerust is geweest en dat hij Barbara's ontvoering beschouwt als een van de ongewoonste en opwindendste misdrijven die ooit zijn gepleegd. 'Het is een verhaal dat moet worden verteld,' zo vindt hij.

Barbara volgt Nixons advies op. Voor één keer vertelt ze haar verhaal aan Gene Miller, een journalist van de *Miami Herald*. Hij schrijft een boek over haar ontvoering, dat verschijnt in 1971, genaamd *83 Hours Till Dawn*. In 1990 wordt het verhaal verfilmd.

Een jaar later komt ook Gary Krist met een eigen boek, getiteld *Life*. Het staat bol van de zelfoverschatting: Krist beschouwt zichzelf als de Einstein van de misdaad. Toch beseft hij ook wat hij Barbara heeft aangedaan. Als hij de nacht van de losgeldoverdracht inderdaad was doodgeschoten, had de politie Barbara nooit kunnen vinden.

Hij uit ook zijn medelijden naar Ruth. Als zij hem niet zou zijn tegengekomen, was haar veel ellende bespaard gebleven. Op een enkel punt relativeert Krist, bijvoorbeeld met de opmerking dat hij heeft gebroken met de code van zijn jeugdheld Robin Hood. Die zou de sheriff van Nothingham hebben ontvoerd en misschien zou hij hem ook hebben vastgehouden in een kist onder de grond, maar Robin Hood zou zoiets natuurlijk nooit met de dochter van de sheriff hebben gedaan.

9

De ontvoering van Theo Albrecht

Waar: Herten, Duitsland
Wanneer: 29 november 1971
Losgeld: 7 miljoen Duitse mark
Ontknoping: 16 december 1971

In Duitsland verbreken de broers Theo en Karl Albrecht met hun winkelformule Aldi het ene na het andere record, onder meer op het gebied van omzet en hoeveelheid winkels. In 1971 wordt echter een record verbroken tegen wil en dank. Het levert ze een notering op in het *Guinness Book of Records*: die van het hoogst betaalde losgeldbedrag ooit bij een ontvoering wereldwijd, namelijk 7 miljoen Duitse mark. Het oude record van 600.000 dollar stamt uit 1958, dat bedrag werd betaald na de ontvoering van de 6-jarige Robert 'Bobby' Greenlease jr. uit Kansas City, Missouri.

De mannen die verantwoordelijk zijn voor het nieuwe record, leren elkaar kennen in 1964. Heinz-Joachim Ollenburg is een succesvol advocaat. Hij heeft een eigen praktijk in een kantorencomplex aan de drukke Graf-Adolf-Straße in Düsseldorf. Zijn kantoor doet naast strafzaken vooral echtscheidingszaken. De in 1924 in Berlijn geboren advocaat weet waarover hij spreekt: hij is zelf twee keer gescheiden. Uit beide huwelijken heeft hij een zoon en een dochter.

Zakelijk gaat het Ollenburg voor de wind en hij houdt er een flamboyante levensstijl op na: veel vrouwen, dure vakanties en luxe feesten in chique nachtclubs. Daarnaast is hij fervent gokker – hij kent alle casino's in de buurt vanbinnen en vanbuiten. In 1964 is het goed raak: tijdens een avondje gokken wint hij 50.000 DM. Ollenburg neemt het er eens goed van: hij koopt een splinternieuwe Mercedes en neemt zijn vriendin, de 17-jarige Roswhita, mee voor een weekendje naar de kust. Op de autobahn knallen ze achter op een veel langzamer rijdende auto. Iedereen komt met de schrik vrij, maar de nieuwe Mercedes is total loss. De auto wordt naar Düsseldorf versleept; Heinz-Joachim en Roswhita nemen de trein terug.

Autosloper Paul Kron, geboren in 1932 in Düsseldorf, biedt 16.000 DM voor het wrak. Ollenburg is verbaasd door het hoge bod: de verzekering wilde slechts 12.000 DM uitbetalen. Ze hebben een deal. Vier weken later rijdt Paul Kron met de Mercedes naar het kantoor van Ollenburg om te showen hoe hij de auto heeft opgeknapt. De auto is weer als nieuw.

Het klikt tussen de twee mannen en er ontstaat een vriendschap tussen de advocaat en de autosloper. Wat Ollenburg dan nog niet weet, is dat Kron een dubbelleven leidt: overdag sleutelt hij aan oude auto's, maar 's nachts trekt hij er zo'n drie keer per week op uit om in te breken. Geen kluis blijft voor hem en zijn gereedschap gesloten. Het levert hem in de onderwereld de naam Diamanten Paul op. Pas na meer dan vijftig kraken, met een totale buit van een paar honderdduizend Duitse mark, komt de politie hem in 1965 op het spoor. Op 6 september 1966 wordt Paul Kron veroordeeld tot vijfenhalf jaar celstraf.

Terwijl Kron vastzit, geniet Ollenburg volop van het leven. Hij maakt cruises met vaak veel jongere vriendinnen en gokt er lustig op los. Hij stuurt Kron vaak brieven en bezoekt hij hem regelmatig. Met het geld dat Ollenburg voor hem meeneemt, komt Kron zijn detentietijd goed door. In 1968 komt hij vlak voor de kerstdagen vervroegd vrij: hij heeft twee derde van zijn straf uitgezeten.

Het eerste wat Paul Kron doet, is een bezoek brengen aan het kantoor van Ollenburg. Deze biedt Paul zijn tweede auto aan, om voor de winter te gebruiken. In de zomer gebruikt Heinz-Joachim de auto zelf in Spanje, waar hij een tweede huis heeft met een gigantische tuin en uitzicht op de Middellandse Zee.

Paul heeft ondertussen een normale baan gevonden als bouwvakker. Als Ollenburg hem aanbiedt de komende zomer met zijn vrouw en vier kinderen in Ollenburgs huis in Spanje te verblijven, twijfelt hij geen seconde. Kron heeft altijd al zo'n huis willen hebben en na die zomer denkt hij alleen nog maar aan manieren waarop hij zelf ooit zoiets zou kunnen kopen. Het werken in de bouw levert hem niet meer op dan 2000 DM per maand, en bovendien vindt hij het niet echt leuk. Kron overweegt om weer het criminele pad op te gaan, maar dan niet als inbreker.

Als Paul en Heinz-Joachim op een avond wat zitten te filosoferen, komen ze op het onderwerp ontvoering. Paul ziet een ontvoering wel zitten, maar Heinz-Joachim neemt het niet zo serieus. Hij heeft wat anders aan zijn hoofd: een nieuw vriendinnetje bijvoorbeeld.

Eerst leert hij de 17-jarige Angela 'Blondy' Poeck kennen. De twee krijgen een relatie en als Angela met haar ouders naar de Verenigde Staten verhuist, blijven ze schrijven. In februari 1970 vindt Heinz-Joachim nieuwe afleiding. Ze heet Hanne en is zeer vermogend. Hij leert de 33-jarige vrouw kennen als ze zijn kantoor bezoekt voor juridische hulp. Haar vriend werd gearresteerd toen hij met zijn dure jacht Nederland wilde binnenvaren. Op zijn boot vond de Nederlandse politie 500.000 DM aan vals geld.

Terwijl haar vriend in voorarrest zit te wachten op juridische hulp, krijgen Heinz-Joachim en Hanne een relatie. Het verliefde stel neemt het ervan: dure vakanties, luxe cruises en veel gokken met dikke winsten, soms meer dan een half miljoen. Het kan niet op, en voor Ollenburg is er dan ook geen reden om te denken aan de eerder dat jaar besproken plannen.

Paul denkt intussen aan niks anders meer. Hij vat het plan op een inbraak te plegen om zo aan geld te komen om een ontvoering te financieren. Hij wil de kluis kraken van een winkelcentrum in Düsseldorf-Benrath. Op de zaterdag voor kerst moet deze overvol zitten, zo redeneert hij.

Hij bespreekt zijn plannen met Ollenburg. Een ontvoering is tot daaraan toe, maar inbreken ziet Ollenburg niet zitten, dus gaat Paul Kron voor de inbraak op zoek naar een andere partner. Samen met ene Karl bereidt hij de inbraak voor in het winkelcentrum. In de nacht van zaterdag 12 op zondag 13 december 1970 slaan ze toe. Ze beginnen om 21 uur en zijn hele nacht bezig de kluizen te kraken met behulp van breekijzers, snijbranders en diamantboren. Om 6 uur 's ochtends zijn ze klaar. De totale buit bedraagt 240.000 DM.

Met zijn deel van de buit bezoekt Paul het kantoor van Ollenburg. Paul leegt een tas op het bureau met meer dan 100.000 DM aan briefjes van 5, 10, 20, 50 en 100. Van dit startkapitaal wil hij een huis in Spanje kopen, dat eerst dienst moet doen als schuilplaats voor de ontvoering. Hij laat het geld in een aktetas achter bij Ollenburg, afgezien van 3000 DM. Voor dat bedrag koopt hij in Barcelona twee gloednieuwe pistolen: een Asta 9 mm en een Asta 7,65 mm. Daar bekijkt hij ook een stuk grond, dat zonder huis al 390.000 DM moet kosten.

Heinz-Joachim Ollenburg heeft ondertussen steeds minder geluk in de casino's. Hij verliest tonnen. Naast het kapitaal van zijn vriendin Hanne vergokt hij ook het geld dat Paul en Karl hebben buitgemaakt bij de kluiskraak in het winkelcentrum. Het is inmiddels maart 1971. De schulden van Ollenburg lopen op en de tijd is rijp voor een ontvoering.

Het plannen begint. Kron en Ollenburg bestuderen alle bekende ontvoeringen tot dan toe, om zich zo goed mogelijk voor te bereiden. Een moeilijk punt blijft altijd de losgeldoverdracht. Ollenburg heeft daar wel een idee over: hij heeft een vliegbrevet. Mogelijk kan het losgeld bij een vliegveld worden gedropt, waar hij het oppikt en ermee naar Nederland vliegt.

Maar voordat dit plan wordt uitgewerkt, moeten ze eerst een slachtoffer uitkiezen. Ollenburg bestudeert het boek *Die Reichen und die Superreichen in Deutschland*, waarin de rijkste Duitsers staan vermeld. De mannen willen iemand hebben die iedere maand minstens een miljoen netto verdient. Iemand die het geld kan missen. Talloze welgestelde Duitsers passeren de revue, maar aan iedereen kleven nadelen.

Dan krijgt Ollenburg in juni 1971 een oud artikel uit *Die Zeit* onder ogen. Het gaat over de gebroeders Karl en Theo Albrecht uit Essen. De kop luidt 'De verzwegen miljarden'. Kron en Ollenburg duiken in de geschiedenis van de Aldibroers.

De Duitse broers Karl en Theo Albrecht verdienen hun geld met de detailhandel. Moeder Albrecht is in 1913 begonnen met een kruideniersswinkel van 35 vierkante meter in haar huis op de hoek van de Mittelstraße, in een arbeiderswijk in Schonnebeck. Vader was mijnwerker in het Ruhrgebied en had een bijbaantje als bakkersknecht.

In de oorlog vechten de beide broers in het Duitse leger: Karl vecht aan het Russische front en Theo in Afrika. Daar wordt hij in Tunesië door de Amerikanen opgepakt. Beide broers komen in 1946 terug

naar Duitsland. Twee jaar later nemen ze de winkel van hun moeder
over. In 1961 openen ze de eerste Albrecht Discount, beter bekend
als Aldi. Het bedrijf groeit in een hoog tempo en wordt na verloop
van tijd gesplitst in twee regio's. Theo leidt de Aldi Nord.

Begin jaren zeventig hebben de broers meer dan zeshonderd filia-
len in driehonderd steden. De jaaromzet ligt rond de 4 miljard Duitse
mark. Daarmee behoren Theo en Karl tot de allerrijksten van Duitsland. Hun motto – 'De beste kwaliteit voor de laagste prijs' – slaat
aan, en ze breken met hun omzetcijfers het ene record na het andere.

Ollenburg weet het meteen: deze twee moeten ze hebben. Met behulp
van het telefoonboek ontdekken Kron en Ollenburg dat beide broers
in Essen-Bredeney wonen, en ze besluiten hen te observeren. Tijdens
de observaties valt hun op dat ze altijd alleen Theo zien; Karl is er
nooit.

Theo bestuurt zelf zijn auto, een donkergrijze Mercedes. Paul en
Heinz-Joachim volgen hem regelmatig en zien tijdens een van hun
achtervolgingen dat Theo wordt aangehouden door de politie. Het
betreft een routinecontrole: nadat hij zijn autopapieren heeft laten
zien, mag hij verderrijden. Dit brengt de ontvoerders in spe op een
idee: met een neppolitieauto kunnen ze Theo tot stoppen dwingen.
Na langer nadenken wordt dit plan afgeschoten. Het risico dat ze
echte politie tegenkomen en door de mand vallen, is te groot.

Het goed plannen van een ontvoering blijkt lastiger dan gedacht
en de plannen komen tijdelijk op een lager pitje te staan. Na de zomer
is de gokschuld van Ollenburg echter zover opgelopen dat hij die met
zijn werk als advocaat nooit meer kan afbetalen, en de twee mannen
gaan verder waar ze gebleven waren.

Het nieuwe plan is om Albrecht te overmeesteren bij zijn hoofdkantoor in Herten, zo'n 20 kilometer van Essen. Theo Albrecht heeft
een werkkamer op de vierde verdieping. Observatie wijst uit dat het
bedrijf sluit om 17 uur, maar Albrecht vertrekt meestal pas tussen 18
en 18.30 uur.

Op dinsdag 24 november 1971 is het zover. Ollenburg en Kron
vertrekken 's middags om 16 uur vanuit Düsseldorf. Een uur later
komen ze aan bij het kantoor van Albrecht. Theo's auto staat op de
normale plek geparkeerd. Omdat Albrecht eigenlijk nooit voor 18
uur vertrekt, besluiten de twee heren nog een kop koffie te drinken
in een café in Herten. Na terugkomst zetten ze hun auto vlak bij die

van Albrecht. De regen komt met bakken uit de lucht. Paul knoeit met het slot aan de bestuurderskant van Albrechts auto, waardoor die straks meer tijd nodig heeft om in te stappen en zij hem makkelijker kunnen overmeesteren.

De twee ontvoerders zien hoe Theo vanachter zijn bureau opstaat, zijn tas pakt, de rolluiken naar beneden doet en het licht uitdoet. Ze zijn in opperste staat van paraatheid en voelen nog even of hun pistool goed zit. Ze dragen allebei een hoed, die ze een tikkeltje voorover over hun gezicht laten zakken, en houden het kantoor scherp in de gaten. Albrecht komt naar buiten en loopt naar zijn auto. Hij probeert de autosleutel in het slot te steken. Dat lukt niet. De afstand tussen hem en de ontvoerders is slechts een straatbreedte.

Kron staat op het punt om op Albrecht af te lopen en hem te overmeesteren, maar dan zegt Ollenburg: 'Vandaag niet.' Kron kijkt hem verbaasd aan en blijft zitten. Ze zien nog dat Albrecht via de passagierskant instapt en van binnenuit het andere portier opent. Daarna rijdt hij de straat uit.

Ollenburg en Kron rijden terug naar Düsseldorf. Paul zegt onderweg niets. Hij is teleurgesteld. Een kans als deze krijgen ze nooit weer: Albrecht heeft vast iets gemerkt. Hij zal ontdekken dat er met het slot geknoeid is en op zijn hoede zijn. Als Paul en Heinz-Joachim twee dagen later gaan kijken, blijkt dat echter niet het geval te zijn. Theo's auto staat gewoon op dezelfde plek en de mannen zien dat hij nog steeds via de passagierskant naar binnen gaat.

Maandag 29 november 1971 moet het dan echt gebeuren. Kron pikt Ollenburg op bij zijn kantoor en ze rijden samen richting Herten. Onderweg komen ze in een file terecht. Kron is gefrustreerd: hij wil dat het vandaag gebeurt. Om de file te omzeilen probeert hij door te rijden via de vluchtstrook, maar de politie merkt hem op en houdt hem staande. Het loopt met een sisser af. Kron krijgt een bekeuring van 10 DM en mag doorrijden.

Rond 17 uur arriveren ze bij het kantoor van Albrecht. Ze stappen uit en lopen een blokje om. Alsof de duivel ermee speelt, komt een politiebusje langzaam naast hen rijden. Ollenburg en Kron lopen zo normaal mogelijk door. Ze spreken af dat ze hun pistool in de bosjes zullen gooien zodra de politie stopt en uitstapt. Het raampje van het busje is naar beneden gedraaid, en de politie observeert de twee mannen. Heinz-Joachim en Paul dragen dure jassen, hebben een hoed op en dragen lederen handschoenen.

Waarschijnlijk doet de neervallende regen op die koude novemberavond de politie besluiten om door te rijden. Nauwelijks van de schrik bekomen besluiten de twee om, net als de keer ervoor, eerst een kop koffie te gaan drinken in Herten. Rond 18 uur zijn ze terug bij het kantoor van Albrecht en nemen ze hun positie in.

Om 18.30 uur komt Theo Albrecht naar buiten. Hij loopt naar zijn auto. Het slot is nog steeds kapot. Op het moment dat hij via de bijrijderskant wil instappen, trekt Paul een sprintje en gaat met getrokken pistool achter Theo staan. 'Neemt u ons mee?' vraagt hij aan Albrecht. Die is volledig verrast en zegt: 'Ik heb geen geld.' 'Ik weet wel beter,' reageert Paul.

Ondertussen heeft Ollenburg de portieren geopend en gaat op de achterbank zitten. Kron zet zijn slachtoffer op de passagiersstoel. Hij neemt zelf plaats achter het stuur en bekijkt hem nog eens goed. Plotseling begint hij te twijfelen: hebben ze wel de juiste persoon te pakken? Is dit niet een of andere boekhouder? Hij vraagt de man op de passagiersstoel of hij echt Theo Albrecht is. De man antwoordt bevestigend, maar ze geloven hem pas als hij zijn identiteitsbewijs laat zien.

Albrecht geeft de autosleutel aan Kron. Die wil meteen wegrijden, maar het lukt hem niet: de Mercedes is een automaat en daar heeft hij nog nooit in gereden. Albrecht legt hem uit hoe alles werkt.

Ollenburg drukt zijn pistool tegen de stoelleuning van hun slachtoffer, zodat die onderweg niet op het idee komt om uit te stappen. De mannen vertellen hem dat het puur om het geld te doen is. Onderweg stoppen ze op een afgelegen plek. Theo's hoofd wordt met verband omwikkeld en zijn handen worden vastgebonden met tape. Als ze hem in de kofferbak willen leggen, zegt Theo dat hij bang is dat hij dan stikt. Uiteindelijk leggen ze hem op de vloer voor de achterbank. Ollenburg gooit een jas over hem heen, zodat hij niet te zien is.

Ze rijden terug naar het kantoor van Albrecht om hem over te laden in de auto van Paul Kron. Onderweg moeten ze wachten bij de stoplichten. Toevallig wacht tegenover hen de bedrijfsleider van Aldi in een auto van de zaak. Hij merkt niet op dat de auto van zijn baas tegenover hem staat, met daarin twee vreemde mannen. Terug in Herten wordt Albrecht overgeladen in de auto van Paul. Zijn eigen auto wordt 5 kilometer verderop geparkeerd in het dorpje Gelsenkirchen, tussen Herten en Essen.

Vervolgens rijden de mannen naar de garage van Paul. Albrecht, die nog steeds geboeid is en zijn hoofd in het verband heeft, mag uitstappen. Het is tegen 22 uur als Ollenburg de garage verlaat om iets te eten te halen voor hun slachtoffer. Na het eten bespreekt hij met Albrecht de te volgen tactiek. Albrecht geeft het telefoonnummer van zijn huis in Essen, waar hij woont met zijn vrouw Cilly, met wie hij al 22 jaar getrouwd is, en hun twee kinderen Berthold en Theo jr.

Vanuit een telefooncel aan de Brehmplatz belt Ollenburg mevrouw Albrecht. Het is dan net na middernacht. Hij vertelt haar dat haar man is ontvoerd en dat het hun puur om geld te doen is. Ollenburg dringt erop aan dat politie en pers erbuiten moeten worden gehouden. Daarnaast benadrukt hij dat het goed gaat met haar man en dat hij lekker heeft gegeten.

Cilly Albrecht heeft dan al contact gezocht met de politie. Haar man belt haar altijd vanuit zijn kantoor voordat hij naar huis rijdt, en dat heeft hij ook deze avond gedaan. Toen hij na een dik uur nog niet thuis was, belde ze de bedrijfsleider met de vraag of hij enig idee had waar zijn baas zou kunnen zijn. De bedrijfsleider nam daarop contact op met een politiebureau tussen Herten en Essen, en informeerde of er een ongeluk of iets dergelijks was gebeurd, maar dat bleek niet het geval. Nadat ze dit heeft gehoord, heeft Cilly Albrecht haar man als vermist opgegeven.

De volgende dag start de politie een onderzoek. Pas tegen de avond wordt de auto van Albrecht gevonden in Gelsenkirchen. Diezelfde dag staat Heinz-Joachim Ollenburg gewoon te pleiten in de rechtbank. Na de zitting gaat hij naar de garage van Kron. Albrecht heeft hier onder zijn bewaking de eerste nacht doorgebracht. Ollenburg heeft de 50.000 DM die bestemd was voor een huis als schuilplek vergokt. Er is dus geen echte schuilplek, maar het is duidelijk dat Theo Albrecht niet langer in de garage van Kron kan blijven. Ze besluiten hem over te brengen naar het kantoor van Ollenburg. Dit moet ongezien gebeuren. In de garage staat een kartonnen doos waarin ze hem willen vervoeren, maar daar past hij met zijn 1,84 meter nooit in. Om hem, volgens plan, in te pakken in een rol tapijt wordt ook lastig, aangezien hij meer dan 80 kilo weegt.

Gelukkig komt Albrecht zelf met een oplossing. Hij biedt aan om vanuit de auto het kantoor in te lopen, dat valt het minst op. Omdat Albrecht de eerste twintig uur van zijn ontvoering steeds zonder tegenstribbelen heeft meegewerkt, gaan de ontvoerders akkoord met dit idee. In een Volkswagenbestelbus wordt Albrecht overgebracht naar het kantoor van Ollenburg. Ze hebben geluk: in de normaal zeer drukke straat is het rustig vanwege het slechte weer – de regen valt met bakken uit de lucht. Ollenburgs secretaresse en een stagiair zijn nog aan het werk. Ollenburg stuurt ze eerder naar huis, waarop Theo Albrecht op dinsdag 30 november 1971 om 17 uur zijn eigen verstopplek binnenwandelt.

Het kantoor van Ollenburg bevindt zich op de vierde verdieping van het luxe kantorencomplex. De etage is zo'n 160 vierkante meter groot en bestaat uit een wachtkamer, een vergaderruimte, vier werk-kamers, een slaapkamer, een keuken, een bad en twee wc's. Albrecht krijgt de slaapkamer. Tegen de ene muur staat een grote driedelige kledingkast en tegen de andere een bureau met draaistoel. Tegen de achterwand staat een Frans tweepersoonsbed.

Albrecht wordt op het bed gelegd. Hij heeft al 24 uur geen oog dichtgedaan. Zijn handen worden losgemaakt en in plaats daarvan worden zijn voeten vastgebonden. Alles wordt zo ingericht dat per-soneel en klanten niet in de aangrenzende kamers kunnen komen. Er wordt een radio aangezet. Als het personeel dan al iets hoort, zul-len ze waarschijnlijk denken dat Ollenburg weer een liefje op bezoek heeft.

Ollenburg bereidt in de keuken een avondmaaltijd voor Albrecht. Na het eten krijgt hij de gelegenheid om een brief te schrijven aan zijn vrouw. Van zijn ontvoerders mag hij schrijven wat en hoe vaak hij maar wil, zolang er geen aanwijzingen in zijn brieven staan die naar hen kunnen leiden. Op dinsdag 30 november 1971 schrijft Theo Albrecht zijn eerste brief:

Lieve Cilly,

Je hebt ondertussen over mij gehoord. Ik wil je bij dezen bevesti-gen dat het goed met mij gaat en dat ik goed behandeld word. Je kunt gerust zijn en hoeft je geen zorgen te maken. Het komt alle-maal goed. Ik vraag je in ieder geval de politie overal buiten te laten en ook niet op de hoogte te stellen. Over de voorwaarden van mijn vrijlating zal ik nog berichten, of met Dr. X overleggen.
Veel hartelijke groeten,
Jouw Theo

Op verzoek van Ollenburg schrijft Theo Albrecht op de enveloppe 'Spoed, ook 's nachts bezorgen'. Paul post de brief die avond in Essen bij het postkantoor. De brief wordt nog diezelfde nacht bij mevrouw Albrecht afgeleverd.

De bewaking overdag is voor rekening van Ollenburg, en de nacht-dienst van 18 uur tot 8 uur de volgende ochtend is voor Kron. Op deze manier kunnen de twee heren de rest van de tijd doorbrengen met hun naasten, zodat die geen argwaan zullen krijgen.

De geblinddoekte Albrecht krijgt op zijn eerste ochtend in het kantoor ontbijt op bed: vers brood met leverworst, bierworst, kaas en koffie. Om hem gerust te stellen gaat Ollenburg op het voeten-eind van het bed zitten. Hij belooft hem dat ze hem niets zullen aan-doen en dat hij iedere dag zijn vrouw een brief mag schrijven. Als lunch krijgt hij een rundersteak met aardappelen en groente, en een toetje na.

Na een paar dagen mag Theo vrij en zonder blinddoek rondlopen in de kamer. Iedere ochtend brengt Ollenburg hem vers fruit, mine-raalwater en vijf Duitse kranten. Ook de weekbladen krijgt hij te lezen. Om de dag mag hij in bad en Ollenburg stelt zelfs zijn scheer-apparaat beschikbaar. Op 1 december schrijft Albrecht een tweede brief aan zijn vrouw, met daarin nog steeds geen losgeldeis. Weer benadrukt hij dat het goed met hem gaat en dat het de ontvoerders enkel en alleen om zijn geld is te doen. Ook maakt hij melding van wat agendapunten die zij voor hem moet opschuiven.

Op de slaapkamer waar Theo Albrecht wordt vastgehouden, staat een televisie. Via het nieuws wordt hij op de hoogte gebracht van zijn eigen situatie. De ontvoering is wereldnieuws en de politie heeft 154 rechercheurs op de zaak gezet. Onder leiding van een hoofdcommis-saris hebben 8 onderzoeksleiders hun eigen team. Eén team houdt zich bezig met het verzamelen van de tips, een ander team gaat de straat op om ze na te trekken. Weer een ander team doet sporenonderzoek.

Op vrijdag 3 december mag Theo zijn bedrijfsleider bellen. Hier-voor wordt de huistelefoon van het advocatenkantoor gebruikt. Albrecht vraagt hem of hij zijn vrouw wil zeggen dat het goed met hem gaat.

Pas de volgende dag beginnen de onderhandelingen tussen de ontvoerders en hun slachtoffer over het losgeld. Ollenburg en Kron laten Albrecht met een voorstel komen. Die biedt 100.000 DM. De ontvoerders nemen hem niet serieus en verlaten de slaapkamer. Een dag later heeft Albrecht zijn bod verhoogd naar 500.000 DM, maar ook dat is niet genoeg.

Ollenburg laat Albrecht de omzetcijfers van de Aldi zien en pakt er een rekenmachine bij. De jaaromzet van Aldi bedraagt meer dan 2,5 miljard DM. Zelfs als de twee broers zich nederig opstellen en zichzelf maar 1 of 2 procent van de nettowinst uitkeren, hebben ze een maandloon van meer dan een 1 miljoen DM. Op basis daarvan rekent hij het losgeldbedrag uit.

Albrecht merkt op dat de winst slechts 0,8 procent van de omzet bedraagt, maar zelfs dan komt Ollenburg uit op een bedrag van 14 miljoen Duitse mark. Dat is een groot verschil met het bod van Albrecht. Als Albrecht aanvoert dat hij de winst moet delen met zijn broer Karl, hebben ze een deal. De losgeldeis wordt 7 miljoen DM. Een nieuw wereldrecord.

Diezelfde zondag gaat de door Theo geschreven losgeldbrief de deur uit. Om 9.15 uur ligt de brief bij mevrouw Albrecht op de mat.

Lieve Cilly,

Vandaag kan ik je de voorwaarden van mijn vrijlating vertellen. We zijn een losgeldeis ter hoogte van een jaarinkomen overeengekomen. De 7 miljoen moet als volgt betaald worden:
1 miljoen in briefjes van 100,-
3 miljoen in briefjes van 500,-
3 miljoen in briefjes van 1000,-

Zorg dat het geld klaarligt bij de bedrijfsleider. Houd het geld beschikbaar en zet de telefoon op het antwoordapparaat op maandag tussen 18.00 en 19.00 uur op mijn werkkamer van ons huis. Komende dinsdag volgt weer een aanwijzing over de losgeldoverdracht. Wanneer de overdracht vlekkeloos zal verlopen (geen politie, geen valse biljetten, geen zendertje, geen geprepareerde biljetten, en wanneer er een garantie wordt afgegeven dat de serienummers van de biljetten niet zijn genoteerd) word ik 24 uur later vrijgelaten.

Lieve Cilly, ik ben ervan overtuigd dat mij niets wordt aangedaan als jullie aan de genoemde voorwaarden voldoen. Breng mij alsjeblieft niet in gevaar. Ik wil ook dat er onder geen beding iets in de pers komt waardoor anderen ook oplettend worden en de zaak kunnen vertragen. De bankbiljetten moeten gebruikt zijn, uit verschillende series komen en willekeurig genummerd zijn. Wanneer dat bij de 1000-biljetten niet mogelijk is, moeten er hiervoor in de plaats meer 500- en 100-biljetten bij zitten. Verpak het geld in een tas of koffer waar het goed in past. Als jullie alles correct hebben uitgevoerd, ben ik woensdag in de loop van de avond weer thuis.

Lieve Cilly, de losgeldoverdracht kan de bedrijfsleider wel doen. Hij heeft mij aan de telefoon verteld dat hij hiertoe bereid is. Het is ook goed als hij dat samen met een collega doet. Lieve Cilly, lieve Theo en Berthold, jullie krijgen de hartelijke groeten van mij. Jouw Theo, jullie papa. Morgen schrijf ik weer.

Een dag later ontvangt Cilly nog een brief. Hierin vraagt Theo aan zijn vrouw of ze wil meegaan met de losgeldrit. Ze mag ook een van de kinderen meenemen. Dit is veiliger voor het geld: je weet maar nooit wat de chauffeurs zich met een dergelijk hoog bedrag in hun hoofd halen.

Kron en Ollenburg plannen de losgeldoverdracht voor dinsdag 7 december 1971. Per telefoon zal de losgeldchauffeur de opdracht krijgen om naar een bepaalde plek te rijden. Hier vindt de chauffeur een aanwijzing over hoe hij vervolgens moet rijden. Daarbij maken ze gebruik van twee portofoons die Paul diezelfde middag in Keulen koopt.

De ontvoerders hebben een route uitgestippeld waarlangs de chauffeur met het losgeld moet rijden. De eerste aanwijzing wordt neergelegd in Essen bij de Meisenburgstraße, ongeveer 300 meter achter de kruising met de Schuirweg. Aan de rechterkant, richting Kettwig, staat een telefoonmast. Onder aan de voet van deze mast ligt de eerste opdracht tussen twee stenen. De opdracht luidt:

Rijd verder richting Kettwig, voorbij Kettwig rechts afslaan richting Düsseldorf. Daar vindt u aan de linkerkant een bord 'Düsseldorf 21 km'. Daar ligt aan de voet van het bord de volgende opdracht tussen twee stenen.

Aan de hand van nog twee aanwijzingen komt de losgeldchauffeur uiteindelijk bij de vierde en laatste opdracht. Hierbij ligt een in plastic verpakte portofoon. De inhoud van de brief is als volgt:

Rijd verder op de B288 richting Essen. Op de parkeerplaats bij de Ruhrtalbrug stopt u en roept u over de bijgeleverde portofoon (rechterknop indrukken): 'Theo, kom alsjeblieft.' Volg daarna de aanwijzingen over de portofoon.

Bij het eindpunt zit Paul in een hoger gelegen bosje in de buurt van het parkeerterrein. Hij heeft een goed overzicht op de weg en kan de losgeldauto zien aankomen. Vanaf die plek zal hij de losgeldchauffeur per portofoon naar het bosje dirigeren. Daar moet hij de tassen met het losgeld en de portofoon achterlaten. Zodra de chauffeur vertrokken is, zal Paul de tassen pakken en naar het kantoor van Heinz-Joachim Ollenburg in Düsseldorf rijden.

Zodra het donker wordt, legt Paul de aanwijzingen klaar. Daarna belt hij vanuit een telefooncel in het postkantoor van Breitschild, een plaatsje vlak bij Essen, naar de woning van Albrecht. Er wordt opgenomen en Paul begint zijn tekst voor te lezen: 'Rijd u naar...' Dan wordt hij onderbroken. Aan de andere kant van de lijn wordt een verklaring voorgelezen. Het komt erop neer dat de familie Albrecht niet aan de eisen van de ontvoerders kan voldoen, omdat het moeilijk is het gevraagde bedrag rond te krijgen. Wanneer de ontvoerders een aanzienlijk lager bedrag zullen vragen, krijgen ze de garantie dat er betaald wordt en dat de politie erbuiten blijft. Paul denkt even na en zegt dan: 'Goed, u hoort van mij.'

Maar de politie blijft er niet buiten. Achter de schermen werkt de politie nauw samen met de familie Albrecht. De losgeldrit wordt door de politie verhinderd. Zelfs als mevrouw Albrecht erop had gestaan met het geld te gaan rijden, had de politie dit kunnen weigeren op basis van een speciale politieverordening. Sterker nog: de politie heeft beslag gelegd op het losgeld, overeenkomstig de politieverordening van de deelstaat Nordrhein-Westfalen.

Zo bepaalt de politie of er wel of niet wordt betaald. Als er toch was gereden, was een ingenieus plan in werking getreden. Bij een toneelschool heeft de politie attributen gehaald; vier politiemensen zouden incognito met het geld zijn gaan rijden, vermomd als mevrouw Albrecht, de bedrijfsleider en de twee zoons van Cilly en Theo. Maar zover komt het niet.

Paul Kron haalt de aanwijzingen weer weg en rijdt terug naar Düsseldorf. Daar zitten Theo Albrecht en Ollenburg in spanning te wachten. De heren zijn boos en teleurgesteld als ze het verhaal van

Paul horen. Theo Albrecht verwoordt dit in een brief aan zijn vrouw, die diezelfde nacht nog wordt bezorgd. Ollenburg laat Albrecht met de huistelefoon naar de bedrijfsleider bellen. Die leest een verklaring voor waarin de hulp van de bekende bisschop Hengsbach wordt aangeboden. Deze heeft ambtshalve zwijgplicht en beroepsgeheim, en kan als tussenpersoon het losgeld overhandigen.

Op donderdag 9 december schrijft Theo weer een brief aan zijn vrouw. Wederom benadrukt hij dat het goed met hem gaat. Hij schrijft ook een brief aan de bisschop, waarin hij hem alvast bedankt voor zijn hulp. De brieven worden nu steeds in andere steden gepost. Bij het postkantoor in Essen wemelt het al een tijdje van de politiemensen die zich voordoen als verliefde stelletjes, zo heeft Kron gemerkt. In geen enkele brief aan mevrouw Albrecht wordt overigens gedreigd dat Albrecht iets zal worden aangedaan wanneer er niet betaald wordt.

In de brieven naar justitie en de politiek is die dreiging er wel. Daarin schrijven de ontvoerders dat ze Theo eventueel wel een jaar kunnen vasthouden. Zo willen ze de indruk wekken dat de politie te maken heeft met een revolutionaire studentenbeweging.

De volgende ochtend belt Kron vanuit een telefooncel in Kettwig naar de bisschop. De bisschop stelt voor om gelijk over te steken: zij het losgeld, hij Theo. Ze kunnen Albrecht naar zijn pastorie of de kerk brengen en daar het geld meekrijgen. De bisschop belooft verder absolute geheimhouding. Kron zegt dat hij de volgende dag op dezelfde tijd weer zal bellen om de losgeldoverdracht te bespreken.

De media hebben ondertussen ook lucht gekregen van de ophanden zijnde overdracht. De kranten weten zelfs dat er een geestelijke bij betrokken zal zijn. Voor de ontvoerders is dit reden om die avond af te zien van de losgeldoverdracht. Kron neemt geen contact meer op met de bisschop. Op televisie spreekt een politiecommissaris die avond zijn zorgen uit of Albrecht nog wel in leven is.

Om iedereen gerust te stellen mag Theo Albrecht zijn familie bellen. Ze gaan ervan uit dat er een tap op de telefoon bij mevrouw Albrecht zit, dus laten ze Theo zijn broer Karl bellen. Op vrijdag 10 december belt Theo iets na 21.30 uur naar zijn broer Karl. Hij vertelt hem dat het goed met hem gaat en hij zich geen zorgen hoeft te maken.

In het weekend schrijft Theo brieven aan zijn vrouw, de bisschop en zijn broer Karl. Hij stelt voor dat Karl met het losgeld gaat rijden. Er gaan ook brieven naar de krant en naar justitie. De inhoud hiervan wordt op een schrijfmachine getypt door Ollenburg, waarna Albrecht ze overschrijft. Ollenburg wil voorkomen dat een getypte brief in handen van justitie belandt, want op basis daarvan zou te achterhalen zijn welke typemachine is gebruikt. Dit zou een spoor in de richting van Ollenburg kunnen opleveren.

De uitgebreide brief aan Karl Albrecht vermeldt de bekende voorwaarden, net zoals de eerdere losgeldbrieven. Op dinsdag 14 december zullen de ontvoerders tussen 15 en 16 uur telefonisch contact opnemen met het kantoor van Karl in Müllheim en instructies geven voor het droppen van het losgeld.

Die dinsdagmiddag legt Paul Kron alle opdrachten langs de losgeldroute weer op hun plek. Daarna belt hij vanuit een openbare telefooncel in Kettwig naar Karl Albrecht. Karl legt uit dat hij onmogelijk met het losgeld kan gaan rijden. Hij wordt continu in de gaten gehouden door de pers; journalisten zullen hem sowieso volgen en dat zou de overdracht alleen maar in gevaar brengen. Karl stelt voor om toch een geestelijke te laten rijden, desnoods eentje uit een andere stad. De geestelijke zal Theo 24 uur na de overdracht in 'gijzeling' houden, zodat de ontvoerders een voorsprong hebben. Hiermee gaat Kron akkoord.

Ook de tweede poging is dus mislukt. Kron haalt de opdrachten weer op en rijdt naar Düsseldorf. Ollenburg is na deze tweede mislukking compleet van slag en overweegt zelfs om Theo Albrecht vrij te laten. Theo belooft aan Ollenburg dat hij dan later zelf wel zal betalen. Alles zal voor de kerst worden afgehandeld.

Het verloopt allemaal anders. Op woensdag 15 december belt Paul Kron de bisschop en vertelt hem dat hij in de namiddag van donderdag 16 december weer zal bellen. Uit angst dat de telefoon van de bisschop wordt afgeluisterd, bellen ze de volgende dag een kapelaan met het verzoek de boodschap over te brengen aan de bisschop. De boodschap luidt: 'Rijd met de 7 miljoen aan losgeld naar een verlaten landweg, Bundesstraße 227 in Breitschild.'

Op het kantoor van Ollenburg nemen de mannen alvast afscheid van Theo Albrecht. Ze drinken champagne en Albrecht krijgt een kerstpakket met daarin twee boeken: *Capone* van John Kobler en *Der dressierte Mann* van Esther Vilar.

Om 18.30 uur vertrekken de drie mannen en een halfuur later komen ze aan bij de afgesproken plek op een kruispunt bij Breitschild. Onder aan het kruispunt is een bosje. Hier kunnen ze ongezien wachten totdat de bisschop komt. Bovendien zijn er van hieruit verschillende uitvalswegen om met het losgeld weg te komen.

De avond vordert, maar de bisschop is in geen velden of wegen te bekennen. Ollenburg belt vanuit een telefooncel naar de kapelaan. Een bediende neemt op en zegt dat de kapelaan al een tijdje weg is. Als Ollenburg terug is, ziet hij door de bosjes plotseling een paar koplampen schijnen. Er stopt een Volkswagen en twee mannen stappen uit. De bisschop herkennen ze uit de media, maar de kapelaan zou net zo goed een verklede politieman kunnen zijn.

De vijf mannen begroeten elkaar. De bisschop vertelt dat het geld zit verpakt in twee kerstpakketten, die hij nog moet ophalen. Dit verbaast zowel Albrecht als zijn ontvoerders, maar ze hebben geen andere keus dan hem te vertrouwen. De bisschop en de kapelaan vertrekken weer om de kerstpakketten op te halen. Een uur later komen ze terug. Voordat de bisschop de pakketten overhandigt, stelt hij een paar vragen waarop alleen de echte Theo Albrecht het antwoord kan weten.

Even breekt er paniek uit wanneer Albrecht de eerste vraag fout beantwoordt, maar gelukkig heeft hij de andere vragen wel goed. De kapelaan haalt de kerstpakketten uit de auto. Ze steken gelijk over. Daarna verontschuldigen de ontvoerders zich dat ze weg moeten. 'Sorry, maar dit moet vanavond nog geteld.' Voordat ze vertrekken, wensen de twee partijen elkaar nog een vrolijk kerstfeest. Theo Albrecht stapt bij de bisschop en de kapelaan achter in de auto. De kapelaan geeft vol gas. Ze rijden naar de ambtswoning van de bisschop. Volgens afspraak blijft Theo daar nog een etmaal. Een dag later zal hij, om de pers te ontwijken, via de achterdeur zijn eigen woning binnengaan.

Paul Kron en Heinz-Joachim Ollenburg rijden met hun kerstpakketten naar Düsseldorf, naar de woning van Paul aan de Bundesstraße. Eenmaal binnen zetten ze een kerstplaat op. De twee mannen zijn door het dolle heen. Ollenburg denkt terug aan zijn eerste bezoek aan de woning van Paul, halverwege de jaren zestig. Paul draaide toen steeds het lied van Karel Gott: 'Einmal um die ganze Welt und die Taschen voller Geld'.

De kerstpakketten worden uitgepakt. Ze bevatten een grote en een kleine aktetas, met in totaal drie pakketten met duizend biljetten van 1000 mark, zes pakketten met duizend biljetten van 500 mark en tien pakketten met duizend biljetten van 100 mark. Bij elkaar dus 7 miljoen Duitse mark. Het hele pakket weegt zo'n 120 kilo.

Het geld heeft veertien dagen lang klaargestaan voor transport bij de Dresden Bank AG in Essen. De politie wilde de briefjes van 500 en 1000 bewerken met een chemische stof die onzichtbare sporen nalaat. Met een speciale lamp zou je dan kunnen zien wie het geld in handen heeft gehad. De advocaat van de familie Albrecht vond dit echter te riskant en gaf daarom geen toestemming. Wel zijn alle serienummers van de biljetten genoteerd.

Paul wil van zijn deel van het losgeld een aanzienlijk bedrag schenken aan de kerk voor de bewezen dienst. Ook wil hij Ollenburg een sportwagen cadeau doen. Voor zichzelf heeft hij in ieder geval een schoonheidsoperatie in Zwitserland in gedachten. Eindelijk kan hij wat aan zijn wipneus laten doen.

Het geld wordt verdeeld. Ollenburg lost zijn schuld bij Paul af en houdt nog 3,3 miljoen over. Een deel verpakt hij in lege jerrycans van vijf liter, en een ander deel in plastic tassen. Hij verstopt het geld in zijn kantoor, koopt leuke dingen voor zijn kinderen en heeft eindelijk tijd om zijn vriendin Hanne eens flink te verwennen. Ze wordt overstelpt met cadeaus en etentjes.

Paul probeert de aktetassen waarin het losgeld heeft gezeten te dumpen in het kanaal. Hij verzwaart de tassen met stenen, zodat ze niet meer te tillen zijn. Hij sleept ze naar het water, waar de stenen meteen naar de bodem zakken, maar de tassen blijven drijven. Paul springt het water in, maar het lukt hem niet om de tassen nog te pakken te krijgen. Enigszins onderkoeld trakteert hij zichzelf die avond in een restaurant op een halve kip en een biertje.

De volgende dag doet hij kerstinkopen. Hij koopt cadeaus voor zijn kinderen, onder meer twee fietsen, een microscoop, boeken en snoep. 's Avonds gaat hij eten bij zijn zuster. Daar verslikt hij zich bijna in een broodje wanneer hij in de nieuwsuitzending op televisie zijn eigen stem hoort. Het telefoongesprek dat hij op 4 december voerde met Karl Albrecht, wordt uitgezonden. Gelukkig hebben zijn zuster en zwager niets in de gaten. Na het eten vertrekt Paul zo snel mogelijk en belt hij ongerust naar Heinz-Joachim.

Die gaat meteen aan de slag. Alles wat in zijn kantoor nog kan verwijzen naar de gevangenschap van Theo Albrecht, wordt vernie-

tigd: plakband, etensresten, het kladblok, kranten en de weekbladen. De wikkels van de bundels losgeld worden verbrand en door
het toilet gespoeld. Het geld is niet langer veilig in het kantoor; hij
wil het begraven. Maar voordat hij dat doet, lost hij zijn schulden af
– in totaal zo'n 473.000 Duitse mark – en koopt hij een ticket naar
Mexico voor een vakantie met Angela Poeck, het meisje dat met haar
ouders naar de Verenigde Staten is geëmigreerd.

Naar aanleiding van het uitgezonden telefoongesprek komen 120
tips binnen, waarvan 35 in de richting van Paul Kron wijzen. Zo zijn
er twee leidsters van de kinderopvang die menen dat ze Pauls stem
herkennen. Als Kron na hun melding zijn kinderen komt ophalen,
zoals iedere zondag, geven ze hem alle vier kinderen gewoon mee.
De leidsters denken dat ze zich vergist hebben, anders had de politie
hem allang opgepakt.
   Maar de politie zit op een heel ander spoor. Er zijn ruim zevenhonderd tips binnengekomen en op basis daarvan heeft de politie twee mannen opgepakt. Ze zouden zijn getraceerd nadat ze
mevrouw Albrecht hadden opgebeld met instructies over de betaling van het losgeld, zo melden verschillende media op 20 december 1971. De stempels in hun paspoorten tonen echter aan dat ze ten
tijde van de ontvoering in Hongarije zijn geweest. Pas nadat de stempels ter plekke op echtheid zijn gecontroleerd, concludeert de politie
dat ze een sluitend alibi hebben. Na twee dagen komen de mannen
weer vrij.
   Er is ook een tip van de eigenaar van een elektronicawinkel. De
49-jarige Jurgen Urban heeft als hobby het identificeren van dialec-
ten en stemmen. Urban herkent ook alle stemmen van zijn klanten.
Op zaterdag 18 december komt Paul Kron zijn winkel binnenlopen
om een openstaande rekening van een nieuwe televisie te voldoen.
Paul koopt er een nieuwe stereotoren bij en rekent 3400 DM contant
af, onder meer met briefjes van 500.
   De winkelier hoort 's avonds in het tv-programma *Hier und Heute*
de stem van Paul. Even later klinkt dezelfde stem in het *Journaal*. Nu
weet hij het zeker: dit is de stem van Paul Kron, de man die 's middags bij hem in de winkel was. Elektronicahandelaar Urban belt de
politie. Zijn tip komt op de stapel.
   Pas twee dagen later krijgt hij twee politiemannen in zijn winkel.
Nu bekend is dat de politie de verkeerde mannen heeft opgepakt,
wordt de tip van de elektronicahandelaar plotseling interessant. De

politie controleert de biljetten waarmee Kron heeft betaald en ontdekt dat de serienummers overeenkomen met de serienummers op de lijst. De elektronicahandelaar kan de politie het adres van Paul Kron geven en daarmee is de gouden tip compleet.

Diezelfde dag, dinsdag 21 december 1971, worden een huiszoekings- en arrestatiebevel uitgevaardigd. De politie gaat naar zijn woning, maar Paul is niet thuis. Hij wordt opgewacht en 's nachts gearresteerd. Paul Kron ontkent elke betrokkenheid bij de ontvoering. De 10.000 DM losgeld die de politie bij hem vindt, heeft hij ontvangen van een onbekende persoon, aan wie hij een diamanten ring zou hebben verkocht.

Advocaat Heinz-Joachim Ollenburg begint 'm te knijpen, helemaal als een vriend van Paul – die niets af weet van de samenwerking tussen beiden – hem vraagt of hij Paul niet kan bijstaan. Paul houdt intussen zijn kaken stijf op elkaar, mede om Ollenburg in bescherming te nemen. Hij weet dat zijn compagnon rond 27 december het land zal verlaten met zijn vriendin. Pas twee dagen daarna legt hij een bekentenis af waarin hij Ollenburg een grote rol toedicht; voor hemzelf was de ontvoering net iets te veel van het goede.

Ollenburg zit dan al met zijn bijna dertig jaar jongere vriendin Angela 'Blondy' Poeck in het vliegtuig van Frankfurt naar Acapulco, Mexico. Vanaf daar vliegen ze verder naar Mexico City. Ollenburg heeft overwogen om de vlucht te annuleren, maar heeft besloten toch te gaan omdat hij het Blondy had beloofd en zij zich erop verheugde. De terugvlucht staat gepland voor 13 januari: Ollenburg wil niet voor altijd op de vlucht zijn.

Intussen heeft Interpol in 107 landen een opsporingsbevel uitgevaardigd met een foto van Heinz-Joachim Ollenburg. Wereldwijd speuren meer dan 10 miljoen politiemensen naar hem. Op woensdag 29 december om 22 uur landen de twee in Acapulco. Na een overstap komen ze tweeënhalf uur later aan in Mexico City. Als de twee de volgende ochtend, na een wandeling in de omgeving, terugkeren bij hun hotel, wordt Ollenburg in de boeien geslagen door de Mexicaanse politie. Ook Blondy wordt gearresteerd, hoewel zij niets weet van de ontvoering die Ollenburg op zijn geweten heeft.

Ollenburg vindt al snel uit dat Mexico geen mensen uitlevert aan Duitsland, tenzij er sprake is van heel ernstige feiten. Hij mag dan ook in Mexico blijven, maar ziet daar toch maar van af. Op oudejaarsdag vliegen Blondy en Ollenburg terug naar Duitsland. Boven de Atlantische Oceaan, als het volgens de Duitse tijd middernacht is, wenst de gezagvoerder alle inzittenden een gelukkig nieuwjaar. Heinz-Joachim en Blondy krijgen van de stewardess een fles champagne en twee glazen.

Als het vliegtuig vroeg in de ochtend landt, worden de twee officieel gearresteerd op Duitse bodem. Onder politiebegeleiding worden ze door de douane geloodst. Daar worden ze opgewacht door meer dan honderd journalisten en fotografen.

Heinz-Joachim Ollenburg wordt vastgehouden op het politiebureau van Essen. Tijdens de verhoren wordt hem duidelijk dat Paul Kron alles heeft opgebiecht en hem de meeste schuld in de schoenen wil schuiven. Kron heeft ook verklaard dat Ollenburg het losgeld van 7 miljoen DM in zijn bezit heeft. Het heeft geen zin voor Ollenburg om zijn rol bij de ontvoering te ontkennen. Wel ontkent hij dat het losgeld allemaal bij hem is. Het is eerlijk verdeeld, zo vertelt hij: hij heeft zijn deel verstopt in een jerrycan, die hij op de dag dat hij naar Mexico vloog in de Rijn heeft gegooid. Hij dacht namelijk dat hij door de politie werd gevolgd.

De politie gelooft niets van zijn verhaal. Er wordt een jerrycan geprepareerd die vanaf hetzelfde punt in het water wordt gegooid. Tot hun verbazing past al het geld er inderdaad in, maar het probleem is dat de jerrycan van Ollenburg dan allang via Nederland naar de Noordzee moet zijn gedreven.

Op alle locaties van de ontvoering vindt een reconstructie plaats. Theo Albrecht herkent het kantoor van Ollenburg als de plek waar hij werd vastgehouden. Ook worden de twee mannen door hem als de ontvoerders geïdentificeerd.

Eind januari besluit Ollenburg de politie toch maar te vertellen waar hij zijn deel van het losgeld heeft begraven, op één voorwaarde: hij wil 50.000 Duitse mark houden om van te kunnen leven als hij weer vrijkomt. Justitie en Theo Albrecht gaan akkoord. In totaal heeft hij een bedrag van bijna 3 miljoen DM begraven op drie verschillende plekken. De politie gaat aan de slag op de door Ollenburg aangegeven plaatsen.

De eerste vijfliterjerrycan met ruim 900.000 DM in briefjes van 1000 vinden ze bij een bosje bij de kruising Ratingen-Kaiserswerth, richting Düsseldorf. Ollenburg wijst de plek aan. De buit ligt 30 centimeter onder de grond aan de voet van een eik. Het opgraven van de tweede jerrycan gaat een stuk moeilijker, maar na urenlang graven wordt ook die gevonden, met daarin ruim 600.000 DM. Een dag later worden in een bos bij Südewick op aanwijzing van Ollenburg de plastic tassen opgegraven met het resterende deel. Hij graaft zelf mee. De bijna 1,3 miljoen DM wordt al na 10 minuten gevonden.

Ruim een jaar na de ontvoering, in januari 1973, begint het proces tegen Heinz-Joachim Ollenburg en Paul Kron. De rechtbank is overvol. Het proces trekt wereldwijd de aandacht. De centrale vraag in de rechtszaal blijft: waar is de andere helft van het losgeld?

De twee verdachten geven elkaar over en weer de schuld. Kron begint over een groep Franse criminelen die volgens hem bij de ontvoering betrokken zou zijn. Later zegt hij dat Ollenburg al het losgeld heeft gehouden en hem slechts een klein deel heeft gegeven.

Ollenburg verklaart dat het geld eerlijk is verdeeld en dat Kron dus het ontbrekende deel in zijn bezit moet hebben. Volgens Ollenburg, die wordt bijgestaan door de bekende dure Duitse strafpleiter mr. Rolf Bossi, hebben ze Albrecht heel goed behandeld. 'Hij had bij ons de tijd van zijn leven en kende eigenlijk geen zorgen,' aldus Ollenburg in de rechtszaal. 'Theo zong de hele dag de liedjes mee op de radio.'

Theo Albrecht zelf verklaart tijdens de rechtszitting dat hij de ontvoering zeker geen pretje vond. Achttien dagen heeft hij in doodsangst doorgebracht. 'Mijn ogen werden dichtgeplakt met pleisters en men hield mij gebonden vast in veel te nauwe ruimtes, waardoor ik onmogelijk kon slapen en het veel te warm had.' Later werd het wat gemakkelijker, toen hij in het kantoor van Ollenburg werd ondergebracht, maar de rit daar naartoe was een dodemansrit geweest. Achter in de Volkswagenbestelbus lag hij op de koude vloer en werd in elke bocht van de ene naar de andere kant geslingerd.

Ook was hij doodsbenauwd geweest toen hij het kerstpakket met boeken kreeg, vlak voor zijn vrijlating. Albrecht was bang dat in de doos een bom zat. Ook ging hij er steeds van uit dat er meerdere ontvoerders waren: tijdens de ontvoering spraken Ollenburg en Kron over andere mannen door wie ze werden aangestuurd. Albrecht had zelfs 'per ongeluk' enkele namen gehoord. Kron en Ollenburg hadden dit met opzet gedaan om Albrecht op een dwaalspoor te zetten.

De aanklager eist twaalf jaar cel tegen beide verdachten. Op 23 januari 1973 veroordeelt de rechtbank hen tot een gevangenisstraf voor de duur van acht jaar en zes maanden.

Tien maanden eerder, op 25 maart 1972, heeft de politie al een feestje gevierd op de goede afloop. Het feest vindt plaats op het sportcomplex van de politie in Essen. Theo Albrecht bedankt de politie door het leveren van honderdtwintig flessen champagne, twee vaten bier en twaalf flessen sterkedrank voor het feest. Zelf is hij niet van de partij: hij viert zijn vijftigste verjaardag op Tenerife, samen met zijn gezin.

De helft van het losgeld wordt nooit teruggevonden, ook niet na uitloving van een beloning van 600.000 DM door Theo Albrecht. Na de ontvoering meden de gebroeders Albrecht de publiciteit. Het losgeldrecord zou enkele jaren later met een factor drie toenemen, maar wel in Duitse handen blijven (zie hoofdstuk 11). Het Aldiconcern kreeg door de ontvoering veel publiciteit en daardoor meer klanten. Dit was al merkbaar tijdens de ontvoering.

Eind jaren zeventig komt Theo Albrecht nog één keer volop in het nieuws als hij via een rechtszaak probeert het betaalde losgeld af te trekken van de belasting. Deze zaak verliest hij. Met hun Aldiconcern breken de gebroeders nog vele records. Jarenlang staan ze in de top 50 van rijkste mannen van de wereld. Op 24 juli 2010 overlijdt Theo Albrecht op 88-jarige leeftijd. Volgens het Amerikaanse zakenblad *Forbes* laat hij een geschat vermogen na van 16,7 miljard euro.

No. 1

July 3

Mr. Ros— be not uneasy
you son charly bruster
he al writ we is
got him and no powers
on earth can deliver
out of our hand— You
wil hav two pay us
befor you git him from
us— an pay us a big
cent. to— if yu put
the cops huntedy for him
yu is only defeeting
yu own end— we is
got him fitt so no living
power can gits him
from us a live— if
any aproch is maid
to his hidin place
that is the synil
for his instant
anihilation— if yu
regard his lif puts no

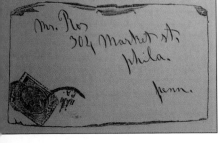

De eerste losgeldbrief met
bijbehorende envelop uit
1874 gericht aan 'mr. Ros',
de vader van de ontvoerde
Charley Ross (H. 1).

Mr. Ros
304 Market st;
Phila.

Penn.

$20,000 REWARD

Has been offered for the recovery of CHARLIE BREWSTER ROSS, and for the arrest and conviction of his abductors. He was stolen from his parents in Germantown, Pa., on July 1st, 1874, by two unknown men.

DESCRIPTION OF THE CHILD.

The accompanying portrait resembles the child, but is not a correct likeness. He is about four years old; his body and limbs are straight and well formed; he has a round, full face: small chin, with noticeable dimple; very regular and pretty dimpled hands; small, well-formed neck; full, broad forehead; bright dark-brown eyes, with considerable fullness over them; clear white skin; healthy complexion; light flaxen hair, of silky texture, easily curled in ringlets when it extends to the neck; hair darker at the roots,—slight cowlick on left side where parted; very light eyebrows. He talks plainly, but is retiring, and has a habit of putting his arm up to his eyes when approached by strangers. His skin may now be stained, and hair dyed,—or he may be dressed as a girl, with hair parted in the centre.

DESCRIPTION OF THE KIDNAPPERS.

No. 1 is about thirty-five years old; five feet nine inches high; medium build, weighing about one hundred and fifty pounds; rather full, round face, florid across the nose and cheek-bones, giving him the appearance of a hard drinker; he had sandy moustache, but was otherwise clean shaved; wore eye-glasses, and had an open-faced gold watch and gold vest-chain; also, green sleeve-buttons.

No. 2 is older, probably about forty years of age, and a little shorter and stouter than his companion; he wore chin whiskers about three inches long, of a reddish-sandy color; and had a pug-nose, or a nose in some way deformed. He wore gold bowed spectacles, and had two gold rings on one of his middle fingers, one plain and one set with red stone.

Both men wore brown straw hats, one high and one low-crowned; one wore a linen duster; and, it is thought, one had a duster of gray alpaca, or mohair.

Any person who shall discover or know of any child, which there is reason to believe may be the one abducted, will at once communicate with their Chief of Police or Sheriff, who has been furnished with means for the identification of the stolen child.

Otherwise, communications by letter or telegraph, if necessary, will be directed to either of the following officers of

PINKERTON'S NATIONAL DETECTIVE AGENCY,

Viz:
BENJ. FRANKLIN, Sup't, 45 S. Third St., Philadelphia, Pa.
R. A. PINKERTON, Sup't, 66 Exchange Place, New York.
F. WARNER, Sup't, 191 and 193 Fifth Avenue, Chicago, Ill.
GEO. H. BANGS, Gen'l Sup't.

ALLAN PINKERTON

Opsporingsflyer Charley Ross, 1874 (H. 1).

Vermoedelijke ontvoerders Charley Ross: William Mosher en Joseph Douglas (H. 1).

Grafkelder van de familie Bogaardt op de Algemene begraafplaats in Brummen (Gld.) (H. 2).

Willem Marianus de Jongh, de ontvoerder van Marius Bogaardt (H. 2).

Gedenksteen Marius Bogaardt, eerste slachtoffer losgeldontvoering in Nederland (H. 2).

De eerste Nederlandse losgeldbrief uit 1880 (H. 2).

Eddie Cudahy (H. 3).

Pat Crowe, het brein achter de 'gelukte' Cudahy-ontvoering (H. 3).

luchtvaartpionier Charles A. Lindbergh en zijn vrouw Anne (H. 4).

Charles Lindbergh jr. is jarig (H. 4).

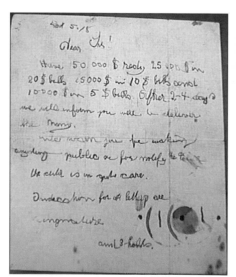

Losgeldbrief Charles Lindbergh jr.,
ondertekend met een opvallend symbool
(H. 4).

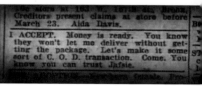

Wanneer de familie Lindbergh bereid
is het losgeld te betalen, moet zij een
advertentie plaatsen in de krant
(H. 4).

WANTED

INFORMATION AS TO THE
WHEREABOUTS OF

CHAS. A. LINDBERGH, JR.

OF HOPEWELL, N. J.

SON OF COL. CHAS. A. LINDBERGH

World-Famous Aviator

**This child was kidnaped from his home
in Hopewell, N. J., between 8 and 10 p. m.
on Tuesday, March 1, 1932.**

DESCRIPTION:

Age, 20 months   Hair, blond, curly
Weight, 27 to 30 lbs.   Eyes, dark blue
Height, 29 inches   Complexion, light
Deep dimple in center of chin
Dressed in one-piece coverall night suit

ADDRESS ALL COMMUNICATIONS TO
COL. H. N. SCHWARZKOPF, TRENTON, N. J., or
COL. CHAS. A. LINDBERGH, HOPEWELL, N. J.

ALL COMMUNICATIONS WILL BE TREATED IN CONFIDENCE

COL. H. NORMAN SCHWARZKOPF
March 11, 1932   Supt. New Jersey State Police, Trenton, N. J.

De opsporingsposter voor Charles jr. werd verspreid over heel
Amerika (H. 4).

Bij de losgeldoverhandiging
gaf de ontvoerder dit briefje
(H. 4).

Een compositietekening toont gelijkenissen met de Duitse verdachte Bruno Richard Hauptmann (H. 4).

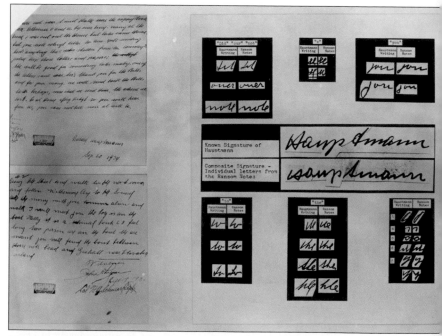

Handschriftonderzoek speelt een belangrijke rol bij de bewijsvoering (H. 4).

Oliemiljonair Charles F.
Urschel (H. 5).

Urschel-ontvoering is voorpaginanieuws
(H. 5).

Codeadvertentie Urschel-
ontvoering (H. 5).

De kamer waar Urschel met een ketting aan een tafelstoel werd vastgeketend (H. 5).

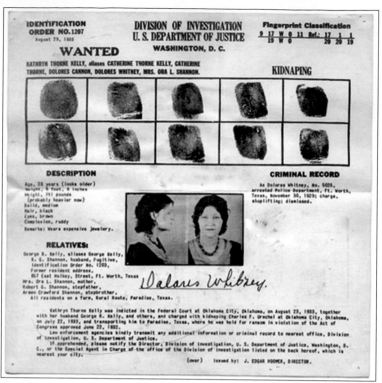

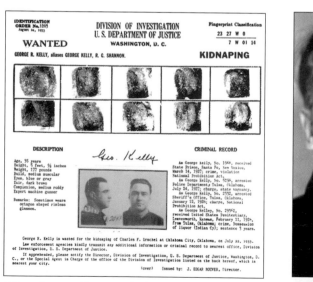

De FBI *Wanted*-posters van de verdachten, het echtpaar Kathryn en George 'Machine Gun' Kelly (H. 5).

Wanted-poster George 'Machine Gun' Kelly (H. 5).

Albert L. Bates, ontvoerder van Charles F. Urschel (H. 5).

'Machine Gun' Kelly wordt van de gevangenis naar de luchthaven van Memphis begeleid. Vandaar wordt hij overgevlogen naar Oklahoma City. Kelly is de eerste gevangene in de VS die via het luchtruim wordt vervoerd (H. 5).

George en Kathryn Kelly worden in oktober 1933 veroordeeld tot levenslang voor hun aandeel in de ontvoering van Charles F. Urschel (H. 5).

George 'Machine Gun' Kelly zit zeventien jaar in de beruchte Alcatraz-gevangenis. In 1951 wordt hij overgeplaatst naar de gevangenis van Leavenworth. Hier overlijdt hij op 18 juli 1954, op zijn verjaardag, aan de gevolgen van een hartaanval (H. 5).

Zijn voortvluchtige ontvoerders Raymond Rolland en Pierre Larcher verblijven gelijktijdig in hetzelfde skigebied. Korte tijd later volgt hun arrestatie in dat gebied. (H. 6).

Eric Peugeot gaat na zijn ontvoering op skivakantie (H. 6).

De door de politie genoteerde serienummers van de bankbiljetten verschijnen in de Franse kranten (H. 6).

Peugeot-ontvoering voorpaginanieuws (H. 6).

Jeugdvrienden Joe Amsler en Barry Keenan ontvoeren in 1963 Frank Sinatra jr. (H. 7).

Frank Sinatra sr. biedt de ontvoerders 1 miljoen dollar losgeld. De ontvoerders willen 'maar' 240.000 dollar. Het losgeld past in deze koffer (H. 7).

Frank Sinatra jr. staat de pers te woord, korte tijd na zijn vrijlating (H. 7).

Studente Barbara Jane Mackle wordt levend begraven. Voor een polaroidfoto als teken van leven moet ze lachen van haar ontvoerders. Nadien schrijft ze haar ontvoeringsverhaal op (H. 8).

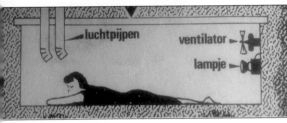

Situatieschets van gevangenschap Mackle (H. 8).

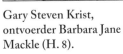

Gary Steven Krist, ontvoerder Barbara Jane Mackle (H. 8).

Mededader Ruth Eisemann-Schier is de eerste vrouw in de FBI Most Wanted Top-100 lijst (H. 8).

Mede-oprichter
supermarktconcern Aldi,
Theo Albrecht, staat kort
na zijn vrijlating de pers te
woord (H. 9).

Albrecht-ontvoerders,
hier gescheiden door een
parketwacht, autosloper
Paul Kron en Heinz-
Joachim Ollenburg (r)
worden tot acht jaar cel
veroordeeld (H. 9).

Het losgelddeel van Ollenburg zit in jerrycans
en plastic tassen in de grond verstopt (H. 9).

John Paul Getty III, kort na zijn vrijlating, met de Italiaanse politie (H. 10).

John Paul Getty III. Duidelijk is zijn verminkte oor te zien (H. 10).

DER SPIEGEL

Fall Oetker
Entführung
das neue
Verbrechen

Cover van *Der Spiegel* met het verhaal over de ontvoering van Richard Oetker (H. 11).

De pick-up van Oetker-ontvoerder Dieter Zlof met een geheime ruimte voor losgeld (H. 11).

De broer van Richard Oetker staat te wachten met de koffer vol losgeld onder het uithangbord met de letter A. Ontvoerder Dieter Zlof pakt de koffer onverwachts vanachter een vluchtdeur, die maar aan één kant open kan (H. 11).

Replica kist Richard Oetker (H. 11).

Richard Oetker op krukken (H. 11).

Oetker-ontvoerder Dieter Zlof (H. 11).

Door water en modder aangetast losgeld
Oetker-ontvoering (H. 11).

Onroerendgoedmagnaat Maurits Caransa (H. 12).

Piet *de Chef* Clement, brein achter de Caransa-ontvoering (H. 12).

Toos van der Valk (H. 13).

Hoofddaders Van der Valk-ontvoering: v.l.n.r. Franco Catberro, Michella Castello, Giancarlo Tomei en Giorgio La Volpe (H. 13).

De Heineken-ontvoerders: Willem Holleeder, Cor van Hout, Jan Boellaard en Frans Meijer, Las Vegas 1981 (H. 14).

Twee weken voor zijn ontvoering krijgt Ab Doderer (r) door zijn baas Freddy Heineken een onderscheiding opgespeld omdat hij veertig jaar in dienst is bij het Heineken-concern (H. 14).

parketno. 13.16.466.4 inz. HOLLEEDER
vs 19 februari 1987

-11-

30

Aan het Heinekenconcern,
T.a.v. de fam. A. Heineken.

Dit zijn de eisen van de ontvoerders van Heineken.
Wij onderhandelen niet wij eisen.!!
Wij eisen een losgeld ter terugverkrijging van Heineken en
chauffeur.
Hierbij ingesloten het bewijs dat wij de ontvoerders zijn van
Heineken en chauffeur.
Onze eisen moeten stipt uitgevoerd worden, alle wijzigingen of
veranderingen van de eisen, hoe klein dan ook, door U niet
stipt uigevoerd is ten uwe verantwoording.
Wij eisen:
Stop de publiciteit over de ontvoering (krant, radio, t.v.
ect. ect.)
Het is verboden zoekacties naar de ontvoerde mensen waar dan
ook in Europa te houden, door de Politie of welke instelling
dan ook.
Het losgeld moet in de volgende valutas betaald worden,
50.000 biljetten van 500 F.F. Franse frank = 12.5 miljoen F.F.
50.000 biljetten van 100 DM. Duitse mark = 5 miljoen DM.
50.000 biljetten van 100 HFL. Hol. gulden = 5 miljoen gulden.
50.000 biljetten van 100 USA dollar = 5 miljoen dollar.
Deze biljetten moeten diverse malen in de roulatie zijn geweest en moeten onwillekeurig genummerd zijn.
De bankbiljetten dienen gebundeld te worden in pakjes van
100 stuks, elk pakje met twee elastiekjes (stevige) bundelen.
Deze 2.000 pakjes geld worden moeten in 5 stuks Nederlandse
postzakken worden gestopt, bind elke zak stevig dicht.!!
Als er aan of met het geld geknoeid is b.v. gemerkt, valsgeld,
met vloeistof behandeld, de nummers genoteerd ect. ect.
dan is het afgelopen met hen.!!
U brengt de zakken met geld naar de Ark te Noordwijk, daar zet
U de zakken klaar voor transport in een witte VW.transportbus
De bus dient aan elke zijkant met twee rode X (kruizen) beschil-
derd te worden. (de X kruizen ± 60 cm. hoog maken.)
De VW. transportbus met het geld er in moet van een volle
tank benzine voorzien zijn.
Zorg dat er op de Ark te Noordwijk een ongewapende Politieambtenaar in burgerkleding, als chauffeur voor de VW. transporter-
bus continue aanwezig is. Deze politieambtenaar moet in het
bezit zijn van het kenteken van de VW. transportbus met de
groene kaart, zijn rijbewijs, paspoort, Politie legitimatiebe-
wijs, 250 Duitsemarken en 250 Hollandse gulden.

Als U deze eisen stipt heeft uitgevoerd dan plaats U een advertentie in het dagblad de Telegraaf, onder de rubriek Felicitaties,
"Het weiland is groen voor de Haas."

Let op!!, U heeft voor deze eisen maximaal 3 dagen de tijd,
na ontvoering.!!

                3 dagen!!.

p.s.
Als wij contact met jullie opnemen, gebruiken wij de codenaam
" de Adelaar " jullie codenaam voor ons is " de Haas ".
Als wij telefoneren, dan bellen wij naar de Ark te Noordwijk
onder nummer 01719 - 12502, zorg dat dit nummer voor de Adelaar
berijkbaar is. (Maak desnoods vrije lijnen!!).

De eerste losgeldbrief deponeren de ontvoerders bij een politiebureau (H. 14).

De Heineken-ontvoering is
voorpaginanieuws. *De Telegraaf*,
10 november 1983 (H. 14).

> Het weiland is groen voor de
> haas. CONTACT dringend ge-
> wenst. De aard van deze ru-
> briek vereist een gelukwens
> aan het slot.

> Hartelijk gefeliciteerd. Het wei-
> land is groen voor de HAAS.
> Kontakt dringend gewenst.

> Hartelijk gefeliciteerd. Het wei-
> land is groen voor de haas.
> Teneinde het weiland te berei-
> ken is om uitsluitend PRAKTI-
> SCHE redenen voorafgaand
> contact vereist.

> Hartelijk GEFELICITEERD, het
> weiland is groen voor de haas.
> Teneinde het weiland te berei-
> ken is voorafgaand contact
> vereist.

Codeadvertenties in de
Speurdersrubriek van *De Telegraaf* van
resp. 11, 12, 16 en 22 november 1983
(H. 14).

Alfred Heineken met *Sport am Sonntag* van 27 november 1983.
Bron: *Meneer Heineken, het is voorbij* / G. van Beek (H. 14).

Overzichtsfoto van industriegebied De Heining in het Westelijk Havengebied van Amsterdam. In Tip 547 stond een fout adres, Heining 25. Er is briefpapier in omloop met hetzelfde foute adres. De tipgever heeft zich hierdoor vergist. Er wordt niets

JADU b.v.

Telefoon 02907 - 6844

Heining 25, Industrieterrein Sloterdijk, Amsterdam
Postbus 62, 1160 AB Zwanenburg
Postgiro 4212669
Bank: RABO Halfweg rek.nr. 11.87.11.423
Ingeschr. K.v.K. te Amsterdam onder nr. 150.654

aangetroffen. De tip verdwijnt in de map 'behandeld'. Pas later krijgt deze het predicaat Gouden Tip, wanneer er op vrijdag 25 november nieuwe informatie persoonlijk op het politiebureau wordt aangereikt. Deze keer wel met het correcte adres.

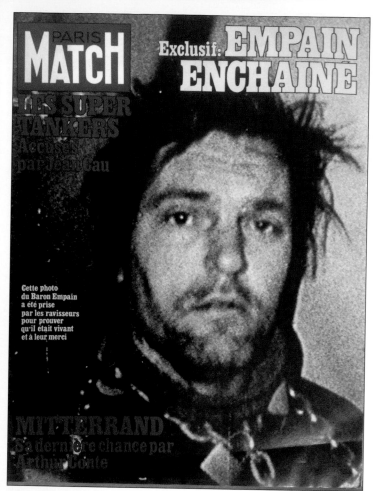

Baron Empain op de cover van het Franse tijdschrift *Paris Match* (H. 15).

Dertig jaar later: tv-uitzending met baron Empain en zijn ontvoerder Alain Caillol (H. 15).

Ahold-topman Gerrit Jan Heijn (H. 16).

Codeadvertentie in de krant (H. 16).

Filmkokertje (H. 16).

Hank Heijn op tv (H. 16).

Wanneer na betaling van het losgeld niets van de ontvoerders van Gerrit Jan Heijn wordt vernomen, verschijnt deze advertentie in de kranten (H. 16).

Politicus Paul Vanden Boeynants (VDB), een dag
na zijn vrijlating (H. 16).

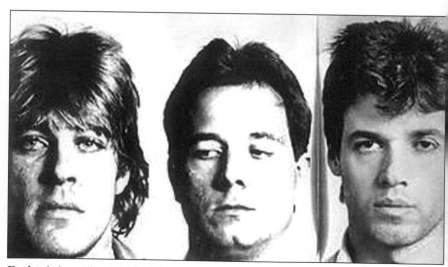

De drie belangrijkste Vanden Boeynants-ontvoerders: Patrick Haemers, Philippe Lacroix
en Basri Bajrami (H. 16).

ijdens de ontvoering van VDB pleegt de bende Haemers ook nog een overval op een eldtransport (H. 16).

Drie verdachten van de ontvoering van Paul Vanden Boeynants: Axel Zeyen, Denise Tyack en *Publieke Vijand Nr. 1 van België* Patrick Haemers, worden op 27 mei 1989 gearresteerd in Rio de Janeiro in Brazilië. Hun legendarische persconferentie wordt dat aar de best bekeken uitzending op de Belgische televisie (H. 16).

Philippe Lacroix en Basri Bajrami ontsnappen op 3 mei
1993 uit de gevangenis van Sint-Gillis. De Belgische
ontsnappingskoning Kapllan Murat is mee ontsnapt

n is de bestuurder van de gereedstaande BMW.
Gevangenispersoneel wordt gegijzeld en dient als
menselijk schild (H. 16).

'Anthonyke, u zijt een toffe jongen,' zei zijn moeder tijdens een oproep aan de ontvoerders op de Belgische televisie. Pas weken later wordt Martine De Clerck met haar zoon herenigd (H. 17).

De hoofddaders van de ontvoering van Anthony De Clerck: Isidoro Sanchez Carrasco, Jozef Peeters en (niet zichtbaar) Danny Vanhamel. Vanhamel zakt tegen de grond bij het horen van de uitspraak: levenslang voor de drie ontvoerders.

10

De ontvoering van John Paul Getty III

Wanneer: 9 juli 1973
Waar: Rome, Italië
Losgeld: 2,9 miljoen dollar
Ontknoping: 15 december 1973

E ugene Paul Getty II wordt in Italië de Gouden Hippie of de Olieprins genoemd. In de media wordt hij vaak foutief aangeduid als John Paul Getty III, de naam die we ook in dit boek aanhouden. Maandagavond 9 juli 1973 is hij op stap in Rome. Paul III is pas 16 jaar, hij is 1,80 meter lang en heeft rode lokken in zijn haar. Hij is gekleed in een strakke spijkerbroek, een T-shirt met glitters en laarzen met een gebroken hak.

In het uitgaanscircuit trekt hij onder meer op met Rolling Stones-voorman Mick Jagger en zijn vrouw Bianca, filmregisseur Roman Polanski en kunstenaar Andy Warhol. Als de cafés sluiten loopt hij op de Piazza Navona een vriendinnetje tegen het lijf, Danielle Devret. Paul III, die stomdronken is, vraagt haar of ze hem naar zijn huis wil brengen. Ze weigert en ze krijgen bijna slaande ruzie. Paul III roept: '*Fuck off!*' waarop zij schreeuwt dat hij niets meer is dan alleen een naam.

Het is inmiddels tegen 3 uur 's nachts. Gedesillusioneerd besluit Paul dan maar naar huis te lopen. Onderweg koopt hij nog een krant, een Mickey Mousestripboek en een pakje sigaretten. Bij een fontein op de Piazza Farnese wordt zijn aandacht getrokken door het stenen hoofd waar doorlopend water uitkomt, en hij blijft er een tijdje naar turen. Daardoor heeft hij niet in de gaten dat pal naast hem een grote witte auto stopt, met vier gemaskerde mannen. Drie ervan springen uit de auto en grijpen Paul III vast. Twee van hen geven Paul een paar rake klappen op zijn hoofd met de kolven van hun revolvers. De derde man doet een doek met chloroform over Pauls hoofd, waardoor hij tijdelijk het bewustzijn verliest. Ze sleuren hem achter in de auto. Twee mannen stappen achter in bij Paul, één stapt voor in de auto. Terwijl ze wegrijden, binden ze zijn voeten vast met een stuk touw.

Ze rijden al een uur voordat er iets wordt gezegd. Een van de mannen vraagt: 'Wie ben je?' Paul, die geblinddoekt is, noemt zijn naam. Even later komen ze bij de tolpoort van de *autostrada*. Er wordt even gestopt om te betalen. Paul twijfelt of hij om hulp zal roepen, maar hij durft niet. Ze rijden richting zuiden. Paul III valt in slaap. Na een paar uur wordt hij wakker met een enorme kater. Hij heeft dorst en vraagt om water. Zijn ontvoerders geven hem whisky. Na anderhalve fles valt hij weer in slaap.

Als hij weer wakker wordt, zijn ze aangekomen bij de plaats waar hij voorlopig zal worden vastgehouden. Hij is naar Calabrië gebracht, zo'n 500 kilometer ten zuiden van Rome, een streek die wordt beheerst door de maffia. De ontvoerders tillen hem uit de auto. Zijn handen zijn inmiddels ook vastgebonden. Ze leggen hem op de grond in het gras. Het is inmiddels licht. Paul krijgt bruine bonen te eten met een glas wijn erbij.

Thuis is zijn vriendin Martine Zacher (24), een Duitse actrice, ongerust geworden. De afgelopen dagen stonden steeds twee mannen voor haar appartement aan de Via della Scala 50 in Rome, en gisteravond stonden ze er opeens niet meer. Om 7 uur gaat ze met haar tweelingzus Jutta op zoek naar Paul. De dag voor zijn verdwijning heeft hij haar nog ten huwelijk gevraagd.

Ze gaan eerst langs bij hun Italiaanse vriend Marcello Crisi. Hij woont ook in Rome, aan de Vicolo del Canale 26. Paul verblijft vaak bij hem. Marcello vertelt de vrouwen dat Paul de afgelopen nacht niet bij hem is geweest. Martine en Jutta zoeken verder in het uitgaanscentrum van Rome, maar zonder resultaat. Na twee dagen onafgebroken zoeken komt Martine thuis. In de slaapkamer vindt ze op haar bed een brief. Ze herkent het handschrift van haar verloofde, maar wanneer ze de brief wil lezen, ziet ze dat deze is gericht aan haar schoonmoeder: '*Cara Mama...*' In de brief staat nadrukkelijk dat ze niet de politie moeten bellen.

Martine brengt met haar tweelingzus de brief naar Gail Harris, de moeder van Paul Getty III. Gail is niet thuis. De dames wachten de hele dag voor haar appartement. Pauls moeder is pas geleden verhuisd naar de buurt waar haar zoon voor het laatst is gezien, de Piazza Navona. Ze woont nu naast de Franse Ambassade. Wegens huurachterstand is ze uit haar vorige woning gezet, in de wijk Trastevere, een van de oudste buurten van de stad.

Als Gail maar niet thuiskomt, besluiten de zussen toch de politie te bellen. De twee worden opgehaald voor een verhoor op het politiebureau. De politie moet lachen om de brief. Nadat ze afzonderlijk zijn verhoord, mogen de zussen weer gaan. De politie houdt de brief.

De Italiaanse politie, de *squadra mobile*, gaat vervolgens op bezoek bij Gail Harris, die tijdens het bezoek van Martine en Jutta met een vriend naar de bioscoop was. Ze vertelt dat ze gebeld is door iemand die zich voorstelde als 'Fifty' en claimde de woordvoerder van de ontvoerders te zijn. Wanneer deze persoon belde, kan ze niet precies zeggen. Tijdens het gesprek is nog niet gesproken over de hoogte van het losgeld. Gail dacht aanvankelijk dat het om een grap ging.

De politie stelt allerlei vragen over haar financiële situatie. Het lijkt wel of de politie meer interesse heeft in haar dan in de mogelijke ontvoering van haar zoon. De agenten vragen ook of er vaker een ontvoeringsdreiging is geweest binnen de familie Getty. Na het gesprek verzekeren de agenten dat alles wat gezegd is, vertrouwelijk zal blijven.

Hoe vertrouwelijk blijkt een dag later: de brief van Paul aan zijn moeder staat in de nationale krant *Il Messaggero*, het meest verkochte dagblad van Rome.

Lieve moeder,

Sinds maandagnacht en dinsdagochtend, ergens tussen middernacht en 03.00 uur, ben ik in de handen van mijn ontvoerders. Het telefoontje dat jij kreeg, was echt. Ik smeek je: breng mijn leven niet in gevaar en laat me niet vermoord worden. Houd de politie uit de buurt. Denk niet dat dit een spel is en er sprake is van opzet. Ik smeek je, probeer in contact te komen met de ontvoerders. Vertel niks aan de Italiaanse en internationale politie, mijn leven staat op het spel. Ze zijn zeker van plan me te vermoorden en ik wacht daarom vol spanning op jouw inzet om mij snel weer vrij te krijgen, door het losgeld te betalen dat de ontvoer-

ders zullen vragen. Ik herhaal, toenadering van de politie moet je
afhouden, als je me niet vermoord wilt laten worden, en laat het
alsjeblieft niet te lang duren. Moeder, als je van me houdt, dan
moet ik nu voldoende hebben gezegd. Veel kusjes voor iedereen.
   PS. Als het te lang duurt, zullen mijn ontvoerders mij een vin-
ger afsnijden en per aangetekende post naar jou opsturen. Ik
smeek je, vermijd de minste of geringste bemoeienis van de poli-
tie, anders zullen ze mij vermoorden. Ik hou van jou.

Paul

De pers maakt ook melding van het bezoek van de Duitse meisjes
aan Gail. Die nemen het haar kwalijk dat ze gewoon naar de bioscoop is gegaan terwijl ze een telefoontje had gehad van de ontvoerders met de mededeling dat haar zoon was ontvoerd. Dit maakt niet
bepaald een ongeruste indruk.

   Ook de politie en de pers nemen de ontvoering in eerste instantie niet al te serieus. Dit komt onder meer doordat Paul III de laatste maanden met verschillende mensen heeft gesproken over het
in scène zetten van zijn eigen ontvoering. Op deze manier zou er
geld loskomen van zijn rijke familie. Met dat geld wilde hij een film
maken en een kasteel in Marokko financieren.

De familie Getty is stinkend rijk. Paul Getty III komt op 4 november 1956 ter wereld in San Francisco als Eugene Paul II, de oudste
zoon van Eugene Paul Getty en Gail Harris. Hij is de eerste kleinzoon van oliebaron Jean Paul Getty. Opa Getty is op dat moment de
rijkste man ter wereld.

   Opa Getty werd geboren op 15 december 1892 in Minneapolis. Op
21-jarige leeftijd leende hij geld van zijn vader, die niet onverdienstelijk in de oliehandel zat, om zijn eigen olieboringen te beginnen.
Twee jaar later had hij zijn eerste miljoen dollar verdiend. Samen
met zijn vader richtte hij in 1916 Getty Oil op. Het bedrijf had succes
en algauw was hij een van de eerste miljardairs ter wereld. Op jonge
leeftijd ging hij rentenieren in Hollywood.

   Getty hield er een flamboyante levensstijl op na en trouwde vijf
keer. In 1932 begon hij zijn vierde huwelijk met Ann Rork, de dochter van Sam Rork, de grondlegger van televisie- en filmproducent
Warner Bros. In datzelfde jaar werd op 7 september Eugene Paul (de
vader van Paul III) geboren. In 1935 strandde dit huwelijk.

Eugene noemt zichzelf afwisselend Paul Getty, John Paul Getty, Jean Paul Getty jr. en John Paul Getty II. Deze laatste variant wordt gebruikt in dit boek. (Opa is dan John Paul Getty I en zijn kleinzoon John Paul Getty III.) Getty II werkt voor het bedrijf van zijn vader en trouwt in 1956 met Abigail Harris, kortweg Gail. Deze voormalig waterpolokampioene is de dochter van een oud-rechter. Na vele omzwervingen over de wereld belanden John Paul II en Gail met hun oudste zoon in Rome.

John Paul II is meer levensgenieter dan zakenman. De verhouding met zijn vader verloopt stroef. In Rome krijgen John Paul II en Gail nog drie kinderen: Aileen (1957), Mark (1960) en Ariadne (1962). Het huwelijk strandt in 1964. John Paul II verhuist naar Londen en Gail blijft met de vier kinderen achter in Rome.

De scheiding heeft een negatieve uitwerking op de 7-jarige Paul III. Op jonge leeftijd begint hij overal tegenaan te schoppen. Hij wordt twee keer van school gestuurd, één keer wegens een poging tot brandstichting. Als hij 14 is, rookt hij zijn eerste joint, min of meer toevallig. In Rome ontmoet hij op straat een ouder stel, dat hem een lift naar huis aanbiedt. De man vraagt aan Paul of hij rookt. Hij denkt aan sigaretten en zegt ja. Hij krijgt een joint voorgeschoteld en raakt voor het eerst van zijn leven stoned. Vanaf die dag gebruikt hij steeds vaker, en raakt verslaafd. Om zijn verslaving te bekostigen gaat hij samen met een vriend dealen in drugs. Dat doet hij niet onverdienstelijk: onder zijn klanten bevinden zich onder meer Elton John, Tony Curtis en Charles Branson.

Paul III bezoekt regelmatig zijn vader in Londen, die inmiddels opnieuw getrouwd is met de Nederlandse actrice Talitha Pol. Paul heeft vanaf het begin een goede band met haar. Als zij in 1971 overlijdt aan een overdosis heroïne, is zijn vader daar kapot van. John Paul II zoekt vergetelheid in de opium. Om aan opium te komen vliegt hij vaak op en neer naar Thailand. Hij wil graag dat zijn zoon een keer met hem meegaat, maar moeder Gail verbiedt dat.

Paul III blijft zijn vader opzoeken in Londen, waar hij op den duur kennismaakt met Victoria, de maîtresse van zijn vader. Victoria snuift regelmatig een lijntje cocaïne en als de jonge Paul een keer op bezoek is, laat ze hem ook twee lijntjes snuiven. Paul is meteen verkocht. In de weken erna beleeft hij de ene trip na de andere, tot ergernis van zijn vader. De relatie tussen vader en zoon bekoelt door het cocaïnegebruik van Paul III. Vader Getty besluit zijn zoon bij opa Getty af te leveren.

Opa Getty heeft dan nog het beste voor met zijn kleinzoon. Hij ziet zijn eigen zoon, John Paul II, niet meer als beoogd opvolger en denkt aan zijn kleinzoon. Die vindt de olie-industrie maar niks. Slecht voor het milieu, zo vertelt hij zijn grootvader.

Toch blijft hij een tijdje voor hem werken. Een van zijn taken is het terugsturen van brieven naar mensen die vragen om geld. Opa Getty is de rijkste man ter wereld en krijgt dagelijks drieduizend brieven waarin hem om geld wordt gevraagd. Getty I heeft een standaard-brief klaarliggen met een uitleg waarom hij niets schenkt. Als hij iedere briefschrijver 5 dollar zou geven, is hij in 26 jaar tijd failliet, zo heeft hij uitgerekend. Alle brieven worden persoonlijk door de oude Getty gesigneerd.

Eind 1972 gaat Paul III terug naar Rome. Hij maakt nieuwe vrienden, onder wie de Italiaanse Marcello en de Duitse tweeling Jutta en Gisela Martine Zacher. Met die laatste krijgt hij een relatie. De zusjes zijn zeven jaar ouder dan hij.

De pers, de bevolking en zelfs Pauls familie lijken de ontvoering niet echt serieus te nemen. Hierdoor raken de ontvoerders in paniek. Ze vrezen dat hun geplande losgeldeis van 18 miljoen dollar niet zal worden ingewilligd. Opa Getty heeft de berichten ook gelezen, maar als zijn ex-schoondochter Gail hem belt om hulp, weigert hij aan de telefoon te komen. Hij is achterdochtig en vermoedt dat zij er iets mee te maken heeft.

Opa Getty stuurt wel een oud-CIA-agent naar Rome. Oud-marinier James Fletcher Chace heeft gestudeerd aan de universiteit van Harvard, heeft een zwarte band in karate en heeft gevochten in de Tweede Wereldoorlog en in Korea. Hij is 116 keer op een buitenlandse missie geweest, en is door het Britse leger onderscheiden met de op een na hoogste onderscheiding, de DSO (Distinguished Service Order). Dit is slechts een enkeling toebedeeld.

Chace buigt zich over de brieven en telefoontjes die binnenkomen. Er komen een paar valse claims binnen, onder meer uit Duitsland, uit Paraguay en van een stel uit Texas. Hoewel hij nauwelijks Italiaans spreekt, wil Chace zelf de onderhandelingen voeren. In overleg met opa Getty is besloten geen losgeld te betalen. Wel zijn ze bereid een kleine onkostenvergoeding te betalen om de ontvoerders tevreden te stellen en te beloven dat de ontvoerders niet zullen worden vervolgd. Chace vestigt zich in het kantoor van Giovanni Iacovoni, de advocaat van Gail. De ontvoerders hebben dan al met de advocaat gebeld en aangedrongen op een snelle afhandeling.

Op 23 juli 1973 om 9.45 uur belt een persoon met een Calabriaans-Siciliaans accent. De man stelt zich voor als 'Fifty'. Hij wil dat het geld wordt vervoerd in een witte auto met voor op de grille een advertentie van Cynar, een Italiaans drankje. Alleen advocaat Iacovoni en moeder Gail mogen in de auto zitten. Fifty vertelt dat er iemand zal komen met nadere instructies over de betaling.

Diezelfde middag om 13 uur brengt de postbode een brief met de losgeldeis van 10 miljard lire (omgerekend 18 miljoen dollar). De brief blijkt gepost in Taranto, een industriestad ten zuiden van Napels. Ook brengt hij een brief van Paul III zelf:

ROME, 23 juli

Als je niet doet wat ze zeggen, lieve moeder, betekent het dat je me dood wilt hebben. Zij hebben alles geregeld. Als een van hen wordt gepakt, hebben de anderen de opdracht mij te doden zonder nog naar het geld te vragen. Neem de weg zoals aangegeven met twee mensen in een witte Mercedes. Rijd normaal. Neem de weg van Rome naar Ban. En terug. Neem de tolweg naar Palermo – blijf op de tolweg. Vertrek in de ochtend. De avond voor vertrek geef je een interview op de televisie, om 20.30 uur. Zeg deze woorden: 'Kom alsjeblieft opdagen, de familie zal betalen.' Het geld moet in zakken zitten. Het signaal is twee stukken grind tegen de voorruit. Stop dan gelijk, laat het geld achter op de weg en ga. Bestudeer deze brief en de inhoud. De auto mag niet begeleid worden. Niemand anders in de auto, geen zenders. Als je deze instructies niet opvolgt, kost het mijn leven.

Paul

Paul is intussen overgeplaatst en wordt nu gevangen gehouden in de bergen, in een bunker uit de Tweede Wereldoorlog. De met skimaskers en zwarte nylonkousen gemaskerde mannen voeren hem iedere dag dronken. Op de radio hoort Paul dat zijn ontvoerders 18 miljoen dollar losgeld vragen. Hij probeert ze dit uit hun hoofd te praten. Ze willen het losgeld in Italiaanse lires, in biljetten van 500 en 1000. Dat zijn in totaal meer dan 350.000 biljetten. Het totale gewicht van het pakket papiergeld is, zo rekent Paul ze voor, meer dan 300 kilo.

Vanuit zijn landhuis in Surrey, Engeland, laat opa Getty I weten geen cent te zullen betalen. In een persverklaring heeft hij laten weten dat hij het leven van zijn andere veertien kleinkinderen ook op het spel zet wanneer hij nu betaalt voor zijn oudste kleinkind Paul III. Daarmee is de familie aangewezen op de zoon van de oude Getty en vader van het slachtoffer, John Paul Getty II. Zwaar onder de invloed van heroïne laat deze aan een vriend weten dat hij er niet over piekert om het losgeld voor zijn zoon op te hoesten. Hij zegt: 'Realiseer je dat ik dan mijn hele bibliotheek met zeldzame boeken moet verkopen voor die mislukkeling.'

Intussen wordt Paul III opnieuw door zijn ontvoerders verplaatst. Ze halen hem uit de bunker en laten hem een heuvel beklimmen, om deze vervolgens aan de andere kant weer af te dalen. Ze komen uit bij een vallei tussen de bergen – een groene, haast paradijselijke omgeving met een beekje, waar geiten en schapen rondlopen. Daar hebben de ontvoerders een hut voor hem gebouwd, die op vier palen staat.

Met een ketting van 3 meter wordt Paul aan de palen vastgeketend. Er is altijd een bewaker in de buurt. Iedere dag wordt hij een uurtje naar buiten gebracht om even te luchten. Hij krijgt dan een sigaret en een glas cognac. Paul verzamelt zo veel mogelijk bewijsmateriaal met vingerafdrukken van de ontvoerders, zoals sigaretten en glazen, en begraaft dat in de grond. Iedere dag krast hij een streepje op een steen; hierdoor weet hij dat hij in totaal vijftig dagen in de hut wordt vastgehouden.

De ontvoerders hebben inmiddels weer contact opgenomen met het advocatenkantoor. Voormalig CIA-agent Chace laat weten dat er maximaal 300 miljoen lire (550.000 dollar) betaald kan worden als onkostenvergoeding. Opa Getty I blijft bij zijn standpunt dat hij geen losgeld wil betalen. Met het betalen van een onkostenvergoeding heeft hij minder moeite.

Chace probeert een ontmoeting met de ontvoerders uit te lokken door te onderhandelen, maar de ontvoerders gaan niet akkoord met de onkostenvergoeding en dreigen Paul iets aan te doen.

Een maand na de ontvoering, op 10 augustus 1973, vliegt Gail samen met haar drie andere kinderen naar Engeland om te kijken wat ze kan regelen. Bij aankomst op de Londense luchthaven Heathrow belt ze meteen haar voormalige schoonvader. Deze keer komt hij wel aan de telefoon, maar hij wil haar niet ontmoeten en vraagt om begrip voor zijn standpunt.

Gail besluit haar ex-man John Paul II te bezoeken om iets te regelen, maar bij de deur wordt haar verteld dat ze niet welkom is: die avond komt er namelijk bezoek.

Een paar dagen later belt John Paul II haar op om zich te verontschuldigen en vraagt haar nog een keer langs te komen. Hij wil graag dat ze deze keer de kinderen ook meeneemt. Wanneer Gail een paar weken later langskomt met twee van hun drie kinderen – de derde is bij haar ouders in San Francisco – krijgt Paul II een woedeaanval omdat ze geen afspraak heeft gemaakt. Gail reageert dat het haar niet nodig lijkt om voor zijn eigen kinderen een afspraak te maken. John Paul II reageert kwaad: 'Hoe durf je ongenode gasten mee te nemen?!'

Op 16 augustus 1973 komt er weer een losgeldbrief. De losgeldeis is teruggebracht naar 3 miljard lire (5,5 miljoen dollar). De ontvoerders geven de familie twintig dagen de tijd om het te regelen. Er wordt telefonisch onderhandeld. In een nieuwe brief dreigen de ontvoerders een vinger van Paul af te snijden en op te sturen als er niet wordt betaald. Chace stelt de ontvoerders op zijn beurt een ultimatum: als ze zijn bod van 300 miljoen lire (550.000 dollar) niet accepteren voor het einde van de maand, is er helemaal geen bod meer. De ontvoerders reageren hier niet op.

Gail is dan nog steeds in Londen. John Paul II wil zijn kinderen nu wel zien: op 7 september viert hij zijn 51e verjaardag, en daar wil hij zijn kinderen graag bij hebben. Vlak voor zijn verjaardag hoort Gail echter dat John Paul II de kinderen voor altijd bij zich wil houden. Ze haalt de kinderen à la minute op en vliegt halsoverkop naar Rome.

Rond die tijd besluit Chace toch het gevraagde losgeld te betalen, maar op voorwaarde dat er gelijk wordt overgestoken: de ontvoerders het geld, zij Paul. Daar gaan de ontvoerders niet mee akkoord. Chace en de politie houden er nog steeds rekening mee dat het allemaal nep is.

De ontvoerders bellen bijna dagelijks met Gail; ze willen niet onderhandelen met Chace. De politie heeft aan de hand van een telefoongesprek kunnen achterhalen dat er vanuit Napels gebeld wordt.

De zorg is dan ook groot wanneer korte tijd later op het strand van Napels een verkoold lijk wordt gevonden: sectie wijst gelukkig uit dat het niet gaat om John Paul Getty III.

Terwijl de onderhandelingen doorgaan, wordt Paul overgebracht naar een nieuwe geheime plek: een soort grot, 2 meter diep en 1 meter breed, waar hij op zijn zij in ligt. De ontvoerders vertellen hem dat dit zijn laatste rustplaats is. De luxe is ver te zoeken. Hij slaapt op een matras van schuimrubber. Kreeg hij eerder nog spaghetti met wijn als avondeten, op zijn nieuwe verstopplek moet hij het doen met droog brood en water. Zijn ontvoerders geven hem wel een boek om te lezen: *Mijn gevangenissen*, van Silvio Pellico. Op deze nieuwe plek verblijft hij ongeveer een week.

Op 5 oktober 1973 publiceert *Il Messaggero* een brief van de ontvoerders. Ze stellen een ultimatum: het losgeld moet binnen vijftien dagen worden betaald. Als daaraan niet wordt voldaan, zullen ze een oor en een haarlok van Paul opsturen.

Paul verneemt van zijn lot via de radio. Hij is weer naar een andere plek overgebracht en zit nu in een vies betonnen huisje. Het heeft dikke muren, waar de verf van afbladdert. Midden in het huis staat een slagersblok en overal ligt opgedroogd bloed. De maaltijden zijn er gelukkig op vooruitgegaan: van de kippen die in zijn kamer rondlopen, wordt regelmatig eentje geslacht en gebraden. Ook krijgt hij elke dag soep te eten.

Aan de muur hangt een Mariabeeldje met eronder de naam Solopaca. Dit is een gemeente in de provincie Benevento, in de Italiaanse streek Campania, ongeveer 45 kilometer ten noordoosten van Napels. Later zal blijken dat de verschillende andere plekken waar Paul werd vastgehouden, zich hoogstwaarschijnlijk bevinden in en rond het bergmassief Aspromonte, in de provincie Reggio Calabria.

Tijdens zijn ontvoering bedenkt Paul namen voor zijn vaste bewakers, zoals VB1 en VB2. Vanwege hun manier van spreken vermoedt hij dat deze twee Zuid-Amerikanen zijn. Verder zijn er Piccolo en de Chipmunk.

Gedurende de vijftien dagen na de publicatie in *Il Messaggero* is er regelmatig contact tussen de ontvoerders en de moeder van Paul III. In de tweede week van oktober wordt een ontmoeting afgesproken. Gail krijgt instructie om 's ochtends om 8 uur te vertrekken. Ze moet de *autostrada* nemen in zuidelijke richting naar Napels. Vlak voor haar vertrek zal ze een telefoontje krijgen met nieuwe instructies. Toch vertrekt Gail niet; ze gooit het op autopech.

Een tweede poging om op 15 oktober af te spreken binnen de stadsgrenzen van Rome, met een pastoor en een monseigneur als tussenpersonen, gaat ook niet door. De ontvoerders vertrouwen haar niet. Een maand eerder, op 17 september, was een soortgelijke ontmoeting tussen de ontvoerders, Chace en een priester niet doorgegaan, omdat de priester op het laatste moment afhaakte.

De ontvoerders vertellen Gail dat ze niet anders kunnen dan hun dreigementen uitvoeren. Gail neemt ook dit niet al te serieus en geeft geen gehoor aan de eis om met het losgeld te gaan rijden. De ontvoerders zijn kwaad. Ze confronteren Paul met het feit dat zijn familie niet wil betalen. Er zit nu niks anders op dan de dreigementen uitvoeren.

Op 21 oktober 1973 wordt Paul om 4 uur 's ochtends door zijn ontvoerders wakker gemaakt. Als ontbijt krijgt hij vier steaks. Om 7 uur wordt hij geblinddoekt en moet hij plaatsnemen op het slagersblok. Paul schat dat op dat moment een man of zeven in de kamer rondlopen. Hij hoort geritsel van attributen. Hij vraagt om een zakdoek, stopt die in zijn mond en vraagt of ze een beetje willen opschieten. Dan voelt Paul hoe een mes langs zijn oor glijdt. Een paar tellen later snijdt de ontvoerder met het mes in twee vegen zijn oor eraf. Paul bijt op de zakdoek, maar voelt geen pijn. Er wordt alcohol op de wond gedaan en zijn hoofd wordt in verband gebonden.

Paul wordt op bed gelegd en krijgt een tetanusprik en penicilline toegediend. Dan begint de pijn: hij blijkt allergisch te zijn voor deze middelen. Een halfuur nadat zijn oor is afgesneden, begint Paul te bloeden als een rund. Naarmate de tijd verstrijkt, voelt hij zich steeds slechter. Het bloeden houdt anderhalve dag aan. Zijn hele kamer zit onder het bloed, zelfs de ratten komen erop af. Paul voelt zich zo zwak dat hij denkt dat hij doodgaat. Zijn hoofd zit zo strak verbonden dat eten alleen nog via een rietje gaat. Hij krijgt soep, verse jus d'orange en melk.

Na drie dagen wordt Paul, zwak als hij is, overgeplaatst naar een andere locatie: de grot waar hij al eerder is geweest. Hier worden polaroidfoto's van hem gemaakt.

Op 29 oktober 1973 komt bij de advocaat van Gail, Iacovoni, een handgeschreven brief binnen. De briefschrijver weet meer van de ontvoering. Hij heeft er zelf niets mee te maken, maar weet wel waar Paul wordt vastgehouden. Hij heeft het over Solopaca, de naam die Paul onder het Mariabeeldje zag staan. Het huisje zou naast een oude windmolen staan en de 33-jarige, vuurwapengevaarlijke eigenaar zou bij de ontvoering betrokken zijn. De politie traceert het huisje, maar treft er niemand aan.

De ontvoerders blijven bellen met de moeder van Paul en vragen of ze zijn oor al heeft ontvangen. Gail heeft geen oor gezien; ze twijfelt nog steeds aan het waarheidsgehalte van dit verhaal, maar probeert toch het losgeld bij elkaar te krijgen. Opa Getty houdt echter voet bij stuk en weigert te betalen.

Op 10 november wordt een enveloppe bezorgd bij de krant *Il Messaggero*. De brief is verstuurd op 22 oktober, maar door een poststaking in het zuiden van Italië is de brief negentien dagen onderweg geweest. In de brief zitten een oor en een rode haarlok. Gail ziet meteen dat het oor van haar zoon is. Laboratoriumonderzoek moet uitwijzen of ze gelijk heeft.

De vader van Paul III is minder overtuigd. Hij reageert in de media als volgt: 'Mijn ex-vrouw ziet het verschil niet tussen een oor en een stuk *prosciutto* (gedroogde ham, SJ).' Gail maakt grote posters van het oor en stuurt deze naar haar ex-man en haar ex-schoonvader, in de hoop dat zij ervan overtuigd raken dat Paul III echt ontvoerd is en gevaar loopt. Misschien dat ze dan eindelijk overstag gaan en willen betalen.

Terwijl de politie, voormalig CIA-agent Chace en de familie Getty het laboratoriumonderzoek willen afwachten, belooft Gail de ontvoerders dat er betaald zal worden. De ontvoerders hebben gedreigd het andere oor ook af te snijden. Gail vraagt de ontvoerders om extra tijd. Binnen een paar dagen heeft ze het geld.

Nog voor de laboratoriumuitslag binnen is, biedt de pers duidelijkheid. Een verslaggever van de krant *Intento* bezoekt Gail thuis. Hij heeft schokkende foto's bij zich van Paul zonder het afgesneden oor. Deze foto's doen vader John Paul Getty II besluiten om een deel van het losgeld, 1 miljoen dollar, te betalen. In ruil daarvoor wil hij de voogdij over de andere kinderen: hij betaalt pas als zij op het vliegtuig naar Londen zijn gezet. Gail is bang dat de ontvoerders geen genoegen nemen met 1 miljoen dollar en vraagt of hij er 5 miljoen van wil maken, maar haar ex-man houdt voet bij stuk.

Ten einde raad stuurt Gail een telegram naar de Amerikaanse president Richard Nixon. Opa Getty is een fervent aanhanger van de president en heeft hem financieel gesteund tijdens de verkiezingscampagne. Gail stuurt de inhoud van het telegram ook naar de grote Amerikaanse persbureaus:

Ik doe een beroep op u als burger van de Verenigde Staten. Ik heb geen andere opties meer. Als burger moet het mogelijk zijn om een beroep te doen op de president. Als vriend van mijn schoonvader, en als mens, help mij alstublieft. Ik weet niet wat ik anders nog kan doen.

Nog geen twee dagen later verneemt Gail via de krant dat opa Getty bereid is tot het betalen van het losgeld. Om belastingtechnische redenen wil hij echter niet meer dan 2,2 miljoen dollar betalen. Het restant moet zijn zoon ophoesten. John Paul II kan dit bedrag bij zijn vader lenen tegen 4 procent rente.

De familie wil niet dat Gail nog langer met de ontvoerders spreekt. Nu het op betalen aankomt, moeten de onderhandelingen via Chace gaan. Het geld wordt gereedgemaakt, en dat is nog een hele klus. Na lang onderhandelen is 1,6 miljard lire (2,9 miljoen dollar) overeengekomen. Dat is een enorme hoeveelheid papiergeld. Alle biljetten worden gefotografeerd.

De ontvoerders willen dat het geld wordt gedropt zoals in juli gepland was, maar deze keer zonder Cynarteken op de grille. In plaats daarvan moet zich op het dak een bagagerek bevinden. In dat rek moeten twee witte koffers staan, of een vierkante plastic watercontainer. De auto moet 's ochtends om 8 uur vertrekken naar de tolweg, en de chauffeur moet zich houden aan de maximumsnelheid van 80 kilometer per uur.

De ontvoerders willen dat Gail met het geld gaat rijden, en niet Chace, maar de familie Getty wil per se dat Chace rijdt. Bijna vijf maanden na de ontvoering, op 7 december 1973, lijkt het dan toch gaan te gebeuren.

Chace huurt een Fiat 132. Hij haalt 3 miljoen dollar op bij de Banca Commerciale. De geldbundeltjes worden nog een keer geteld en vervolgens in de zakken gepropt. In totaal zijn er drie zakken nodig om al het geld te vervoeren. De zakken wegen ruim 30 kilo per stuk.

Chace wordt vergezeld door een zekere Frazier, een vuurwapen-specialist, die speciaal door opa Getty is ingehuurd. Zijn echte identiteit blijf geheim. Chace, die hem ook wel mister X noemt, wil alleen kwijt dat hij geen Italiaan en ook geen Amerikaan is. Beide mannen zijn gewapend.

Volgens opdracht moet de losgeldauto precies om 9 uur 's ochtends door de poort van de tolweg rijden. De losgeldchauffeur moet op de tolweg doorrijden richting Reggio Calabria. Onderweg moet hij stoppen als de ontvoerders grind op de voorruit gooien, en wachten tot hij een teken krijgt. Chace en Frazier rijden 460 kilometer in zuidelijke richting, voorbij Lagonegro. Ze komen onderweg van alles tegen – mist, gladheid en sneeuw – maar geen grind.

De twee mannen rijden hetzelfde traject terug, maar ook nu geen teken. Na een rit van zestien uur zijn ze even na middernacht weer thuis. Chace vertelt zijn verhaal aan Gail. Zij is razend op hem en neemt hem kwalijk dat hij vooraf niets aan haar heeft verteld. Er ontstaat een heftige ruzie, waarbij Chace zegt dat hij Gail niet vertrouwt en dat de hele ontvoering eigenlijk haar schuld is.

Ook de ontvoerders zijn kwaad. Pas nadat Chace omschrijvingen heeft gegeven van wat hij onderweg zoal heeft gezien, geloven ze dat hij de rit wel gereden heeft. Waarom de ontvoerders zelf niet zijn komen opdagen, vertellen ze niet.

Twee dagen later, op 9 december, is de herkansing. Chase en Frazier rijden precies dezelfde rit. Onderweg valt hun op dat ze twee keer door dezelfde auto worden ingehaald, beide keren met iemand anders achter het stuur. Nu weten ze dat het vandaag gaat gebeuren. Ze vermoeden dat ze moeten rijden tot het donker wordt voordat het signaal komt.

Plotseling, om 14.30 uur, op klaarlichte dag, wordt er grind op de voorruit gegooid. Chace gaat langzamer rijden en ziet een man met een pistool en een zakdoek voor zijn gezicht in de richting van zijn auto lopen. Hij maant Chace tot stoppen. Chace blijft kalm en laadt de drie zakken uit de auto. Hij ziet drie mannen er als een speer met het geld vandoor gaan.

Chace en Frazier gaan terug naar hun appartement. Daar belt Chace de politie en vraagt alle foto's te brengen van potentiële verdachten. Gail krijgt een telefoontje van ontvoerder Fifty. Die is heel vriendelijk en vertelt dat ze het geld hebben en dat alles in orde is. Hij belooft Paul op korte termijn vrij te laten.

Twee dagen later is het zover. Nadat hij 158 dagen is vastgehouden, wordt Paul vroeg wakker gemaakt. Hij wordt netjes aangekleed. De nieuwe schoenen zijn te klein, maar de blauwe sokken, een wit T-shirt en een paar dikke witte sweaters zitten wel goed. Buiten ligt een dik pak sneeuw. Paul heeft moeite met lopen vanwege het bloed-verlies als gevolg van het afsnijden van zijn oor. Hij krijgt een omge-keerd skimasker op, zodat hij niks ziet.

Hij wordt in een auto gezet en meer dan zeven uur rondgereden. Een keer of vijf wordt hij overgezet in een andere auto. Onderweg dreigen zijn ontvoerders nog zijn tong af te snijden wanneer hij met de politie praat. Bij de tolweg wordt nog een keer overgestapt in een Fiat 1100.

Onderweg bellen de ontvoerders met Gail. Ze vertellen dat Paul in de vroege ochtend van 15 december 1973 om 1.30 uur zal worden vrijgelaten op de tolweg bij een tunnel, 3 kilometer ten noorden van Lauria. De ontvoerders waarschuwen Gail dat ze de politie erbuiten moet laten.

Gail rijdt naar de tunnel, gevolgd door Chace, maar daar treffen ze Paul niet aan. Na lang zoeken rijden ze terug in zuidelijke rich-ting. Ze komen een politieauto tegen. De agent wil in eerste instan-tie niks kwijt. Er is nogal wat strijd tussen de twee politiekorpsen: de *squadra mobile* en de *carabinieri*. Na aandringen van Chace stuurt de agent ze naar een politiebureau.

Paul III is wel degelijk op de aangegeven plek vrijgelaten. Hij heeft een pakje sigaretten en wat dekens meegekregen. Na tien minuten mocht hij zijn masker afdoen. 'Je moeder komt binnen een paar uur,' hebben de ontvoerders hem verteld. Voordat ze wegrijden, krijgt Paul van een van de ontvoerders nog een jas. De ontvoerders nemen afscheid en groeten hem met '*Ciao*'. Paul III antwoordt met '*Good-bye*'.

Nadat hij zijn masker heeft afgedaan, zwalkt Paul over de tol-weg. Bij een Essotankstation wil hij telefoneren, maar niemand van de aanwezige klanten wil hem wat kleingeld voorschieten zodat hij even kan bellen. Waarschijnlijk schrikt hij mensen af door het grote verband om zijn hoofd. Dit is nog hetzelfde verband dat eromheen is gewikkeld op de dag dat zijn oor werd afgesneden.

Even verderop klopt hij aan bij een paar huizen, maar ook hier krijgt hij nul op het rekest. Teleurgesteld loopt hij verder op de tol-weg. Na een kilometer zakt hij in elkaar en blijft voor dood liggen, midden op de weg. Passerende auto's houden even in, maar rijden vervolgens door. Zelfs een ambulance laat hem liggen. Uiteindelijk stopt een vrachtwagen. De trucker doet het raampje open. Paul mompelt: 'Ik ben Paul Getty.' De chauffeur zegt: 'Je bent het, of niet dan?' Daarop rijdt de vrachtwagenchauffeur weer verder. Even later, om 2.45 uur, belt hij de politie in Lagonegro om te vertellen dat en waar hij Paul Getty op de weg heeft zien liggen.

Politiechef Martino Elisco rijdt in zijn blauwe Alfa Romeo door hevige sneeuwval naar de plek die de vrachtwagenchauffeur heeft genoemd. Daar treft hij een trillende Paul III aan. Paul, op blote voeten en nat van de sneeuw, stapt bij Elisco in de auto. Zijn eerste woorden zijn: 'Ik ben Paul Getty, meneer agent. Mag ik een sigaret?'

Ze rijden naar het politiebureau in Lagonegro, 400 kilometer ten zuiden van Rome. Paul wordt onderzocht door een dokter, die zich verbaast over zijn goede lichamelijke conditie, zeker voor iemand die zes uur op blote voeten in de vrieskou heeft rondgezworven. De vrouw van politiechef Elisco bereidt midden in de nacht een warme maaltijd voor Paul.

Rond 6 uur die ochtend arriveren de eerste journalisten. Zij zijn een uur later getuige wanneer Chace en Gail op het politiebureau arriveren. Onder toeziend oog van de pers wordt Paul na vijf maanden herenigd met zijn moeder. Moeder en zoon omhelzen elkaar vier minuten. Paul zegt dat hij blij is dat het eindelijk voorbij is. Zijn moeder kust zijn rechterwang, aan de kant waar het oor is afgesneden, en vertelt hem dat ze hem de hele tijd heeft geloofd.

Vanuit het politiebureau wordt Paul overgebracht naar een kliniek in Rome. Hier treft hij zijn grote liefde Martine. Voor zijn ontvoering heeft hij haar nog ten huwelijk gevraagd, maar nu ze elkaar zo lang niet hebben gezien, zijn ze beiden wat verlegen.

Opa Paul Getty laat vanuit Engeland weten dat hij zeer verheugd is over de vrijlating van zijn kleinzoon. Opa Getty: 'Zijn veilige terugkeer is een verjaarscadeau dat ik niet snel zal vergeten.' Op 15 december is hij 81 jaar geworden. Opa Getty weigert persoonlijk aan de telefoon te komen als Paul III hem na zijn vrijlating belt om te bedanken voor het betalen van het losgeld. Een medewerker brengt de boodschap over. Opa Getty zegt 'Niets te danken' en wenst zijn kleinzoon het beste, waarna de medewerker de verbinding verbreekt.

Paul bezoekt zijn vader in Londen, maar het klikt niet tussen vader en zoon. Vader Paul II gelooft nog steeds niet dat zijn zoon werkelijk niks met zijn eigen ontvoering te maken heeft gehad. Paul III keert terug naar Rome.

De politie heeft in het 1900 inwoners tellende stadje Cicala in totaal 9 mensen gearresteerd. De rechtszaak vindt plaats in Lagonegro. Paul wordt opgeroepen als getuige. De ontvoering is gepleegd door de maffia van Calabria. Onder de arrestanten bevinden zich een timmerman, een verpleger, een olijvenhandelaar en een voor oplichting veroordeelde crimineel. Enkelen van hen hebben banden met de maffiaorganisatie 'Ndrangheta.

Uiteindelijk worden slechts twee van de negen veroordeeld tot lange celstraffen. De politie laat de familie Getty weten dat nog minstens twintig andere personen bij de ontvoering betrokken zijn, misschien zelfs wel honderd. Van de 2,9 miljoen dollar losgeld wordt 85.000 dollar teruggevonden.

Paul en Martine trouwen nog geen jaar later in Sovicille, Italië, op 13 september 1974. Paul is dan bijna 18 jaar. Martine is 7 jaar ouder. Op de trouwdag is ze al 5 maanden zwanger. Martine heeft al een dochter, Anna, uit een eerdere relatie. Op 22 januari 1975 wordt hun zoon Balthazar Getty geboren.

Opa Getty is het er niet mee eens dat zijn kleinzoon zo jong trouwt en onterft hem. Wanneer hij een jaar later, op 6 juni 1976, overlijdt, laat hij zijn kleinzoon dan ook geen cent na. Het kapitaal dat zijn zoon Paul II erft, wordt voornamelijk uitgegeven aan goede doelen. Paul Getty II wordt de grootste gulle gever van Groot-Brittannië. De National Gallery en de Conservative Party krijgen miljoenen van hem. Als dank hiervoor wordt hij in 1987 geridderd. Pas wanneer hij in 1997 de Britse nationaliteit krijgt, mag hij Sir voor zijn naam zetten.

Paul Getty III blijft, net als zijn vader, verslaafd aan drank en drugs. In 1981 raakt hij als gevolg van een overdosis aan drank, drugs en medicijnen in een coma. Wanneer hij daaruit ontwaakt, is hij grotendeels verlamd en zo goed als blind aan beide ogen. De rest van zijn leven moet hij doorbrengen in een rolstoel.

In 1993 scheiden Paul en Martine. Paul gaat daarna samen met zijn moeder in Brentwood wonen, een wijk in Los Angeles. Na de scheiding onderhouden Paul en Martine nog een goed contact met elkaar.

Op 5 februari 2011 overlijdt Paul na een langdurig ziekbed op 54-jarige leeftijd op het landgoed van zijn vader in Womsley, Buckinghamshire, Engeland. Zijn vader overleed daar acht jaar eerder, op 70-jarige leeftijd.

11

De ontvoering van Richard Oetker

Wanneer: 14 december 1976
Waar: Freising, Duitsland
Losgeld: 21 miljoen DM
Ontknoping: 16 december 1976

De 24-jarige Richard Oetker studeert aan de faculteit Landbouwkunde van de Technische Universiteit van München. De faculteit ligt net buiten München, in het stadsdeel Weihenstephan van de universiteitsstad Freising.

Op 14 december 1976 heeft Richard college tot ongeveer 18.45 uur. Na afloop loopt hij naar zijn auto op het parkeerterrein naast de universiteit. Op het moment dat Richard de sleutel in het slot van zijn Volkswagen Variant wil steken, duikt een onbekende, gemaskerde man op. '*Vorwärts! Das Ding macht nur klack,*' beveelt hij Richard, terwijl hij een pistool met geluidsdemper voor zijn neus houdt.

In werkelijkheid maakt het pistool inderdaad niet meer geluid dan alleen 'klak': het is een neppistool. Vlak bij Richards auto staat een Volkswagenbestelbusje geparkeerd; daar moet hij instappen. Achter in de bus staat een houten kist van 1,70 meter lang, 80 centimeter hoog en 80 centimeter breed. Richard wordt gedwongen in de kist te gaan liggen. Aan de zijkanten zitten handboeien, waarmee hij zichzelf moet vastketenen. De gemaskerde man ketent ook zijn voeten vast. Dat is nog niet zo gemakkelijk: de kist is veel te klein voor de 1,92 meter lange Richard.

Zodra Richard goed en wel ligt, neemt de ontvoerder plaats achter het stuur en rijdt in de richting van München. Via een luidspreker legt hij Richard uit dat hij is ontvoerd. Hij beweert dat hij een stroomaansluiting in de kist heeft gemonteerd. Als Richard om hulp roept of probeert te ontsnappen krijgt hij een stroomstoot.

Een uur na de ontvoering komt het busje aan in Pasing, een plaatsje vlak bij München. Daar heeft de ontvoerder een werkplaats waar hij de bus onopvallend kan stallen. In de werkplaats gaat de kist weer open. Richard blijft vastgeketend liggen, maar krijgt wel een leeslampje. Hij ziet zijn ontvoerder nu voor de tweede keer, al heeft hij een ander masker op dan toen hij hem de auto in sleurde. De ontvoerder wil de indruk wekken dat er meerdere mensen bij de ontvoering betrokken zijn. In werkelijkheid gaat het om één persoon: Dieter Zlof.

Als Dieter Zlof op 4 december 1942 ter wereld komt in Celje, de op twee na grootste stad van Slovenië, zijn zijn ouders tijdelijk uit elkaar. Zijn vader, een politieman, verblijft op dat moment in Duitsland. Als het gezin later wordt herenigd, weigert zijn vader Dieter officieel als zoon te erkennen. Wanneer Dieter later een broertje krijgt, wordt dat wel erkend.

Zijn broertje is alles voor zijn vader en Dieter wordt zijn hele jeugd gekleineerd. Op zijn zeventiende gaat hij uit huis. Hij vindt een baan als automonteur en later als verkoper. Dieter trouwt met Christel, met wie hij twee zoons krijgt: Alexander en Michael.

Zlof volgt van jongs af aan ontvoeringen. Hij is vooral gefascineerd door de losgeldoverdracht en denkt al jaren na over de manier waarop hij die zou organiseren. Het gaat hem niet zozeer om het geld, maar om het spel: hij wil de politie te kijk zetten en hij heeft het niet zo op macht en op rijkelui.

In 1974 begint hij met de voorbereidingen van een losgeldoverdracht. Het plan voor een daadwerkelijke ontvoering komt pas later. Dieters eerste idee is om losgeld te incasseren door middel van afpersing. Hij overweegt een groot levensmiddelenconcern te benaderen en te dreigen dat hij hun producten in de supermarkt zal vergiftigen als ze niet betalen. Omdat hierbij onschuldige burgers de dupe zouden kunnen worden, kiest hij echter toch maar voor een ontvoering.

Zlof neemt twee jaar de tijd om alles tot in de puntjes voor te bereiden. Hij regelt de schuilplaats, auto's, de kist en de locatie voor de losgeldoverdracht. Als hij in oktober 1976 het nieuwste nummer van zakenblad *Capital* onder ogen krijgt, valt zijn oog op een groot artikel over het imperium van Rudolf-August Oetker.

Dr. Oetker is in 1891 opgericht en uitgegroeid tot een van de grootste Duitse familiebedrijven. Het concern is vooral bekend vanwege zijn puddingen en bakproducten, maar de Oetker Groep bestaat uit meer dan driehonderd bedrijven uit verschillende sectoren. In 1976 is het bedrijf in handen van Rudolf-August: kleinzoon van de oprichter en vader van Richard.

Het artikel eindigt met een kort stuk over de studerende zoon van Rudolf-August. Als Zlof dat leest, is de keuze snel gemaakt: zoon van een van de rijkste mannen van Duitsland. Jong, maar ook weer niet te jong. Gezond en waarschijnlijk geestelijk stabiel. Bovendien woont en studeert hij in de buurt van München, de woonplaats van Zlof. Richard is dus zijn perfecte slachtoffer.

De voorbereidingen voor de ontvoering gaan gemakkelijk. Met een paar telefoontjes achterhaalt Zlof het adres van Richard: Geibelstraße 43 in Freising. Hij achtervolgt hem een paar keer en ontdekt dat de jongen altijd zelf rijdt, zonder chauffeur of bewaking. De hele maand november en de eerste twee weken van december observeert Zlof Richard iedere dag. Elke keer is er een reden om hem op die dag niet te overmeesteren, tot 14 december 1976.

In de werkplaats heeft Zlof niet alleen een ander masker, maar ook een vriendelijkere stem opgezet. Hij wil de indruk wekken dat de man die Richard overmeesterde de 'bad guy' is, en degene die hem bewaakt de 'good guy'. Zlof probeert een persoonlijke band met Richard op te bouwen, zodat die beter zal meewerken als hij bijvoorbeeld informatie moet verstrekken over degene die Zlof moet bellen voor het losgeld.

Het lijkt te werken, maar Richard schrikt als Zlof hem vertelt dat hij na drie dagen uit zijn kist zal worden bevrijd nadat zijn familie 21 miljoen Duitse mark losgeld heeft betaald. Hij weet niet of zijn vader zoveel geld voor hem overheeft.

Zlof wil weten wie hij moet benaderen: zijn vader of zijn vrouw Marion. Richard wil Marion erbuiten houden en geeft Zlof het privénummer van zijn vader. Nog diezelfde avond belt Zlof vanuit een telefooncel met Rudolf-August Oetker. Omdat de lijn bezet is, besluit hij naar het huis van Richard in Freising te bellen. Om 22.15 uur neemt een vriend van Richard en Marion de telefoon op. Zlof vraagt

naar Frau Oetker. Als zij aan de lijn komt, legt hij haar kort en kalm
uit dat haar man is ontvoerd. De politie moet erbuiten blijven, en er
zal binnenkort contact met haar worden opgenomen over de verdere
gang van zaken.

De vriend die in eerste instantie opnam, Freiherr von Tamski, had
verwacht de politie aan de lijn te krijgen. Hij had een kwartier eerder bij de politie geïnformeerd naar Richard: misschien was er een
ongeluk gebeurd? Normaal gesproken was Richard altijd om 19.30
uur thuis, en Marion was doodongerust.

Later die avond belt de ontvoerder nog een keer om te vertellen
dat Richard zal worden vrijgelaten na betaling van losgeld. *'Wir werden alles tun, was Sie verlangen,'* reageert Marion rustig.

Eenmaal terug in de werkplaats laat Zlof Richard een bandje inspreken als teken van leven. Richard werkt mee en tegen middernacht
staat alles erop. Zlof typt vervolgens de losgeldbrief en verstopt deze
met het bandje in de Jungfernturmstraße in München. Deze straat
in het centrum kiest hij willekeurig. Als hij terugkomt, geeft hij
Richard cola en chocolade, en een lege plastic fles om in te plassen.
's Nachts om 2.20 uur belt hij Marion opnieuw om te vertellen waar
ze de eerste aanwijzing kan vinden. De enveloppe zit verstopt achter een kastje ter hoogte van huisnummer 2 in de aangegeven straat.

Zlof rijdt vanaf de telefooncel terug naar de werkplaats en probeert die nacht een paar uurtjes te slapen. Met behulp van een babyfoon houdt hij de wacht over Richard Oetker, die ook ligt te slapen.
Marion is intussen, samen met de vriend, op pad gegaan om de losgeldbrief en het cassettebandje op te halen. De inhoud van de losgeldbrief is als volgt:

*Wij hebben Richard op een veilige plaats vastgezet. Iedere con-
tactmogelijkheid met de buitenwereld is hem met absolute zekerheid ontnomen. Aangezien wij niet bereid zijn – en het vooral op
grond van de losgeldoverdracht technisch niet mogelijk is – de operatie door welke invloed dan ook later te laten plaatsvinden dan
op vrijdag, 17.12.76, hebben wij na deze datum met uitzondering
van wat water van elke vorm van proviand en afvalverwijdering
afgezien. Met betrekking tot de verblijfplaats van Oetker wordt
door ons vanuit veiligheidsoverwegingen geen contact meer opgenomen – en hij wordt ook voor altijd uit ons bewustzijn geschrapt,
als een van de volgende punten zich voordoet:*

Losgeld wordt niet voor de volle 100% op de juiste wijze, de afgesproken tijd en volledig klaargelegd. (Onderhandelingen of zelfs bewijzen van goede gezondheid kunnen op grond van het vastgelegde operatieverloop niet plaatsvinden.)

Inzet van politie op welke manier dan ook wordt opgemerkt.

Het losgeld is vals of herkenbaar gemaakt. (UV-inkt, contactkleurstoffen, straling enz. Dit alles wordt voor de vrijlating door vaklui getoetst.)

De koerier voor de geldoverdracht – die niet weet wat hij overhandigt – wordt op de een of andere manier gevolgd, of op een andere wijze geobserveerd. De inzet van peilsignaalbronnen van welke aard dan ook, wordt door ons met zekerheid vastgesteld. (HF- en IR-peiling, Geiger-Müller, ook de inzet van mobilofoon wordt gecontroleerd.)

Voor publicatie van het een of ander, voor en na het beëindigen van de onderneming, geldt een looptijd van drie jaar. Ook na de vrijlating heeft publicatie de liquidatie van een van de familieleden tot gevolg – wij zijn er zeker van dat we de middelen hebben.

Hoe belangrijk het is om de voorwaarden woord voor woord na te komen, wordt duidelijk wanneer u het volgende weet: Richard Oetker is op zijn verblijfplaats via een tijdschakeling, die tot de komende vrijdag, 17 december 5 uur geactiveerd is, aan het stroomnet aangesloten. Wanneer hij niet tijdig bevrijd wordt, treedt binnen seconden de dood in. De loskoopsom bedraagt 21.000.000 DM (eenentwintig miljoen) in gebruikte, niet genoteerde biljetten van 1000 Mark in twee kleine koffers. De bundeling moet in strakke vorm vastgemaakt worden door middel van een tesa-tape, eenmaal in de lengte en in de breedte over de bundels,. Elke bundel moet 1,5 miljoen DM bevatten. Als overgavepersoon wordt Richards broer August of Christian bestemd. De overbrenger moet met het geld op vrijdag, 17.12.76 om 11 uur wachten aan de receptie van het hotel Sheraton in München Bogenhausen. De kennisgeving van de verblijfplaats volgt 3 uur na de overname en de controle van het geld. Zou een van ons van een oncontroleerbare ontwikkeling voorzien, dan wordt uit veiligheidsoverwegingen de gezamenlijke actie direct gestopt en als mislukt beschouwd. Een geslaagde herhaling is op elke plaats, op elk tijdstip en met iedereen mogelijk. Richard Oetker zou dan echter niet meer in ons midden vertoeven.

Zlof kiest met opzet voor een ingewikkelde brief. Hij gooit er ook termen als 'proviand' en 'operatie' in, om de politie op een dwaalspoor te brengen. Op basis van het gebruik van dergelijke termen gaat de politie mogelijk zoeken in de hoek van een militante groepering.

In de woning van Freiherr von Tamski wordt het bandje afgespeeld en wordt de losgeldbrief gelezen. Marion Oetker is in tranen. Ze heeft de indruk dat ze met ijskoude en intelligente criminelen te maken heeft. De politie werkt met een team van zestig rechercheurs aan de zaak. In verband met de hoogte van het losgeld houdt de politie rekening met een dadergroep van drie of mogelijk zelfs zeven personen.

De volgende ochtend staat Dieter Zlof om 7.30 uur op. Over de babyfoon hoort hij dat Richard nog rustig slaapt. Eenmaal aangekleed gaat hij naar de werkplaats. Bij het openen van de roldeur raakt een aan de binnenkant bevestigde tang het dak van de auto. Dit veroorzaakt behoorlijk wat lawaai en een trilling, waardoor het stroomsysteem in de kist in werking wordt gesteld. Richard Oetker staat zeker tien seconden onder stroom, en de stroomstoot is tien keer sterker dan gepland. Hij schokt over zijn hele lichaam en trilt alle kanten op in de veel te kleine kist. Het schokapparaat reageert op zijn ongecontroleerde bewegingen door nieuwe schokken toe te dienen.

'*Hilfe! Hilfe!*' schreeuwt Richard. Zlof realiseert zich wat er gebeurt en trekt de stekker uit het stopcontact. Hij zet snel zijn masker op en doet de kist open. Richard heeft de stroomstoten overleefd en brult kwaad naar zijn ontvoerder: '*Wollt ihr mich umbringen? Ich war völlig schockiert!*' Hij heeft pijn in zijn hele lichaam. Zlof maakt Richard voor een deel los en controleert zijn polsslag. Hij constateert dat het wel meevalt, hoewel Richard zegt dat hij zich niet kan bewegen en bang is dat hij verlamd is geraakt.

Zlof haalt medicijnen, maar die blijken niet te werken. Richard smeekt hem om de losgeldoverdracht te vervroegen: hij houdt het niet lang meer vol in de veel te kleine kist, met ondragelijke pijn.

Zlof beseft de ernst van de situatie en wijkt af van de melding in de eerste brief dat er geen contact meer zal worden opgenomen. Diezelfde woensdag, 15 december 1976, belt hij om 13.25 uur naar Marion Oetker. Met verdraaide stem (hij spreekt met tampons in zijn mond) en zijn neus lichtjes dichtgeknepen legt hij de situatie uit. Hij benadrukt dat Richard medische hulp nodig heeft en dat deze klaar moet staan.

Marion wil graag meewerken aan de vervroeging van de los-geldoverdracht, maar geeft aan dat er problemen zijn bij het vinden van zoveel gebruikte biljetten van 1000 DM. Zlof gaat daar niet op in. Voordat hij ophangt, zegt hij dat hij over twee uur weer zal bellen om een locatie door te geven waar ze een nieuw cassettebandje en een teken van leven kan vinden.

In de werkplaats laat hij Richard een nieuwe boodschap inspreken. Daarin legt Richard zijn vrouw uit wat hem is overkomen. Hij vraagt haar er alles aan te doen om het losgeld een dag eerder te betalen. Hij vertelt op het bandje dat hij hevige pijn heeft, en last van verlammingsverschijnselen als gevolg van de stroomstoot. Na drie pogingen staat de tekst op band.

Om 16.20 uur belt Zlof naar Marion om te vertellen dat ze de bood-schap kan vinden in een witte envelop achter een kist in de Passauer Straße in München, bij de huisnummers 112-114. In de envelop zit ook de autosleutel van Richard. Op de dag van de losgeldoverdracht zal ze nog een teken van leven krijgen, zo belooft hij haar.

Op donderdag 16 december staat Zlof vroeg op. Hij gaat ervan uit dat die dag de losgeldoverdracht zal plaatsvinden. Om 11 uur moet het allemaal beginnen. Er is echter een probleem: zijn beide zoons zijn al dagen ziek, en volgens zijn vrouw Christel is het dusdanig ernstig dat ze naar een kinderarts in het ziekenhuis moeten. Dieter moet mee. Wanneer ze even voor 8.30 uur in het ziekenhuis arrive-ren, zit de wachtkamer bomvol. Dieter zit op hete kolen; ze moeten meer dan een uur wachten.

De wachttijd benut hij om snel de laatste dingen te regelen. Hij verlaat met een smoesje de wachtkamer en gaat nog even naar de werkplaats. Onderweg koopt hij bij een kiosk de *Süddeutsche Zeitung*. Om 8.40 uur komt hij aan bij de werkplaats. Richard krijgt een ontbijt en moet een stukje voorlezen uit de krant voor een nieuw bandje. Verder moet hij het antwoord inspreken op de vraag die zijn vrouw Marion stelde: 'Wat voor cadeau heeft Richard met kerst van zijn moeder gekregen?' Richard antwoordt: 'Herzbecherchen' (kleine glaasjes met een hart erop, SJ).

Als alles erop staat, haalt Zlof zijn vrouw en kinderen om 9.10 uur weer op uit het ziekenhuis. De kinderarts heeft geconstateerd dat beide jongens zijn besmet met een darmvirus. Zodra hij zijn vrouw en kinderen thuis heeft afgezet, gaat hij weer aan het werk. Zijn vrouw heeft hij steeds verteld dat hij dag en nacht aan het sleutelen is aan de auto van een klant, een klus die beslist binnen een paar dagen moet worden geklaard.

Om 10.10 uur gaat bij Marion Oetker de telefoon. Dieter Zlof draait het bandje met het teken van leven af. Hij voegt eraan toe dat de familie niet moet vergeten dat er een neuroloog gereed moet staan, zodat deze onmiddellijk onderzoek naar Richard kan doen zodra hij vrijkomt. Zlof sluit het gesprek af met: '*Schone Grüsse von Richard.*'

Om 10.55 uur is hij weer bij Richard. Hij geeft hem te eten en te drinken, en leegt de urinefles. Daarna verontschuldigt hij zich: hij moet weg, maar komt snel weer terug.

Deze ochtend is het niet alleen voor Dieter Zlof een race tegen de klok. Ook bij de familie Oetker gaat het er hectisch aan toe. De vader van Richard, Rudolf-August Oetker, heeft zijn zoon August uitgekozen als losgeldchauffeur. Tegen 10.30 uur landt een privévliegtuig van de familie op de luchthaven van München. Daar wordt August een minizender opgedaan. Met een politietaxi wordt hij naar de *Landeszentralbank* gebracht.

Om 22.53 uur heeft de bank de twee lederen koffers eindelijk gevuld met het losgeld. Pas om 23.11 uur komt August Oetker bij de bank aan, terwijl hij om die tijd allang in het Sheratonhotel had moeten zijn. Zlof heeft dan al naar het hotel gebeld en de receptie gevraagd of '*Herr Oetker da ist*'. Wanneer bij een tweede telefoontje August Oetker nog steeds niet in het hotel is, belt hij Marion. Zij vertelt dat er moeilijkheden waren bij de bank, maar dat haar zwager er ieder moment kan zijn.

Om 23.40 uur is er eindelijk contact tussen August en de ontvoerder van zijn broer. August wordt vanuit het hotel naar de receptie gestuurd van hotel Arabella, op een steenworp afstand van het Sheraton. Tien minuten later gaat daar de telefoon. In een uitvoerig gesprek vertelt Zlof August over de gezondheid van zijn broer. Opnieuw benadrukt hij dat een neuroloog stand-by moet staan.

Aan het eind van het gesprek stuurt hij August naar hotel Bayerischer Hof. Hier is voor hem een kamer gereserveerd. August moet de kamer betalen en wachten op verdere informatie. August rijdt er met de taxi naartoe. Onderweg haalt hij de peilzender van zijn lichaam: hij vindt het dragen ervan toch te riskant.

Op kamer 35 ligt een brief met nieuwe instructies: hij moet met een taxi naar het *Hauptbahnhof* gaan. Na 364 DM te hebben afgerekend voor de kamer waar hij nog geen kwartier verbleef, verlaat hij iets na twaalven het hotel. Bij de brief zit een sleutel, die past op een bagagekluis op het station tegenover spoor 26. In deze kluis ligt de volgende opdracht.

August opent de kluis. In de kluis zit een grote metalen koffer en een brief met een volgende opdracht. De 21 miljoen DM moet op het toilet bij spoor 1 vanuit de twee lederen koffers worden overgeladen in de metalen koffer. De oude koffers moeten daar worden achtergelaten. Volgens een bepaalde route moet August naar het ondergrondse winkelcentrum Karlsplatz (Stachus) gaan. Daar moet hij bij een bepaalde winkel met de roltrap naar beneden gaan. Hij komt dan uit bij een apotheek, waar hij onder het uithangbord met een grote 'A' moet gaan staan. Hij moet de koffer rechts van zich houden bij een grijze, ijzeren deur. Daar zal hij een nieuwe opdracht ontvangen, al kan dit wel even op zich laten wachten, aldus de brief.

De grijze deur is door Zlof met precisie uitgezocht. Deze nooddeur kan van slechts één kant worden geopend: de binnenkant. De deur leidt naar een gang die uitkomt op een parkeervak waar vrachtwagens af en aan rijden om de winkels te bevoorraden. Terwijl August onder het uithangbord staat te wachten, weet hij niet dat Dieter Zlof hem al minutenlang in de gaten houdt. Voor Zlof is nu het moment aangebroken waarom het hem allemaal te doen is geweest: de perfecte losgeldoverdracht. Ervandoor gaan met het geld en de politie te kijk zetten. Vooral dat laatste is hem alles waard.

Zlof begeeft zich snel naar de losplaats voor vrachtwagens. Via de nooduitgang komt hij terecht in het gangetje dat leidt naar de grijze deur waarnaast August met de koffer met geld staat te wachten. Het is 13.45 uur als Zlof zijn linkerhand op de deurkruk legt. Door een kier ziet hij de lichten van het winkelcentrum. Hij maakt zich zo klein mogelijk, opent de deur en grist met zijn rechterhand de koffer met geld tussen de benen van August weg. 'Niet achteromkijken,' zegt hij tegen August, die perplex staat. 'Wat zeg je?' vraagt August nog, maar de deur gaat alweer dicht. Het hele tafereel duurt nog geen vijf seconden.

Met een koffer die bijna veertig kilo weegt, haast Dieter zich naar buiten. Daar staat zijn auto klaar. Hij legt de koffer in de kofferbak en controleert snel de inhoud. Die lijkt op het eerste gezicht goed: hij ziet veel gebruikte briefjes van 1000 DM. Dat moet bij elkaar wel zo'n

21 miljoen zijn. Zlof rijdt een klein stukje naar een dichtbijgelegen parkeervak, waar hij de koffer overlaadt in een pick-uptruck. Hierin heeft hij een geheime ruimte gemaakt, waar de koffer precies in past.

Als hij wil wegrijden, komt hij terecht in een enorme verkeersdrukte. Even is hij bang dat er een verkeerscontrole plaatsvindt, maar de opstopping wordt veroorzaakt door het massaal toegestroomde winkelpubliek, dat kerstinkopen wil doen.

Zlof rijdt naar Pasing, waar hij de auto met het geld in een garage parkeert. Nu is het tijd om Richard Oetker vrij te laten. Die heeft zich ondertussen behoorlijk zorgen gemaakt. Zijn ontvoerder had gezegd dat hij een uur zou wegblijven, maar er zijn al heel wat uren voorbijgegaan. Richard houdt er rekening mee dat er iets is misgegaan tijdens de losgeldoverdracht. Is Checker – zoals hij zijn ontvoerder heeft genoemd, naar een van zijn goede vrienden – gevlucht met het geld, of is hij doodgeschoten? In dat geval zal niemand hem vinden – hij zal uithongeren en sterven in zijn kist. Richard schreeuwt om hulp, maar niemand kan hem horen.

Zlof belt intussen naar Marion. Hij bedankt haar voor het geld en vertelt dat ze haar man spoedig zal terugzien. Ze moet naar Hotel Mayer in Germering, zo'n 15 kilometer ten westen van München; daar zal ze nieuwe instructies ontvangen over de vrijlating. Zlof benadrukt dat ze de neuroloog niet moet vergeten.

Even na 16 uur komt Zlof aan bij de werkplaats. Hij vraagt Richard uit de kist te klimmen, maar die is hiertoe niet in staat door zijn verlammingsverschijnselen. Zlof sloopt de kist voor een deel, zodat Richard er toch uit kan komen. Richard grapt of hij ook een deel van het losgeld krijgt, aangezien hij in deze zaak het meest te lijden heeft gehad.

Om 17.15 uur verlaat Dieter Zlof met de bestelbus de werkplaats. Met Richard achter in het busje rijdt hij een uur kriskras door München. Hij wil zo de indruk wekken dat Richard op meer dan een uur rijden van München werd vastgehouden. Onderweg komt een politiewagen achter hen rijden. Zlof knijpt hem en beseft dat ze Richard achter in de bus kunnen horen wanneer ze hem aanhouden. Hij stopt bij een telefooncel en pleegt zogenaamd een telefoontje. De politie kijkt wel naar hem, maar rijdt uiteindelijk door.

Rond 18 uur arriveren ze bij een landweggetje. Hier heeft Zlof een auto met draaiende motor klaarstaan, een Opel Commodore. Ook dit is een dwaalspoor: de politie zal denken dat deze auto ook uren gereden heeft. Bovendien is de auto vanbinnen lekker warm, waardoor Richard in de kou niet zal bevriezen. Het lukt Richard niet om uit de bestelbus te klimmen. Dieter helpt hem daarbij. Hij laadt Richard over en legt hem voor in de auto, over de bestuurders- en passagiersstoel. Hij krijgt een wollen deken over zich heen tegen de kou.

Na bijna 48 uur nemen de twee afscheid van elkaar. Ze geven elkaar een hand en wensen elkaar alle goeds toe. 'Ik wens je alle gezondheid toe, en dat je snel weer op beide benen kunt staan,' zegt Dieter tegen Richard. Hij geeft hem een schouderklopje. 'Zien we elkaar ooit weer?' vraagt Richard. Dieter zegt dat hij ooit anoniem iets van zich zal laten horen.

Richard heeft een muts op. Deze mag hij pas afdoen nadat hij tot honderd heeft geteld. Dieter rijdt weg in de bestelwagen. Als Richard na precies honderd tellen de muts afdoet, ziet hij dat het 18.35 uur is.

Vijf minuten later krijgt Marion het verlossende telefoontje. Zlof vertelt haar waar ze haar man kan vinden. De ontlading is groot. Marion is door het dolle heen en bedankt hem uitvoerig.

Tegen 19 uur komt de politie aan bij de aangewezen plek, maar de agenten zien niemand in de auto zitten. Pas als een van hen het voorportier opent, zien ze een man liggen. 'Sind Sie Herr Oetker?' Er wordt meteen een ambulance gebeld.

De politie heeft dan al een verdachte op het oog, een zekere Dino Neumann. Hij is vlak na de ontvoering opgepakt in de buurt van hotel Bayerischer Hof, waar hij zich opvallend ophield in een bestelbusje. Ook had hij een masker in de auto liggen. De agenten laten Richard meteen een paar foto's van Neumann zien, en Richard herkent hem als zijn ontvoerder. Vijf minuten nadat de politie Richard Oetker heeft aangetroffen, mag Marion zich met haar man herenigen.

Een halfuur later arriveert de ambulance. De verpleegkundigen trekken Richard aan zijn voeten uit de auto. Wanneer hij klaagt over pijn, krijgt hij te horen dat hij zich niet zo moet aanstellen. Later zou Richard hierover zeggen: 'Checker ging nog voorzichtiger met mij om dan deze lui.' In het ziekenhuis wordt geconstateerd dat Richard als gevolg van de stroomstoot een paar ribben en beide benen heeft gebroken.

Dieter Zlof is naar huis gegaan. Hij en zijn vrouw hebben die avond bezoek. Een beter alibi kan hij zich niet wensen. Zijn vrouw zet de tv aan; het journaal opent met de ontvoering. De volgende dag haalt Zlof de Hanomagpick-up met de 21 miljoen DM in de geheime ruimte van de parkeerplaats en brengt deze naar een andere garage. Het geld laat hij in de auto zitten.

In verschillende Duitse kranten wordt gemeld dat de biljetten van het losgeld genummerd zijn en dat alle banken beschikken over een lijst met de nummers. Om dat te controleren bedenkt Zlof een list. Bij een drukbezocht klein bankfiliaal op het station doet hij zich voor als autoverkoper die zojuist een auto verkocht heeft. Hij vertelt de medewerkster dat de koper van de auto wil betalen met briefjes van 1000 DM en vraagt of zij twintig biljetnummers wil controleren. Daar heeft de vrouw natuurlijk geen tijd voor. Dan biedt hij aan om het zelf te doen. De medewerkster geeft hem de lijst met nummers, en zonder dat ze het doorheeft, loopt Zlof naar buiten met de lijst.

Bij de garage gaat hij alle biljetten van het losgeld na en ontdekt dat inderdaad veel, maar niet alle nummers genoteerd staan. Toch geeft hij het geld nog niet uit, om de simpele reden dat het niet nodig is. Zlof is namelijk zeer succesvol in het casino. Via een systeem dat hij ontwikkeld heeft op basis van kansberekening, is hij het casino te slim af, en vrijwel dagelijks wint hij aanzienlijke bedragen. Het gaat hem zelfs zo goed af dat hij zijn autogarage van de hand doet en beroepsgokker wordt.

Dieter Zlof en zijn gezin nemen het er goed van: ze kopen een nieuwe auto, gaan op verre vakanties en trekken er vaak op uit. De 21 miljoen DM blijft onaangeroerd. Zlof ziet het geld vooral als een appeltje voor de dorst, mocht het ooit minder goed gaan in het casino.

Hun luxeleventje wordt verstoord wanneer op 25 oktober 1977 twee mannen aanbellen bij huize Zlof. Ze zijn van de politie en hebben een aantal vragen voor Dieter. In het televisieprogramma *Aktenzeichen XY... ungelöst,* de Duitse variant van *Opsporing verzocht*, is een bandje afgespeeld van het gesprek tussen de ontvoerder en Marion Oetker. Via een speciale telefoonlijn konden kijkers het gesprek terugluisteren. Een zekere Gaby Massuki zag de uitzending en meende de stem van haar ex-vriend Dieter Zlof te herkennen. Ze belt vijftig keer met de speciale telefoonlijn, is er dan zeker van dat de stem van Dieter is en tipt de politie.

Zlof werkt volledig mee en heeft op elke vraag een passend antwoord. Er is onvoldoende bewijs om hem te arresteren. Zlof zet zijn leventje voort en gaat weer vijf dagen per week naar het casino. Hij begint iedere dag om 15 uur. Ruim een jaar lang gaat het goed, maar dan is zijn geluk op: hij begint te verliezen en raakt door zijn reserves heen. Net op dat moment is hij bezig een stuk grond te kopen om een huis op te bouwen. Zijn vrouw heeft zich daar erg op verheugd en aangezien het stel op de lopende betaalrekening in de min staat, wordt het tijd om het losgeld te gaan gebruiken.

Zlof besluit een paar biljetten van 1000 in te wisselen in het casino. Hij gebruikt hiervoor biljetten die volgens hem niet op de lijst voorkomen. Hij weet echter niet dat er een tweede, gecorrigeerde lijst is verspreid onder de banken. Op de eerste lijst zijn door een fout niet alle serienummers genoteerd. Van het verschijnen van deze tweede lijst is nooit melding gemaakt in de media.

De biljetten worden ingewisseld voor speelfiches en bij het verlaten van het casino ruilt Zlof deze weer in voor geld. Hij krijgt briefjes van 1000 Duitse mark. Omdat hij ervan uitgaat dat hij niet-genoteerde nummers heeft ingeruild en dat er vele briefjes van duizend door klanten worden ingeruild in het casino, ziet hij er geen gevaar in deze briefjes naar de bank te brengen.

Op 29 december 1978 stort Zlof bij zijn vaste bank 3000 DM, om weer in de plus te komen. De baliemedewerkster loopt even naar achteren en komt terug met de bankdirecteur. Ze vertellen Zlof dat er een briefje bij zit dat op de lijst staat met de genoteerde nummers van de Oetkerontvoering. Zlof kan wel door de grond zakken, maar weet zich goed te houden. 'Dan bellen we toch de politie,' stelt hij voor. De baliemedewerkster zegt dat dat niet nodig is; ze kennen hem immers.

Terwijl Zlof de bank verlaat, beseft hij dat ze vast en zeker de politie zullen inlichten. Hij kan zichzelf wel voor zijn kop slaan: hij heeft een van zijn eigen briefjes van 1000 teruggekregen in het casino, en blijkbaar een biljet dat wel op de tweede lijst genoteerd stond. Hij had moeten vragen of hij de waarde van de fiches in briefjes van 500 kon terugkrijgen, dan was dit nooit gebeurd.

Voor de tweede keer staat de politie op de stoep. Opnieuw krijgt Zlof allerlei vragen, maar hij wordt niet gearresteerd. Hoewel hij 24 uur per dag wordt geobserveerd, lukt het hem het losgeld ongezien uit de Hanomagpick-up te halen. Hij laadt de 21 miljoen DM uit de metalen koffer over in een gewone koffer, en begraaft deze nieuwe koffer in een bosperceel tussen Bad Aibling en München. Zlof graaft een gat van 80 centimeter diep, 80 centimeter lang en 60 centimeter breed. Voordat de koffer de kuil ingaat, wordt hij in plastic gewikkeld.

Het is allemaal net op tijd. Twee weken later, op 30 januari 1979, wordt Dieter Zlof tijdens het ontbijt met zijn vrouw en kinderen gearresteerd. Het huis wordt grondig doorzocht, maar geld wordt niet gevonden. De politie vindt wel een dure personal computer. In die tijd heeft bijna niemand een computer, ook de politie niet. Het gaat om de legendarische 'PET 2001', die Commodore in 1977 op de markt bracht.

De agenten, die waarschijnlijk nog nooit met een computer hebben gewerkt, zien allerlei getallen voorbij springen wanneer ze de computer aan de praat krijgen. Ze hopen dat het gaat om serienummers van het losgeld, maar het blijkt te gaan om heel andere getallen, namelijk de cijfers van het roulettespel. Zlof had op zijn computer een methode ontwikkeld waarbij hij meende te kunnen berekenen welke getallen het vaakst vallen op de roulettetafel.

Deze keer laat de politie Zlof niet gaan. De bewijzen stapelen zich op en diverse getuigen melden zich. Een autohandelaar herkent hem als de koper van de Opel Commodore waarin Richard is gevonden. De politie vindt de garage met de Hanomag en ontdekt de geheime ruimte waar de metalen geldkoffer precies in past.

Het proces begint in het voorjaar van 1980. Onder de getuigen zijn August, Marion en Richard Oetker. Dieter Zlof gaat ervan uit dat er niet genoeg bewijs tegen hem is en laat zich bijstaan door de bekende advocaten Martin Amelung en Rolf Bossi. Laatstgenoemde was ook de advocaat van een van de ontvoerders van Theo 'Aldi' Albrecht (zie hoofdstuk 9). Zij kunnen niet voorkomen dat Dieter op 9 juni 1980 wordt veroordeeld tot vijftien jaar gevangenisstraf.

Op 26 januari 1994 komt Dieter Zlof vrij, drie dagen voordat zijn straf er officieel op zit. De reden is zijn gezinssituatie. Dieters vrouw Christel is een paar maanden eerder getroffen door een beroerte en is er ernstig aan toe. Ze moet voor lange tijd naar een kliniek om te revalideren.

Om haar sneller op de been te helpen wil Dieter haar graag onder acupunctuurbehandeling hebben bij een bekende arts, professor dr. Long Yu Zhu. Deze arts vraagt echter 100 DM per behandeling, die niet door het ziekenfonds wordt vergoed. Als werkloze heeft Dieter geen inkomen, en bovendien moet hij nog 60.000 DM smartengeld aan Richard Oetker betalen. Er zit niets anders op dan het losgeld op te graven. Hij zal voorzichtig te werk moeten gaan, want sinds zijn vrijlating wordt hij voortdurend in de gaten gehouden door de pers. Ook de politie houdt hem nog in de gaten; ook die is geïnteresseerd in het losgeld. Zlof gunt ze dat plezier niet: hij heeft niet voor niets vijftien jaar vastgezeten.

In de gevangenis heeft Zlof Hubert Becker leren kennen. Hubert is een beroepscrimineel, die meer dan de helft van zijn leven heeft vastgezeten. Tussen de twee mannen is een hechte vriendschap ontstaan. Dieter, die altijd heeft volgehouden dat hij niets te maken had met de ontvoering van Richard Oetker, besluit Hubert in vertrouwen te nemen. Hij vertelt Hubert het hele verhaal van de ontvoering en dat hij het losgeld op een geheime plek heeft begraven.

In de tijd dat Zlof vastzat zijn er nieuwe bankbiljetten van 1000 DM in omloop gebracht. Met de oude biljetten kan niet meer betaald worden; deze kunnen alleen nog worden ingewisseld bij de bank. Hubert heeft hiervoor wel een oplossing: hij heeft criminele vrienden in China met connecties bij banken en wisselkantoren.

Op 11 november 1995 graaft Dieter het losgeld op. Het kost hem enige moeite om de juiste plek te vinden. Na lang zoeken en graven stuit hij op de koffer. Wanneer hij de koffer uit de grond wil tillen, voelt deze zwaarder aan dan toen hij hem zeventien jaar geleden begroef. Hij ziet meteen wat de oorzaak is: de koffer is aangetast door vocht en schimmel, en het geld is aangevreten door wormen en ander ongedierte.

Bij het huis van Huberts ouders in het dorpje Dorweiler controleren ze 's nachts het geld, terwijl Huberts ouders liggen te slapen. Een dikke 7 miljoen is dusdanig vochtig of aangevreten dat het geld niet meer te gebruiken is. Dit deel wordt verbrand in de open haard. De rest, zo'n 13 miljoen, wordt gewassen en gedroogd door de biljetten vast te plakken op papier. Daarna worden ze nog een keer gedroogd met een föhn. Op deze manier lukt het de mannen om zo'n 300.000 DM per uur te drogen.

In december 1995 reizen ze met het geld via Frankrijk af naar Engeland. Het inwisselen laat Zlof over aan Hubert. Dan blijkt dat diens connecties het toch te riskant vinden, als ze zich realiseren dat de biljetnummers genoteerd zijn.

Onverrichter zake keren Dieter en Hubert terug naar Duitsland. Daar probeert Hubert op eigen houtje 100.000 DM in te wisselen via een Duitse vriend, maar dat gaat mis. Hubert wordt op 10 januari 1996 gearresteerd. Hij slaat door en vertelt de politie alles. Huiszoeking bij het huis en in de tuin van de ouders van Hubert levert echter niets op: Zlof heeft het geld alweer ergens anders verstopt. Ook huiszoeking bij hem levert niets op.

In mei 1997 probeert Zlof de 13 miljoen Duitse mark zelf in te wisselen in Engeland, maar daarbij loopt hij opnieuw tegen de lamp. Hij wordt veroordeeld tot twee jaar cel voor het witwassen van geld. De familie Oetker is blij, want een groot deel van de Duitse bevolking heeft altijd geloofd in de onschuld van Dieter Zlof en dit bewijst zijn schuld, helemaal wanneer in Duitsland de kuil wordt ontdekt waar het geld begraven lag.

Na zijn terugkeer naar Duitsland begint Zlof een snackkiosk. Tot aan zijn dood moet hij zijn schuld bij de familie Oetker inlossen.

Richard Oetker, vader van twee kinderen, heeft nu de leiding over het familiebedrijf. Hij heeft jaren moeten revalideren als gevolg van de elektrische schok die hij kreeg in de kist. In 2011, 35 jaar later, spreekt hij voor het eerst over zijn ontvoering. Hij vertelt dat het hem niet alleen maar negatieve ervaringen heeft opgeleverd: dankzij de ontvoering heeft hij interessante mensen leren kennen met wie hij normaal gesproken niet zo snel in contact was gekomen, zoals rechters, dokters, politiemensen en advocaten.

Richard is een optimistisch mens. Toen hij in de kist lag en de fatale stroomstoot kreeg, vroeg hij zich af: hoe nu verder? Vervolgens zei hij tegen zichzelf: '*Irgendwie, irgendwann komm ich hier schon aus.*' Na zijn vrijlating kwam hij onder behandeling van een psychiater, maar na twee sessies was voor Richard duidelijk dat hij deze hulp niet nodig had. Doordat hij de dood in de ogen heeft gekeken, staat hij sterker in het leven. In het interview zegt hij daarover: 'Wanneer je onvrijwillig en onvoorbereid in een dergelijke extreme situatie komt, ontdek je dat een mens meer kan doorstaan dan hij van tevoren voor mogelijk heeft gehouden. '*Die Entführung hat mir viel Kraft gegeben.*'

12

De ontvoering van Maurits Caransa

Wanneer: 28 oktober 1977
Waar: Amsterdam, Nederland
Losgeld: 10 miljoen gulden
Ontknoping: 2 november 1977

In de nacht van donderdag 27 op vrijdag 28 oktober 1977 loopt onroerendgoedmagnaat Maurits Caransa terug naar zijn auto. Zoals iedere donderdagavond heeft hij bridge gespeeld in de Continental Club. Hij rijdt in een bordeauxrode Rolls-Royce, die geparkeerd staat bij het chique Amstel Hotel.

Om 1.15 uur wil Caransa oversteken op het Professor Tulpplein. Dan ziet hij vier donker geklede mannen bij zijn auto staan. Heel even twijfelt hij of hij niet beter het Amstel Hotel kan inlopen, maar, zo redeneert de nuchtere, niet bang uitgevallen Amsterdammer: je moet niet overal spoken zien. Hij loopt door – iets wat hij achteraf zal hebben betreurd.

Caransa wordt vrijwel meteen overmeesterd door de vier mannen, die hem in een andere auto proberen te krijgen. Hij verzet zich hevig en er ontstaat een vechtpartij, waarbij de mannen hard op hem inslaan. De 61-jarige Caransa heeft geen schijn van kans. Binnen een minuut zit hij in de rode Renault van zijn belagers, die met piepende banden in de richting van de Sarphatistraat scheurt. Daar moet de auto keren: de brug staat open wegens werkzaamheden.

Eén vrouw ziet het allemaal gebeuren. Ze vindt op straat een schoen en een polstasje, met daarin 1150 gulden en de papieren van Maurits

Caransa. Ze heeft meteen in de gaten dat er iets niet klopt en belt de politie. Voor de politie is het even schrikken. Een ontvoering, daarmee hebben ze in Nederland nog nooit eerder te maken gehad.

Commissaris Gerard Toorenaar wordt door zijn collega's uit bed gebeld met de mededeling dat er iemand is ontvoerd. Ook voor deze ervaren politieman, met een behoorlijke staat van dienst in Amsterdam, is een ontvoering nieuw. Hij kent het verschijnsel alleen van de televisie en uit het buitenland.

Toorenaar neemt de zaak meteen serieus: er worden vijftig rechercheurs op gezet. Een eerste buurtonderzoek levert een getuige op die vlak voor de ontvoering drie of vier donkere types heeft zien zitten op de balustrade van het fietstunneltje bij het Amstel Hotel.

Maurits 'Maup' Caransa wordt op 5 januari 1916 geboren in Amsterdam. Hij groeit op in een arm gezin van Portugees-Joodse afkomst. Als 15-jarige jongen gaat hij als zelfstandige aan de slag. Hij verkoopt olie, kolen en bloemen op straat. Na de oorlog start hij met de verkoop van gedumpte legerkleding.

In 1946 koopt hij zijn eerste pandje voor 750 gulden. Dit verhuurt hij voor 6 gulden per week. Langzaamaan koopt hij er links en rechts een pandje bij. In de jaren zestig en zeventig groeit deze Amsterdamse volksjongen met alleen lagere school uit tot een van de succesvolste onroerendgoedhandelaren van Nederland. Het succes is hem echter nooit naar het hoofd gestegen. Hem is altijd bijgebleven dat hij zijn jeugd in armoede heeft doorgebracht en dat hij zijn rijkdom vooral te danken heeft aan zijn enorme werklust.

De 'eerste ontvoering' van Nederland is groot nieuws (de allereerste is de ontvoering van Marius Bogaardt; zie hoofdstuk 2). Wereldnieuws zelfs. Buitenlandse journalisten reizen af naar Amsterdam om er verslag van te doen, de interim-minister van Justitie, W.F. de Gaay Fortman, keert vervroegd terug van een reis naar het buitenland en demissionair minister-president Joop den Uyl noemt de ontvoering een 'uitzonderlijk ernstig feit'.

Er wordt rekening gehouden met de mogelijkheid dat een terroristische groepering achter de ontvoering zit. In die tijd is er veel sprake van terrorisme, door groeperingen als de Rote Armee Fraktion (RAF) en de Rode Brigades. Verschillende media ontvangen telefoontjes van groeperingen die de ontvoering opeisen. Caransa zou bijvoorbeeld worden vrijgelaten in ruil voor het aftreden van koningin Juliana, de vrijlating van de in Nederland gevangen gehouden RAF-terrorist Knut Folkerts, die in Utrecht een politieman doodschoot, of de vrijlating van alle Molukse politieke gevangenen in Nederland.

Ondertussen is de politie druk bezig met het onderzoek, waarbij onder meer wordt gekeken naar de bridgeclub van Caransa. Daarbij doet de politie een opvallende ontdekking. De vaste bridgepartner van Caransa, Isaák Creveld, heeft op de avond van de ontvoering voor het eerst in drie jaar verstek laten gaan. Hij belde 's middags af met het excuus dat hij een etentje had bij kennissen. De politie vindt dit verdacht. Na onderzoek blijkt echter dat Creveld niets met de ontvoering te maken heeft. Volgens een andere tip zouden mogelijk Joegoslaven bij de ontvoering betrokken zijn. Dit is opvallend, omdat de schoonzoon van Caransa een Joegoslaaf is. De politie houdt er rekening mee dat iemand uit Caransa's nabije omgeving bij de ontvoering betrokken is, maar na onderzoek kan ook de schoonzoon worden uitgesloten van enige betrokkenheid.

Dat bridge een gevaarlijke sport is, bleek overigens al in hoofdstuk 5, waarin wordt beschreven hoe op een warme zomeravond in huize Urschel het kaartspel ruw werd verstoord toen Machine Gun Kelly en zijn maat binnenstormden.

Bridge speelt ook een belangrijke rol bij de ontvoering van Claudia Melchers in 2005: een van de daders blijkt lid te zijn van dezelfde bridgeclub als Claudia.

Oud-premier van België Paul Vanden Boeynants (zie hoofdstuk 16) liet bij de rechtszaak over zijn ontvoering aan de pers weten dat hij geen wrok koesterde tegen zijn ontvoerders, maar dat hij ze niet zou uitnodigen voor een partijtje bridge.

Onmiddellijk na de ontvoering heeft de politie de woning van Caransa in Vinkeveen geprepareerd. Er is een bandrecorder bij de telefoon geplaatst, zodat het gesprek wordt vastgelegd wanneer de ontvoerders telefonisch contact opnemen. In de buurt van de woning houden twee rechercheurs zich dag en nacht onopvallend op. Maurits' vrouw Rika en dochter Shelley doen op zondag 30 oktober via het ANP schriftelijk een dramatische oproep aan de ontvoerders om iets van zich te laten horen, op welke manier dan ook.

Na drie dagen is er eindelijk een eerste levensteken. Op maandagochtend 31 oktober 1977 ontvangt Jaap van Schaik, advocaat en zakelijk adviseur van Caransa, bij de ochtendpost een brief, in een gewone witte envelop. Er zit geen postzegel op, de brief is gewoon in de brievenbus gegooid. Rechts bovenaan staat, dubbel onderstreept, het woord *PRIVÉ*. Daaronder staat het handgeschreven adres. In de enveloppe zit een brief, geschreven op lijntjespapier uit een goedkoop kladblok.

Geef deze brief aan mijn vrouw.

Lieve vrouw, kinderen, familie en vrienden. Ik ben goed in leven dus maak je niet te veel zorgen. Nu komen wij er wel uit. Bel Bram, Schaik, Winkelhuis, laat ze alle moeite doen een bedrag van 10 miljoen gulden bij elkaar te krijgen in geeft niet wat voor biljetten. Laat niemand iets weten, alleen drie mensen als voornoemd. Geen politie, geen reporter. Ik hoor elke nieuwsuitzending zodat je je geen zorgen moet maken. Doe al het geld in een zo klein mogelijke koffer. Het geld wordt goed bekeken en als alles in orde is word ik vrijgelaten na 5 uur. Dit is no politiek maar alleen voor geld, geen zorgen, doe dit exact.

Veel groeten en doe het snel, Maup

Er zit nog een korter briefje in de envelop, gericht aan mr. Jaap van Schaik.

Dit is voor Van Schaik,
   Jaap doe dit voor mij. Spreek met niemand. Alleen 3 man. Bram en Jan Winkelhuis. Jij krijgt contact via iemand. Doe het zelf maak geen micro of geen andere dingen. Alleen geld, geen nummers en gebruikt geld, dus gebruikt, en geen politie of gouvernement. Dan ben ik gauw vrij. Als iemand jou belt en hij zegt RIKA IS GOOD.

De brieven zijn geschreven en ondertekend door Maurits Caransa zelf. De codezin 'Rika is good' verwijst naar de vrouw van Caransa. Hoewel de brief het verbiedt, gaat Van Schaik toch naar de politie. Voor de politie is duidelijk dat het niet gaat om een politieke ontvoering, maar om criminelen, die het puur om het geld te doen is. De telefoontjes van de afgelopen dagen van groeperingen die de ontvoering opeisen, kunnen dus worden genegeerd.

Nu wordt ook het kantoor van mr. Van Schaik geprepareerd, aangezien de daders in de brief aankondigen telefonisch contact met hem op te nemen. De politie probeert een 'vang' op de telefoon te zetten, zodat ze de gegevens van iedere beller kunnen nagaan, maar omdat de telefoon nog op een ouderwetse PTT-centrale zit, is dit niet mogelijk. Ze moeten het doen met een bandrecorder.

Deze is nog maar nauwelijks geplaatst of er wordt al gebeld door de ontvoerders. Ze stellen zich voor met 'Rika is good' en vragen in het Engels of de brief al is gelezen. Van Schaik antwoordt bevestigend en zegt dat de familie bereid is om het losgeld te betalen.

De politie en de familie Caransa spreken af dat er geen cent losgeld betaald wordt voordat ze een levensteken van Caransa hebben ontvangen. Bij het eerstvolgende telefoontje zal daarom worden gevraagd. Ze bedenken een vraag waarop alleen Caransa het antwoord kan weten: wat is de plaats waar de laatste commissarissenvergadering werd gehouden?

Dezelfde dag bellen de ontvoerders nog een paar keer. Ze stemmen ermee in dat er pas betaald wordt na ontvangst van het antwoord op de vraag. Dat antwoord volgt diezelfde middag om 17.15 uur.

De ontvoerders stellen zich weer voor met 'Rika is good', en dan schrikken Van Schaik en de politie, want ze horen Caransa zelf door de telefoon. De ontvoerders draaien een bandje af met daarop zijn stem. 'Ja met mij,' begint hij. Vervolgens geeft hij het juiste antwoord op de vraag naar de locatie van de laatste commissievergadering: 'In de trein naar Frankrijk.' Na nog wat kleinigheidjes eindigt hij het gesprek met: 'Mensen, luister goed, het is geen leuke situatie. Dat begrijpen we allemaal. Maar die 10 miljoen moet op tafel komen. Ik moet hier hoe dan ook levend uit.'

Een halfuur later wordt er opnieuw gebeld door de ontvoerders. Wederom beginnen ze met het codewoord, en ze vragen in het Engels of het geld al gereed is. Ze voegen eraan toe dat het losgeld in briefjes van 1000 betaald moet worden. Eerder hadden ze daar niet om gevraagd, en de politie wilde het losgeld juist zo veel mogelijk in kleine coupures uitbetalen, om het vervoer van het geld voor de ontvoerders te bemoeilijken.

Wanneer Van Schaik vraagt wat er verder staat te gebeuren, wordt hem verteld dat hij tot 22 uur op zijn kantoor moet blijven en dat verdere 'constructions' zullen volgen. Deze verspreking – het moet natuurlijk 'instructions' zijn – doet de politie vermoeden dat het gaat om een Nederlandse ontvoerder, die doet alsof hij Engelsman is. Van Schaik blijft tot na tienen op zijn kantoor en wacht op instructies. Die maandagavond komt er echter geen telefoontje meer van de ontvoerders.

De politie overweegt met het geld te 'knoeien' en onderzoekt de mogelijkheid om met valse biljetten te betalen, het geld met een vloeistof te bewerken of een zendertje tussen het geld te verstoppen. Uiteindelijk wordt van al deze opties afgezien: het risico is te groot. Bij ontdekking door de ontvoerders zou het leven van Caransa in gevaar komen. Toorenaars motto is: 'Liever een levende Caransa en geen dader, dan een dode Caransa en vijf daders in de cel.'

Een dag later, op dinsdag 1 november, bellen de ontvoerders om 11.30 uur weer met Jaap van Schaik. Wederom wordt een bandje afgedraaid met de stem van Caransa: 'Is alles geregeld? Neem geen risico's. Het zijn geen killers. Als jullie betalen, dan laten ze me vrij. Neem geen risico's.' Een van de ontvoerders voegt eraan toe: 'We call you later...'

Dat gebeurt een halfuur later. Van Schaik moet de gegevens van zijn auto doorgeven. Hij vertelt dat hij rijdt in een donkerblauwe Peugeot en dat het kenteken in het midden de letters PP heeft. De ontvoerders dragen hem op om het geld gereed te houden en weer tot 22 uur op kantoor te blijven.

Zo laat wordt het die avond niet, want even voor 20 uur bellen de ontvoerders al. In het Engels krijgt Van Schaik de opdracht om met het losgeld te gaan rijden. 'Rika is good. Luister goed. U gaat alleen naar het Beursplein. Op de hoek van het Beursplein en de Papenbrugsteeg staat een elektriciteitkastje. Achter het kastje vindt u een brief. U gaat met de auto. U wordt in de gaten gehouden. Hebt u dit begrepen?' Van Schaik zegt dat het hem duidelijk is. Dan draait de ontvoerder nog een stukje band af met de stem van Caransa, waarop hij zegt: 'Voldoe aan de instructies, dan komt het allemaal goed!'

Van Schaik vertrekt met een bruin koffertje met daarin 10 miljoen gulden in briefjes van 1000 gulden. Het koffertje weegt 20 kilo. Het bedrijf van Caransa heeft het geld kunnen lenen van de huisbankier. Alle nummers van de bankbiljetten zijn op microfilm gezet. Van de nummers wordt een boekje gemaakt, dat later onder alle banken in Nederland zal worden verspreid, en mogelijk ook bij banken in het buitenland.

Achter het elektriciteitskastje vindt Van Schaik inderdaad een brief waarin staat dat hij niet harder dan 40 kilometer per uur mag rijden op de aangegeven route. De route leidt naar Herengracht 590. Daar zal hij de nieuwe brief vinden achter de deur van een GEB-kastje. In deze brief wordt Van Schaik opgedragen om naar Café Krom in de Utrechtsestraat te rijden. Binnen moet hij de barkeeper zijn naam geven en wachten bij de telefoon. Wanneer Van Schaik rond 20.30 uur bij het café aankomt en naar binnen wil, blijkt het café echter gesloten. De eigenaresse, mevrouw Krom, is binnen aan het schoonmaken. Van Schaik hoort de telefoon en tikt op het raam, maar mevrouw Krom vertrouwt het niet en laat hem niet binnen.

Hier hebben de ontvoerders waarschijnlijk een fout gemaakt bij hun voorbereiding. Het café sluit namelijk iedere dag om 19.30 uur. Wanhopig gaat Van Schaik in zijn auto zitten. Dan komt plotseling een gele Fiat 128 aanrijden, die stopt naast de auto van Van Schaik. Er stappen twee mannen uit. Een van hen draagt een oranje helm. Er wordt op het raam getikt en de man roept: *'Rika is good. The money, the money!'* Van Schaik stapt uit de auto en pakt het bruine koffertje met losgeld uit de kofferbak. De mannen grissen het uit zijn handen, stappen in hun auto en maken dat ze wegkomen. Het hele tafereel heeft nog geen minuut geduurd.

Van Schaik rijdt achter de mannen aan. Hij heeft zijn verrichtingen steeds doorgegeven aan de politie via een ingebouwde zender in zijn auto. Hij las de brieven steeds hardop voor. Bij de losgeldoverdracht was de politie dan ook in de buurt. Van Schaik vertelt in welke richting hij rijdt. Via de meldkamer krijgen alle observerende agenten van Toorenaar opdracht de Fiat 128 te volgen. Toch weten de ontvoerders met de 10 miljoen gulden losgeld te ontkomen.

Op het kantoor van Van Schaik wordt die avond gewacht op nadere mededelingen van de ontvoerders over de beloofde vrijlating van Caransa binnen vijf uur. Laat op de avond rinkelt de telefoon bij Van Schaik. Het zijn de ontvoerders. *'The money is not enough, we call you tomorrow.'* De politie en Van Schaik zijn kwaad, ze voelen zich belazerd. Er wordt een aanvullende losgeldeis verwacht. De mannen zijn uitgeput en besluiten eerst maar eens wat slaap in te halen.

Hun nachtrust is van korte duur, want die nacht wordt Gerard Toorenaar om 1.15 uur uit bed gebeld. Het is het hoofdbureau: Caransa zit op het bureau. Hij is die nacht vrijgelaten, vijf uur na de betaling van het losgeld. Toorenaar haast zich naar het bureau. Zijn vrouw pakt nog snel een paar bloemen uit een vaas en wikkelt deze in een krant. 'God zij dank,' schrijft ze op de krant.

Op het politiebureau heerst een feeststemming. Toorenaar treft Caransa aan op kamer 119, waar hij een sigaretje zit te roken. Caransa vertelt dat hij door de ontvoerders na een rit van ongeveer een half-uur uit de auto is gegooid in de Dirk Hartogstraat. Niemand was op zijn hulpgeroep afgekomen. Na een tijdje heeft hij op het Zoutkeets-plein een vrouw op een bromfiets staande gehouden. Ze bood hem aan om hem naar het politiebureau te rijden. Caransa maakte hier geen gebruik van. Samen zijn ze op zoek gegaan naar een taxi, die hem uiteindelijk naar het politiebureau heeft gereden.

Caransa heeft precies vijf dagen vastgezeten. Hij was naakt vast-geketend aan de muur in een geïsoleerde kamer, alleen zijn onder-broek mocht hij aanhouden. Zijn cel was ongeveer 6 vierkante meter groot. Hij lag op een dun matras. Er was geen verwarming of licht, en zijn behoefte moest hij doen op een klein chemisch toiletje. Over-dag stond constant de radio aan, zodat hij zo min mogelijk omge-vingsgeluiden kon horen of herkennen. Voor zijn gevoel werd hij ergens in de buurt van de Bijlmerbajes vastgehouden.

Tijdens zijn 120 uur durende gevangenschap kreeg hij steeds brood, koffie, thee en melk te eten en drinken. Het beleg bestond uit kaas en zalm, meestal uit blik. De ontvoerders hadden in eerste instantie 40 miljoen gulden willen vragen voor zijn vrijlating. 'Ver-geet het maar,' had Caransa daarop gezegd. 'Nooit van mijn leven. Als jullie dat vragen, schiet me dan maar lek.' Hij vertelt dat hij met een tegenbod is gekomen van 3 miljoen gulden. Uiteindelijk werden ze het eens over 10 miljoen gulden.

In de periode na de ontvoering kun je nergens in Nederland meer met een briefje van duizend betalen of er is wel een kassamede-werker die controleert of het een losgeldbiljet betreft. Drie weken na de ontvoering duiken de eerste Caransaduizendjes op in Italië. Door Interpol worden enkele verdachten opgepakt, nadat ze hebben geprobeerd 48 biljetten in te wisselen. Ze ontkennen elke betrok-kenheid bij de ontvoering en worden na enige tijd weer vrijgelaten. Ook uit Turkije, Libanon en Zwitserland komen biljetten binnen bij de Nederlandsche Bank. Het leidt verder niet tot aanhoudingen in die landen.

In januari 1978 lijkt de politie beet te hebben: via Zwitserland zijn achthonderd Caransaduizendjes naar de Verenigde Staten gesmokkeld, waar ze zijn ingewisseld voor dollars. Toorenaar reist af naar de Verenigde Staten en kan rekenen op steun van de FBI. Ze krijgen alle medewerking van de banken.

Een zekere Andrew Hansen heeft vlak voor kerst 750.000 gulden aan briefjes van 1000 ingewisseld bij een bank. Na de kerst levert hij nog eens 46 briefjes van 1000 gulden in. Hansen wordt ondervraagd en vertelt dat hij het geld heeft gekregen van Sal Saurman, een Amerikaanse Argentijn, en Luis Alvarez, een Italiaanse Argentijn. De laatste is lid van de maffia. Tegen een beloning van 8500 dollar moest Hansen de briefjes inwisselen voor dollars. Hij zegt dat hij niet weet dat het losgeld betrof.

Op 22 januari 1978 arresteert de FBI in New York Sal Saurman. Hij draagt een koffer bij zich met daarin 480 briefjes van 1000, afkomstig van het losgeld. Sal Saurman verklaart niks van een ontvoering af te weten. Hij heeft opdracht gekregen van Luis Alvarez om tegen beloning het geld in te wisselen voor dollars. Alvarez zou het geld op een Zwitserse bankrekening hebben staan.

Saurman is bereid samen te werken met de politie. Hij zal Alvarez naar Europa lokken om het voor dollars ingewisselde losgeld op te komen halen. De geplande afspraak gaat echter niet door. Alvarez is in Italië gewond geraakt bij een schietpartij met de politie en zit ondergedoken, hij kan onmogelijk het land uit. Zodra hij is hersteld, zal hij het omgewisselde geld komen ophalen bij Saurman in Los Angeles, zo laat een handlanger weten.

In maart 1978 komt Luis Alvarez bij Saurman op bezoek. De FBI arresteert hem meteen en stelt hem voor de keus: meewerken of we leveren je uit aan Italië of Nederland. Alvarez houdt zijn lippen stijf op elkaar. Het enige wat hij loslaat, is: 'Ik zeg niets. Zodra ik mijn mond opendoe, worden eerst mijn vrouw en kinderen vermoord en later ikzelf ook. Lever me dan maar liever uit.'

In het boek *Uit de dossiers van commissaris Toorenaar* van Peter R. de Vries onthult Gerard Toorenaar dat op advies van de FBI de hulp van Maurits Caransa is ingeroepen om Luis Alvarez aan het praten te krijgen. Caransa is naar de Verenigde Staten vertrokken om Alvarez in de gevangenis te bezoeken, maar ook tegen hem wilde Alvarez niets zeggen. Caransa heeft hem zelfs 1 miljoen gulden en vrijstelling van strafvervolging aangeboden als hij zou vertellen wie achter de ontvoering zaten. Alvarez ging niet op het aanbod in. '*No mister, no way. It will be my death*,' zei hij. Uiteindelijk wordt Alvarez uitgeleverd aan Italië. Een poging van Toorenaar om hem daar aan de praat te krijgen, mislukt eveneens. De politie is terug bij af. Tussen de zevenhonderd tips die zijn binnengekomen sinds de ontvoering, zit geen enkele bruikbare.

Daarin komt verandering in december 1978, als een zekere Rudi D. zich meldt bij de politie. De van origine Duitse voormalige advocaat weet te vertellen hoe de ontvoering ongeveer in elkaar steekt. Hij vertelt dat een zekere Ron Ostrovski en Lenie Lefebre betrokken zijn geweest bij de Caransa-ontvoering. De twee zijn volgens hem in het bezit van 1,8 miljoen gulden van het losgeld. Ze bieden het in het criminele milieu aan voor een aanzienlijk lager bedrag, om zo van de besmette duizendjes af te komen.

Toorenaar is enthousiast en denkt de zaak na meer dan een jaar eindelijk te kunnen oplossen. Het loopt echter anders. Juist op dat moment speelt bij de Amsterdamse politie een corruptieschandaal, waarin Toorenaar een belangrijke rol speelt. Zijn directe betrokkenheid wordt nooit bewezen, maar uit onderzoek blijkt wel dat hij 'onduidelijk gebruik heeft gemaakt van dubieuze informanten'. Ook zou hij te solistisch optreden. Voor verantwoordelijk minister Hans Wiegel is dit geen reden om hem te ontslaan, maar hij wordt wel overgeplaatst en heeft geen zeggenschap meer over het onderzoek naar de ontvoering.

Het onderzoek wordt overgenomen door hoofdinspecteurs Kees Sietsma, Henk Terhaar en Teun Platenkamp. Onder hun leiding wordt in samenwerking met de Duitse politie een Duitse undercoveragent ingezet, Hans Georg Haupt. Haupt doet zich voor als onderwereldfiguur Gregor von Kronberg en komt via Rudi D. in contact met Ron Ostrovski en Lenie Lefebre. Hij biedt hun 700 gulden voor elk briefje van 1000. Het Nederlandse geld dat hiervoor nodig is, is beschikbaar gesteld door Caransa.

De twee tuinen erin. Ze leiden de undercoveragent naar hun baas, Piet Clement. Clement woont in het Spaanse Marbella en staat bekend als een bikkelharde drugshandelaar. Vlak voordat het tot een ontmoeting in Spanje zal komen, gaat het mis. De politie vindt dat de onkosten die Haupt maakt veel te hoog oplopen en vermoedt dat hij de scheidslijn tussen undercoveragent en crimineel niet helemaal meer weet. Hij wordt van de zaak gehaald en teruggestuurd naar Duitsland. Tipgever Rudi D. is teleurgesteld. Hij loopt de beloning van 10.000 gulden mis voor de tip die zou leiden tot de oplossing.

In april 1979 krijgt de politie een nieuwe kans om de zaak op te lossen. Een gearresteerde drugssmokkelaar, de 26-jarige Robbie Koning, is bereid in ruil voor strafvermindering en bescherming het complete verhaal over de ontvoering te vertellen. De politie is zeer geïnteresseerd. Koning weet te vertellen dat Caransa werd vastgehouden op een boerderij in het Noord-Hollandse Middelie. De eigenaar van de boerderij was Frans Krabshuis.

Het brein achter de ontvoering, door de ontvoerders 'Operatie Papegaai' genoemd, is de 36-jarige Piet Clement, alias 'de Chef'. Daarnaast waren Ron Ostrovski (23), Lenie Lefebre (40), alias het Koninginnetje, en Evert Tweehuizen (31) erbij betrokken. Deze laatste staat bij de politie bekend als een keiharde heroïnedealer. Hij zou de contacten hebben gelegd tussen Piet Clement en een drietal ervaren Italiaanse ontvoerders, die hebben geholpen bij de uitvoering. Zij zouden onder andere het scenario voor de losgeldoverdracht hebben bedacht. Koning zelf had als manusje-van-alles meegeholpen bij de ontvoering. Hij had Caransa onder meer van eten voorzien, en was ook een van de mannen die het losgeld in ontvangst namen. De verklaringen van Koning lekken uit naar *De Telegraaf*, die ze publiceert. Hierop weigert Koning, aan wie geheimhouding was beloofd, verder te verklaren. De zaak ligt weer stil.

Pas wanneer *Telegraaf*-verslaggevers Peter R. de Vries en Cees Koring later dat jaar komen met een artikel over de schuilplaats van Caransa in Middelie, wordt eindelijk actie ondernomen. Samen met Caransa gaan politiemensen op 7 juli 1981 naar de woning om te kijken of Caransa daar daadwerkelijk werd vastgehouden. Caransa herkent de boerderij. Toch gebeurt er weer niets. De betrokkenen worden informeel door de politie gehoord, maar er worden geen arrestaties verricht.

Eerder dat jaar kwam *De Telegraaf* al met nieuwe onthullingen over de Caransaontvoering. Dezelfde journalisten hadden namelijk ontdekt dat advocate mr. Dien Hollander hier en daar had geïnformeerd naar de beste manier om 1,8 miljoen gulden wit te wassen. Uit het artikel blijkt dat ze dit in opdracht deed van twee van haar cliënten, Ron Ostrovski en Lenie Lefebre. De politie deed niets met de publicaties.

Er komt nog een laatste kans. De Duitse undercoveragent Haupt is na zijn terugkeer naar Duitsland beschuldigd van corruptie, onder meer in de Caransazaak, en daardoor in de problemen geraakt. Ook wordt hij verdacht van de moord op zijn vrouw. Een Nederlandse rechercheur bezoekt hem in de gevangenis en hoort nog eens al zijn verklaringen aan over zijn undercoveractiviteiten in Nederland.

Dit biedt zo veel aanknopingspunten dat een arrestatie van de daders niet kan uitblijven wanneer hij een verklaring op papier aflegt. Hierbij moet wel een Nederlandse officier van justitie aanwezig zijn. De officier die belast is met de Caransa-ontvoering, heeft echter geen tijd, waardoor het nooit tot een getuigenis van Haupt komt. Zo blijft de ontvoering onopgelost.

Wanneer de zaak na twintig jaar verjaard is, doet in december 1997 Ron Ostrovski op televisie zijn verhaal in het programma *Peter R. de Vries, misdaadverslaggever.* Hij bevestigt in vijf uitzendingen nog eens wat De Vries al had gepubliceerd in *De Telegraaf* en in zijn boek over Toorenaar, en wat de recherche eigenlijk al wist. Wel blijft vaag wie de Italianen zijn geweest die bij de ontvoering betrokken waren. Wanneer Peter R. in de uitzending aan Ostrovski een paar foto's laat zien van verdachte Italianen, ontkent hij dat dit de mannen zijn. Wie het wel geweest zijn, krijgen we van hem niet te horen.

Toorenaar heeft er alles aan gedaan om de zaak op te lossen, evenals Caransa zelf. Caransa heeft na de ontvoering de publiciteit zo veel mogelijk gemeden, behalve die ene keer in maart 1978, toen hij te gast was in het programma *TV Privé* van Henk van der Meyden. In een taxi zat hij tussen Van der Meyden en de bekende paragnost Peter Hurkos in. Hurkos had een badhanddoek over zijn hoofd en probeerde de route aan te geven die Caransa had afgelegd op de avond van zijn ontvoering. De rit begon op de plek waar de ontvoering plaatsvond. Hurkos ging al in de eerste minuut de fout in: hij liet de auto over de brug rijden die op de avond van de ontvoering omhoog stond wegens werkzaamheden. Dit leidde tot enige hilariteit in huize Toorenaar.

Toorenaar overlijdt op 25 november 1994 op 69-jarige leeftijd. Het brein achter de ontvoering, Piet Clement, pleegt in 1985 zelfmoord. Robbie Koning wordt op 14 mei 1986 op straat door twee mannen geliquideerd, vlak voor theater Carré. Hij probeert nog aan de kogelregen te ontsnappen door in de Amstel te springen, maar is geraakt door drie kogels. Korte tijd later overlijdt hij in het ziekenhuis. Hij is 35 jaar geworden. Maurits Caransa overlijdt op 6 augustus 2009 op 93-jarige leeftijd in zijn woonplaats Vinkeveen.

Mogelijk wordt de Caransa-ontvoering binnenkort op het witte doek nog een keer opgelost. In maart 2014 meldde de populaire website Crimesite dat een van de daders, Evert Tweehuizen, in onderhandeling is met Amerikaanse producenten over een verfilming van zijn leven. Uit het filmscript – met als werktitel *De man die Caransa ontvoerde* – zou blijken dat Tweehuizen, die in zijn jonge jaren nog gitarist is geweest in de band van Rob de Nijs, samen met Piet Clement het brein was achter de ontvoering. Mogelijk komen we dan eindelijk via de aftiteling achter de identiteit van de Italianen.

13

De ontvoering van Toos van der Valk

Wanneer: 26 november 1982
Waar: Nuland, Nederland
Losgeld: 12,5 miljoen gulden
Ontknoping: 17 december 1982

Vrijdagavond 26 november eten Gerrit en Toos van der Valk bij hun dochter Marijke in Vught. Normaal gesproken gaan ze vrijdagavond eten bij oma Van der Valk in hotel Van der Valk Avifauna in Alphen aan de Rijn, maar oma is verhinderd. Marijke heeft hen daarom uitgenodigd om bij haar en haar man Harry te komen eten in restaurant De Witte, het restaurant dat Gerrit en Toos 21 jaar lang hebben gerund. Na het eten komen ze rond 23.30 uur weer bij het Van der Valkmotel dat ze nu runnen, in Nuland. Achter het restaurant staat hun woning. Om de woning te bereiken moeten ze over het parkeerterrein van het motel rijden. Gerrit parkeert zijn groene Cadillac voor de garagedeur. Hij vraagt Toos of ze nog een briefje wil schrijven voor de werkster dat de auto gewassen moet worden. Hij is moe en gaat gelijk naar boven om te slapen. Toos blijft nog even beneden om een paar opdrachten op te schrijven voor de dienstmeisjes.

Voor ze dat doet, draait ze de keukendeur van het slot; zoon Marc moet nog thuiskomen. Als ze naar de keuken wil lopen met een zwaar dienblad met daarop de spullen die de volgende dag door de werkster gepoetst moeten worden, hoort ze lawaai. Dat zal Marc zijn, denkt ze.

Plotseling ziet ze twee mannen met donkere bivakmutsen de kamer binnenstappen. Eentje zwaait met een pistool. 'Valks, Valks!' roepen ze. Toos denkt even dat het pistool nep is. Haar zoon Gert-Jan heeft een schietschool, mogelijk haalt hij een grap uit. Ze ziet dat er nog twee mannen bij komen, en met het dienblad nog in haar handen realiseert ze zich dat dit geen grap is. Ze denkt aan een overval. 'Wo ist Valks?' roepen de mannen. Toos kan het zware dienblad nog net op een tafel neerzetten voordat ze vanachter wordt beetgepakt en een pistool tussen haar ribben geduwd krijgt.

'Wo ist Valks?' roepen ze weer. 'Valk is niet hier, hij is naar het motel,' probeert Toos. De overvallers trappen er niet in. Ze hebben Gerrit en Toos samen naar binnen zien gaan. Een van de overvallers haalt een zwarte wollen muts uit zijn binnenzak en trekt deze over het hoofd van Toos. Ze slepen haar mee naar buiten. Toos komt in opstand en trapt wild om zich heen. Ze probeert haar belagers van zich af te duwen, maar heeft geen schijn van kans tegen de vier gewapende mannen. Die nemen haar in de houdgreep en duwen haar gezicht naar beneden. Toos staakt haar verzet. Ze wil voorkomen dat haar man Gerrit wakker wordt en dat de mannen zijn aanwezigheid ontdekken.

Buiten staat een blauwe BMW klaar. Toos wordt op de achterbank gegooid. Aan beide kanten komt iemand naast haar zitten. Terwijl de auto wegrijdt, wordt haar hoofd naar beneden gedrukt. Onderweg kan ze door de wollen muts de route aardig volgen. Ze ziet Antwerpen op de borden staan. Ze passeren de grensovergang bij Hazeldonk en rijden door de tunnel van Antwerpen. Even later ziet Toos de lichten van vliegveld Zaventem. Dan stoppen ze in een straat met veel lantaarnpalen en de auto rijdt een garage in.

Toos wordt hardhandig van de achterbank getrokken en een huis binnengebracht, waar de ontvoerders haar ondervragen. Ze willen weten wie ze is. Toos zegt dat ze een dienstmeisje is, maar als de mannen dreigen haar iets aan te doen als ze niet de waarheid spreekt, geeft ze toe dat ze Toos van der Valk is. Ze wordt weer in de auto gezet en overgebracht naar een andere plek. Daar wordt ze naar een kamer gebracht waar een tent in staat. Ze kruipt naar binnen. Om haar enkels en polsen krijgt ze metalen kettingen, waarmee ze wordt vastgeketend aan de verwarmingsbuis.

Pas de volgende ochtend wordt de ontvoering ontdekt. Om 6 uur wordt Gerrit van der Valk wakker gebeld. Het zijn de ontvoerders. *'Ihre Frau ist weg,'* zegt een man in gebrekkig Duits aan de andere kant van de lijn. Gerrit kan haar terugkrijgen na het betalen van *'einige Millionen'*. Gerrit ziet dat Toos niet naast hem ligt en gaat naar haar op zoek. Wanneer hij haar niet aantreft, maakt hij hun zoon Marc wakker.

Marc is de vorige avond later dan zijn ouders thuisgekomen, maar heeft niks gemerkt. Samen doorzoeken ze het hele huis. Tevergeefs. Ze besluiten de politie te bellen. Nog voordat de politie arriveert, wordt er opnieuw gebeld door de ontvoerders: *'Wir haben ihre Frau.'*

De politie neemt haar intrek in de villa bij het motel in Nuland. Tijdens de eerste gesprekken wordt de telefoon afwisselend opgenomen door Gerrit zelf en zijn zonen. Zij zijn zo emotioneel dat er van alles misgaat. Zo vergeet zoon Ad de opnameknop in te drukken van de cassetterecorder die alle gesprekken registreert.

Hierop wordt besloten dat schoonzoon Joep van den Nieuwenhuizen, getrouwd met dochter Carlita, van nu af aan de onderhandelingen zal voeren met de ontvoerders namens de familie. Joep van den Nieuwenhuizen is een geslaagd zakenman. Hij blijft kil en zakelijk wanneer de ontvoerders op zondag 28 november opnieuw bellen. De losgeldeis is inmiddels verhoogd. Ging het eerst nog om *'einige Millionen'*, nu eisen ze 6 miljoen Zwitserse frank, 2 miljoen Duitse mark en 2 miljoen gulden – omgerekend ongeveer 12,5 miljoen gulden. Joep komt met een tegenbod van 7,5 miljoen gulden. *'Keine Tricks, kein Polizei,'* is het enige wat de ontvoerders hierop zeggen.

Van den Nieuwenhuizen is ook woordvoerder naar de pers. Op maandag 29 november maakt de familie in een persconferentie de ontvoering bekend. Het *NOS Journaal* opent ermee en de ontvoering is de volgende dag bij alle kranten voorpaginanieuws. Van den Nieuwenhuizen vraagt de hulp van het publiek. Voor de gouden tip die leidt tot het terugbrengen van zijn schoonmoeder, heeft hij een beloning in gedachten: *'Wat mij betreft, mag de tipgever een jaar lang met zijn familie bij ons te gast zijn.'* Even later looft de familie Van der Valk een beloning uit van 100.000 gulden.

Doordat ze onderweg goed heeft opgelet, weet Toos zo goed als zeker dat ze wordt vastgehouden in Brussel. Als ze tijdens haar gevangenschap een gebakje krijgt omdat een van ontvoerders jarig is, weet ze het zeker. Onder het gebakje zit een papiertje met de naam en het adres van de bakker: Boulangerie Gavilan, Elsensesteenweg 24, Bruxelles. Ze eet het gebakje niet op omdat ze bang is dat de ontvoerders zich dan zullen realiseren dat ze een enorme fout hebben gemaakt. De kans dat ze haar vermoorden omdat ze te veel weet, wordt hierdoor alleen maar groter, vreest ze.

Ze had wel veel zin gehad in het gebakje. Tijdens haar ontvoering krijgt ze als ontbijt meestal een boterham en een glas melk. Ook krijgt ze iedere dag een vitaminepil en als warm eten vaak een bord pasta. Bij het eten krijgt ze een kop thee te drinken. Toos houdt absoluut niet van thee en heeft veel liever koffie.

In haar tentje wordt ze om beurten bewaakt door twee ontvoerders, een aardige en een minder aardige. De eerste noemt ze voor zichzelf de Raaf en de andere de Rat. De mannen slapen 's nachts op een bed dat in dezelfde kamer staat als het tentje van Toos. Met de Raaf knoopt ze regelmatig een gesprek aan. De ontvoerders leggen haar uit dat ze is ontvoerd en na betaling van losgeld weer zal worden vrijgelaten: 'Wij vragen een beetje en jullie hebben veel.'

De werkelijke namen van de ontvoerders zijn Giuseppe Ravelli en Gianfranco Consoli. Samen met Adriano Mapelli en Giancarlo Tomei zijn zij de belangrijkste leden van een maffia-achtige organisatie met meer dan veertig leden. De groep staat onder leiding van de 33-jarige Franco Catberro en houdt zich vooral bezig met ontvoeringen.

De vijf hebben al een behoorlijke staat van dienst opgebouwd in het Noord-Italiaanse Bergamo en omgeving. In Italië wordt Catberro gezocht; hij moet daar nog een straf uitzitten van 32 jaar voor een ontvoering met dodelijke afloop. Twee meisjes die door hem en zijn kompanen waren ontvoerd, zouden zijn gedood. Verder heeft hij met zijn jeugdvriend Tomei twee geldwisselaars geliquideerd. Daarvoor zijn ze gepakt, maar ze wisten uit de gevangenis te ontsnappen en zijn gevlucht naar Zwitserland.

Catberro is niks zonder zijn vriendin Michela Castello, die hem met raad en daad bijstaat. Ravelli is met het idee van de ontvoering gekomen. Ook hij wordt gezocht in Italië. Samen met Catberro staat hij op een lijst van driehonderd criminelen die bij de politie bekendstaan als ontvoerders. Hij is veroordeeld tot veertien jaar gevangenisstraf voor doodslag. Ravelli wist eveneens te ontsnappen en houdt zich schuil in Den Bosch. De flat in Brussel waar Toos wordt vastgehouden, is door Ravelli gehuurd onder de valse naam Luigi Rumi.

Als de voortvluchtige Ravelli in geldnood zit, bespreekt hij met Gianfranco Consoli, die ook in Den Bosch woont, de mogelijkheden voor een ontvoering. De twee vuurwapengevaarlijke criminelen kunnen een ontvoering niet met z'n tweeën doen. Ze roepen daarom de hulp in van hun gezamenlijke kennissen Adriano Mapelli en Franco Catberro. Mapelli moet in verband met een eerdere ontvoeringszaak nog twintig jaar uitzitten in Italië.

Ten slotte komt Giancarlo Tomei er nog bij. Tomei heeft het grootse deel van zijn leven doorgebracht achter de tralies. Hij zat vooral vast voor roofovervallen, met name op treinen.

De voorbereidingen zijn begonnen in de zomer van 1982. De ontvoerders hebben de familie Van der Valk maandenlang geobserveerd. Regelmatig heeft een van hen een hapje gegeten in het motel van Gerrit en Toos in Nuland. Om de ontvoering te financieren plegen ze een bankoverval in het Zwitserse Kreuzlingen. Ze gijzelen de bankdirecteur en binden hem vast aan een boom. De buit bedraagt 300.000 Zwitserse frank. Begin november huren ze de flat aan de Franklin Rooseveltlaan 141 in Brussel.

Op de vierde dag van haar ontvoering moet Toos een bandje inspreken: 'Lieve familie, ik maak het goed. Er wordt goed voor me gezorgd. Jullie moeten het losgeld betalen, en laat de politie zich er niet mee bemoeien. Onderschat de ontvoerders niet.' Op dinsdag 30 november belt Tomei naar de villa van Van der Valk om het bandje af te draaien. De familie accepteert dit niet als teken van leven en vraagt om een actuele foto.

In een volgend telefoontje wordt verteld waar de familie een levensteken kan vinden. Langs de A16, de snelweg tussen Breda en Rotterdam, wordt na lang zoeken ter hoogte van Hendrik-Ido-Ambacht een halfopen colablikje gevonden met daarin een foto van Toos van der Valk. In haar hand houdt ze een *International Herald Tribune* van maandag 29 november.

Vanaf zaterdag 27 november, de dag dat hij als woordvoerder naar voren werd geschoven, voeren de ontvoerders meer dan zestien telefoongesprekken met Joep van den Nieuwenhuizen tot de eerste losgeldoverdracht. Deze moet plaatsvinden op dinsdag 7 december 1982.

Voordat Joep gaat rijden met het geld, 12,5 miljoen gulden, verpakt in twee weekendtassen, wil hij antwoord op vier vragen waarop alleen een levende Toos antwoord kan geven. Hij wil de naam van de schoonmoeder van Toos, de naam van haar kapper, de naam van een tante die in Spanje woont en de naam van degene op de foto in de slaapkamer van Toos. Diezelfde middag geven de ontvoerders de juiste antwoorden door. Dit is voor de familie een teken dat Toos nog leeft.

In de avond is er eindelijk het telefoontje van de ontvoerders. Joep kan gaan rijden met het losgeld. Ze sturen hem eerst naar een tankstation in Limburg. Daar krijgt hij per telefoon nieuwe instructies. De ontvoerders sturen hem van telefooncel naar telefooncel. Joep rijdt via Zuid-Limburg naar Duitsland, naar Luxemburg, en weer terug naar Duitsland. Uiteindelijk moet hij bij Aken de twee tassen met geld neerzetten in een bos achter een tankstation, bij een omgewaaide boom.

Op een parkeerplaats vlak bij het tankstation zal hij via een telefooncel nieuwe instructies ontvangen van de ontvoerders, maar hoe lang hij ook wacht, er gebeurt niets. De ontvoerders zijn niet komen opdagen. Ze hebben een Duitse politieauto gezien en vinden het te riskant om de koffer van de parkeerplaats op te halen.

Achteraf zal blijken dat ze slechts 10 meter van het losgeld waren verwijderd; ze lagen verscholen in de bosjes. De Nederlandse en Belgische politie hielden Joep vanuit de lucht en vanaf de weg met vier volgauto's in de gaten. De Duitse politieauto ter plekke was niet op de hoogte van de losgeldoverdracht; het was puur toeval dat de auto in de buurt van het parkeerterrein was. Wanneer de Duitse politie later die nacht met Joep naar het parkeerterrein rijdt, staan de koffers met geld er nog.

De ontvoerders zijn woedend. In de nacht van dinsdag op woensdag bellen ze om 4.30 uur naar Gerrit van der Valk. '*Toos ist nicht mehr da,*' zeggen ze. Gerrit kan het lijk van zijn vrouw terugkopen voor 20 miljoen gulden. Joep van den Nieuwenhuizen heeft het in de ogen van de ontvoerders verknald. '*Dieser fucking Joep*' wordt, als het aan hen ligt, het volgende slachtoffer.

Het blijft een tijdje stil in huize Van der Valk. De ontvoerders laten niets van zich horen.

Toos heeft inmiddels iets meer vrijheid gekregen in haar tentje. Overdag mag ze los van de ketting en om te lezen heeft ze een krant gekregen van de ontvoerders. Hierin leest ze dat haar man Gerrit alles zal doen om haar vrij te krijgen. Ze scheurt de foto die erbij staat uit de krant en bewaart deze in haar linkerborstzak. Met de smoes dat ze de puzzel in de krant wil oplossen, vraagt Toos om een pen. Na lang aandringen krijgt ze er eentje.

In werkelijkheid wil ze de pen voor een heel ander doel gebruiken. Tijdens haar toiletbezoek heeft ze in de badkamer een rooster gezien. Ze vermoedt dat het rooster ergens in de buurt uitkomt. Toos is op het idee gekomen om een briefje te schrijven, dat mee te smokkelen de badkamer in en het door het rooster te gooien. Ze hoopt dat een buitenstaander het briefje zal vinden. Op de rand van pagina 7 van de krant schrijft ze:

Toos van der Valk (België). SOS ben ontvoerd.

Haar plan mislukt. De ontvoerders vinden het briefje en worden razend. De Raaf slaat haar met zijn vlakke hand in het gezicht en maakt Toos uit voor hoer. Hij trekt haar aan haar haren omhoog en ze moet zich uitkleden. De Raaf houdt zijn pistool op haar gericht en Toos vreest voor haar leven.

De ontvoerders schreeuwen tegen elkaar. Toos verstaat ze niet. Het lijkt erop dat ze het niet eens worden of ze nou wel of niet moet worden doodgeschoten. Ze houdt haar ogen gesloten en bidt hardop. Dan worden de twee ontvoerders de kamer uit gestuurd. Toos beseft dat ze ternauwernood aan de dood is ontsnapt als een derde ontvoerder tegen haar zegt: 'Toos, wat jij hebt gedaan, is heel erg; nog één keer en jij bent dood, begrepen?'

Pas op dinsdag 14 december – de ontvoering duurt dan al achttien dagen – nemen de ontvoerders weer contact op. Ze bellen naar Jacques Linders, een vriend van de familie. De ontvoerders hebben aan Toos gevraagd of zij een geschikte persoon buiten de familie wil uitkiezen om de tweede keer met het losgeld te rijden.

Ze moet ook iemand binnen de familie aanwijzen. Ze kiest voor haar dochter Marijke. Voor beiden heeft ze op band een boodschap moeten inspreken. Aan de boodschap met aanwijzingen voor Linders voegt ze toe: 'Gerrit, als je dit hoort, maak hier alsjeblieft een einde aan.' Voor Marijke moet ze inspreken dat het goed gaat en dat er geen politie aan te pas mag komen. De letterlijke tekst van het bandje luidt: 'Marijke, het gaat goed met me. Jij bent mijn laatste hoop, doe wat ze zeggen en dan kom ik thuis. En als ik thuis ben, dan gaan we een heel mooie zwarte jurk kopen.' Haar moeder wil duidelijk maken dat ze in Brussel wordt vastgehouden; eerder heeft ze hier samen met Marijke een zwarte jurk gekocht.

Marijke gaat met haar man Harry Heinrichs naar de woning van Linders. In het telefoongesprek met Linders hebben de ontvoerders hierom gevraagd. Diezelfde dag bellen de ontvoerders weer naar de woning. Ze vragen naar Marijke. 'Marijke, Joep is een verrader,' vertellen ze haar. '*Du musst es gut machen. Letzte Chance für deine Mutter.*' Marijke moet zorgen dat ze het geld, 12,5 miljoen in marken en guldens, nog dezelfde dag in kleine biljetten bij elkaar krijgt.

Op advies van de politie probeert Marijke de ontvoerders zo lang mogelijk aan de lijn te houden. Zo hoopt de politie achter de locatie te komen waar vandaan gebeld wordt. De ontvoerders willen dat Marijke en Gerrit van der Valk met het losgeld gaan rijden. Marijke zegt dat haar vader daartoe niet in staat is en dat ze haar man Harry wil meenemen. De ontvoerders gaan akkoord. Ze sluiten af met de mededeling dat ze de volgende dag tussen 10 en 17 uur weer contact zullen opnemen.

Wanneer ze de volgende dag bellen en het bandje met de tekst afdraaien, snapt Marijke gelijk de hint naar Brussel. Ze vraagt om een levensteken en heeft een lijstje met tien vragen waarop alleen haar moeder antwoord kan geven. Een van de vragen is: hoeveel kinderen heb je gebaard? Als Toos antwoordt dat ze tien kinderen heeft gebaard, kijken de ontvoerders elkaar verbaasd aan. Ze vertellen Toos dat ze wel de waarheid moet spreken. Bij de voorbereiding van de ontvoering zijn ze op zeven kinderen gestuit. Toos legt hun uit dat ze tien kinderen heeft gebaard, van wie drie – alle drie meisjes – vlak na de geboorte zijn gestorven.

's Middags rond 17 uur volgt een telefoontje van de ontvoerders met de antwoorden op de tien vragen. De ontvoerders vertellen Marijke dat ze de volgende ochtend om 8 uur gereed moet staan met het losgeld.

Donderdag 16 december krijgen Harry en Marijke even na 8 uur de opdracht om klokslag 9 uur met het losgeld naar het Texacotankstation in Tilburg te rijden. Harry rijdt, Marijke zit naast hem in een kogelvrij vest. Harry wil geen vest dragen. Ze rijden in hun eigen grote Amerikaanse auto. De twee Samsonitekoffers met het losgeld zitten in de achterbak.

Vanuit de openbare telefooncel op het parkeerterrein bij het tank-station worden ze via België naar Capellen in Luxemburg gestuurd, waarschijnlijk bij wijze van grap: de meisjesnaam van Toos is Van Capelle. Van daaruit moeten ze naar Duitsland rijden. Het vervolg van de route wordt steeds doorgegeven via telefooncellen bij tanksta-tions of wegrestaurants.

Via een zender geeft Harry de route door. Marijke zit met een blocnote op schoot en noteert alle kentekens van de auto's die ze onderweg tegenkomen of waardoor ze worden ingehaald. Eén Mer-cedes, met in het kenteken de lettercombinatie HH, is haar in het bijzonder opgevallen. In Luxemburg haalt de auto, met daarin drie mannen, hen in. Diezelfde Mercedes heeft ze in België ook al gezien; toen zat er slechts één persoon in. Bij de grensovergang van Greven-macher, tussen Luxemburg en Duitsland, stopt de auto zélfs even naast die van Harry en Marijke. Terwijl Harry in het douanekan-toortje is, kijkt Marijke naar de auto. Nu zit er één man in. Hij kijkt vuil naar Marijke.

Ze rijden verder door Duitsland naar Trier. Volgens opdracht rijden ze een smal weggetje in, door het bos. Bij een T-splitsing moeten ze de afslag naar rechts nemen. Bij een open plek ligt een stapel omge-zaagde boomstammen. Daarachter moeten de koffers met het los-geld worden neergezet. Terwijl Harry de koffers uit de achterbank haalt, is Marijke achter het stuur gekropen, zodat ze zo snel mogelijk kunnen wegrijden. Het is inmiddels 19.15 uur.

Nadat Harry het losgeld op de aangegeven plek heeft neergezet, stapt hij snel in de auto en rijden ze weg. Volgens opdracht moeten ze terugrijden naar Capellen in Luxemburg. Via een telefooncel nemen de ontvoerders contact op. Ze hebben het geld. '*Es hat geklappt,*' is het enige wat ze zeggen. Het geld is door ontvoerder Tomei wegge-haald en overgebracht naar een auto waarin Catberro en Mapelli zit-ten.

Die avond krijgt Toos een cadeautje van de ontvoerders: een echte Italiaanse zonnebril van het merk Nina Ricci. Volgens de Raaf heeft de bril 200 gulden gekost. Toos ziet dat de binnenkant is beplakt met pleisters. Er wordt haar verteld dat Marijke het losgeld heeft betaald en dat ze morgen wordt vrijgelaten. Als ze voor de nacht nog even naar het toilet moet, hoeft dat niet meer met een kussensloop over haar hoofd, maar mag ze de nieuwe bril op.

De volgende dag, vrijdag 17 december 1982, wordt Toos inderdaad vrijgelaten. De ontvoerders rijden uren met haar rond om haar te desoriënteren. In het Dommelpark in Eindhoven wordt ze uit de auto gezet. De ontvoerders willen haar vastbinden aan een paal, maar Toos weet zich los te rukken, omhelst de ontvoerder die ze de Raaf noemde en geeft hem een kus. Ze smeekt hem om haar niet vast te binden. Het is ijskoud buiten, het vriest en er ligt sneeuw. Ze zal doodvriezen, vreest ze.

Wanneer ze belooft het eerste halfuur niet om hulp te roepen, mag ze los blijven. Ook mag ze het eerste halfuur de bril niet afzetten. De ontvoerders dreigen nog haar kinderen en kleinkinderen iets te zullen aandoen wanneer ze dat wel doet. 'Dag Toos,' zeggen de mannen. Toos groet terug. Dan slaan de portieren dicht en rijden de mannen weg.

Toos wacht geen halfuur en belt aan bij een woning waar ze licht ziet branden. De bewoners, het echtpaar Klerks, laten haar binnen. Ze zetten koffie voor haar, die ze na alle thee van de afgelopen dagen met veel genoegen opdrinkt. Vanuit het huis van de familie Klerks belt ze met een dolgelukkige Gerrit. De politie haalt haar op en brengt haar naar het bureau in Eindhoven.

De hereniging met de familie vindt plaats op het politiebureau van Rosmalen. Thuis in Nuland wordt Toos opgewacht door de hele familie. Er hangt een spandoek met de tekst 'WELKOM THUIS MAMA'. Tijdens een persconferentie in motel Nuland vertelt ze dat ze steeds met de dood werd bedreigd. Toos heeft steeds de hoop gehad dat ze weer thuis zou zijn voor haar verjaardag, op 22 december. Drie weken lang zag ze bijna geen buitenlicht. Slechts drie keer mocht ze douchen, zo vertelt ze de massaal aanwezige pers.

De politie heeft dan al een week een van de daders in het vizier. Het is Giancarlo Tomei. Dankzij een zogenaamde 'vang' op de telefoons waar de ontvoerders steeds naartoe belden, heeft de politie kunnen achterhalen dat vaak werd gebeld vanuit een telefooncel op het vliegveld Kloten in Zürich. Om het leven van Toos niet in gevaar te brengen, is toen besloten om nog niet in te grijpen.

Een dag na haar vrijlating gaat Toos samen met Gerrit en twee rechercheurs naar Brussel, bijgestaan door zes Belgische agenten in burger. Ze rijden door de straten van Brussel. Na zeven uur rijden door de stad herkent Toos de hartvormige ramen van een hoog gebouw, die ze heeft gezien op de avond van haar vrijlating. 'Daar is het!' roept ze.

Het is nog even zoeken naar de juiste flat, maar algauw hebben ze die gevonden. Eenmaal binnen herkent Toos alles: de zwart-witte marmeren vloer, links de badkamer, rechts de slaapkamer. Haar tent is weggehaald, maar de lederen jacks van de ontvoerders liggen nog op het bed.

Drie van de vier ontvoerders worden hetzelfde weekend nog gearresteerd: Tomei, Catberro en Ravelli. Ook de vriendin van Catberro, Michela Castello, wordt opgepakt. Pas in 1983 worden Consoli en Mapelli gearresteerd. Bij de ontvoering blijken in totaal een kleine veertig personen betrokken te zijn geweest.

Ook de mogelijke betrokkenheid van Caransa-ontvoerder Ron Ostrovski wordt onderzocht (zie hoofdstuk 12). Bij de verhoren is hij genoemd als degene die de naam Van der Valk had geopperd. Hiervoor wordt echter geen bewijs gevonden.

De meeste betrokkenen worden veroordeeld tot lange gevangenisstraffen. De vijf hoofddaders krijgen straffen variërend van acht tot twaalf jaar cel.

Van het losgeld wordt slechts een klein deel teruggevonden. De nummers zijn geregistreerd en de biljetten zijn bewerkt met hasjolie, maar de politie vindt slechts 4 miljoen gulden ervan terug.

Tijdens de losgeldoverdracht heeft de politie de auto van de ontvoerders nauwlettend in de gaten gehouden, maar doordat een van de observerende agenten langs de route in slaap is gevallen, hebben de ontvoerders vrij spel gehad. Her en der op de wereld wordt een deel van het geld teruggevonden.

De politie kan het aandeel van Tomei, 1,8 miljoen gulden, veiligstellen bij zijn arrestatie. Toos heeft lang gemeend dat 'maar' 2 miljoen voor haar vrijlating is betaald. Toen ze hoorde dat er 12,5 miljoen was betaald, zei ze tegen Gerrit: 'Jullie zijn gek dat je dat voor mij betaald hebt.'

Het grootste deel van het losgeld, circa 9 miljoen gulden, schijnt in het bezit te zijn van de leider van de groep, Franco Catberro. Dit zal voor hem een reden zijn geweest om zijn straf niet helemaal uit te zitten. Op vrijdagmiddag 22 augustus 1986 ontsnapt hij uit de gevangenis van Scheveningen. Een van de gevangenen die met hem ontsnappen, is collega-ontvoerder Jan Boellaard, betrokken bij de Heinekenontvoering (zie hoofdstuk 14). Boellaard wordt diezelfde middag weer opgepakt; Catberro wordt een kleine maand later gearresteerd. In 1989 wordt hij uitgeleverd aan België. Als zijn straf in dat land erop zit, rest Italië: daar heeft hij nog 32 jaar cel tegoed.

Enkele jaren na de ontvoering vestigen Gerrit en Toos van der Valk zich in het Zwitserse Gstaad. In 2011, bijna dertig jaar na de ontvoering, vertelt Toos voor het eerst haar verhaal in haar boek *Mijn ontvoering*, geschreven door Elle van Rijn. Ze draagt het boek op aan haar man Gerrit, die op 20 januari 2009 op 80-jarige leeftijd is overleden.

14

De ontvoering van Freddy Heineken en Ab Doderer

Wanneer: 9 november 1983
Waar: Amsterdam, Nederland
Losgeld: 35 miljoen gulden
Ontknoping: 30 november 1983

Bierbrouwer Alfred Heineken (4 november 1923) leest altijd veel buitenlandse kranten en bladen, en moet dus op de hoogte zijn geweest van een aantal beruchte ontvoeringen van mensen in zijn branche. In de Verenigde Staten werden in de jaren dertig twee bierbrouwers ontvoerd, en in oktober 1976 wordt in Duitsland Gernot Egolf ontvoerd, erfgenaam van de Karlsbergbrouwerij. Na betaling van het losgeld wordt hij niet vrijgelaten. De politie vindt zijn lichaam op 8 december 1976. De ontvoerders – die worden gepakt en veroordeeld tot levenslange celstraffen – hebben hem aan zijn lot overgelaten: Egolf is de hongerdood gestorven.

Een beruchte ontvoering in de bierbranche is die van William Hamm jr. in 1933. Deze Amerikaanse brouwer werd ontvoerd in St Paul, Minnesota, door de beruchte Barker-Karpis Gang onder leiding van Alvin 'Old Creepy' Karpis en de gebroeders Fred en Arthur 'Doc' Barker. De laatste twee waren afkomstig uit de beruchte familie Barker, onder leiding van Kate 'Ma' Barker.

Na betaling van 100.000 dollar losgeld werd Hamm jr. vrijgelaten. Tijdens zijn gevangenschap van drie dagen kreeg hij van zijn ontvoerders bier van zijn eigen merk te drinken. De losgeldoverdracht vond plaats op de snelweg. De losgeldchauffeur moest in een auto zonder portieren rijden. Plotseling doken naast hem twee auto's op en kreeg hij het signaal dat hij de tas met het geld uit de auto moest gooien.

Diezelfde bende pleegde een halfjaar later nog een ontvoering in St Paul, Minnesota. Deze keer betrof het de zoon van een bierbrouwer, de 34-jarige bankier Edward Bremer. De buit bedroeg het dubbele, 200.000 dollar. De FBI werd behoorlijk onder druk gezet door president Franklin D. Roosevelt om de zaak op te lossen. De president was namelijk bevriend met de vader van Edward Bremer. Bovendien wilde Roosevelt een einde maken aan de onophoudelijke reeks ontvoeringen waardoor de Verenigde Staten werden geteisterd.

Bremer werd na betaling van het losgeld ongedeerd vrijgelaten. De ontvoerders, onder wie Alvin Karpis en Arthur 'Doc' Barker, werden gearresteerd. Docs broer Fred en hun moeder Kate 'Ma' Barker werden in een vuurgevecht met de FBI gedood. Karpis en Barker werden tot lange celstraffen veroordeeld en belandden in de beruchte Alcatrazgevangenis.

Daar schreven beide mannen historie: Barker omdat hij in 1939 bij een ontsnappingspoging werd doodgeschoten, en Karpis omdat hij de langst zittende gevangene van Alcatraz werd. In 1969 kwam hij vervroegd vrij.

Dit zijn slechts drie voorbeelden van bekende ontvoeringen van bierbrouwers wereldwijd. Heineken lijkt zich echter nergens zorgen over te maken. In interviews, waaronder een groot interview in 1973 aan *De Telegraaf*, spreekt hij over zijn rijkdom en over de goede band die hij heeft met zijn enige dochter, die rechten studeert. Op dat moment speelt het proces tegen de ontvoerders van Theo Albrecht (zie hoofdstuk 9). De journalist en Heineken zelf moeten zich hebben gerealiseerd dat juist dit soort artikelen ontvoerders inspireert.

Een paar jaar later komt in een artikel over het Oetkerconcern de studerende zoon van August Oetker, Richard, ter sprake. Een maand na verschijning van het artikel wordt hij ontvoerd (zie hoofdstuk 11). Zelfs de ontvoering van onroerendgoedmagnaat Maurits Caransa, een goede bekende van Freddy Heineken, is voor hem geen reden om zich extra te laten beveiligen (zie hoofdstuk 12).

Heineken is te veel gewend aan zijn vrijheid; hij komt graag onder de gewone mensen in de kroegen van Amsterdam. Overigens doet hij

wel iets aan beveiliging. Zijn auto, een Cadillac Fleetwood, is opti-
maal beveiligd. Door alle beveiligingsmaatregelen is de auto 600 kilo
zwaarder dan toen die van de fabriek kwam. In Heinekens kantoor
in Amsterdam, aan het Tweede Weteringplantsoen, hangen overal
camera's, die elke beweging binnen en buiten registreren. Om überhaupt binnen te komen moet je eerst door twee sluizen heen. Ook
zijn woonhuis in Noordwijk is goed beveiligd.

Het bedrijf van Heineken is twee keer slachtoffer geweest van
afpersing en chantage, maar in beide gevallen is het goed afgelopen.
Op woensdagmiddag 9 november 1983 wordt een van deze goede
aflopen nog uitgebreid gevierd met de betrokken politiemensen tijdens een receptie op de Heinekenbrouwerij in Zoeterwoude.

Daar blijkt dat ook bij Freddy Heineken iets aan het veranderen
is. Op de receptie spreekt hij onder meer met minister van Justitie
Frits Korthals Altes over het gevaar van een ontvoering en vertelt
hem dat hij persoonsbeveiliging overweegt. Niet lang daarvoor heeft
hij gedroomd dat hij werd ontvoerd en vastgehouden in een witte
kamer in de buurt van Schiphol. Hoe de droom afliep, is niet bekend.

Wat Heineken dan nog niet weet, is dat vier Amsterdammers al bijna
twee jaar werken aan de voorbereiding van hun droom: de ontvoering van Freddy Heineken. In september 1983 hebben ze meerdere
keren voor niets klaargestaan in Noordwijk, de woonplaats van Heineken. Ze waren van plan om zijn auto met chauffeur klem te rijden,
met pikhouwelen de gepantserde ruiten in te slaan, en hem en zijn
chauffeur te overmeesteren.

Dit hadden ze deels afgekeken van de ontvoering van baron
Empain in Parijs op 23 januari 1978. Deze Franse ontvoerders
hadden een brommerongeluk gesimuleerd, waardoor de auto van
Empain moest stoppen. De ontvoerders namen Empain mee, maar
lieten de chauffeur achter. Die kon later belangrijke informatie aan
de politie geven. De ontvoerders van Heineken willen dit uitsluiten
en besluiten daarom ook de chauffeur mee te nemen.

Na de receptie gaat Heineken nog even naar zijn kantoor in Amsterdam. Om 19 uur slaat hij de deur van zijn zwaarbeveiligde pand
dicht en kijkt even om zich heen. Hij zoekt zijn auto, met chauffeur Ab Doderer. Deze staat aan de overkant. Als hij de 12 meter
brede straat wil oversteken, wordt hij overmeesterd. Vier gewapende
en vermomde mannen commanderen: '*Mitkommen! Schnell!*' Twee

dames, die in het gezelschap van Heineken zijn en hem te hulp schieten, krijgen traangas in het gezicht gespoten en zijn vrijwel meteen uitgeschakeld.

Heineken roept: 'Ab, help!' Zijn chauffeur, al meer dan veertig jaar in dienst bij het concern, rent op zijn baas af. Hij weet niet dat de ontvoerders het ook op hem hebben gemunt en wordt, net als Freddy, hardhandig in een gereedstaande oranje bestelbus gesleurd.

Het busje, met ontvoerder Jan Boellaard achter het stuur, rijdt in de richting van het Amstel Hotel. Achterin krijgen Heineken en Doderer een helm opgedrukt, afgeplakt met zwarte tape, zodat ze onderweg niets kunnen zien. Heineken begint meteen te onderhandelen: 'Waar gaat het om, geld?' probeert hij. De drie andere ontvoerders, Frans Meijer, Cor van Hout en Willem Holleeder, reageren niet. Heineken probeert het in het Duits: '*Worum geht es, Geld?*' De ontvoerders gaan er niet op in.

Holleeder let meer op de taxi die achter het busje aan rijdt. Voorbij het Amstel Hotel slaan ze rechtsaf het Professor Tulpplein op, de plek waar eerder Maurits Caransa werd ontvoerd. Normaal gesproken loopt de straat hier dood voor autoverkeer en kunnen alleen fietsers verder door een tunneltje. Paaltjes verhinderen de doorgang voor auto's. De ontvoerders hebben de paaltjes echter van tevoren verwijderd en rijden de tunnel in. Het dak van de bus raakt net niet het plafond van de tunnel.

De taxichauffeur, die doorheeft dat er iets niet klopt en niet bang is uitgevallen, volgt de oranje bestelbus tot in de tunnel. Willem Holleeder besluit de man weg te jagen. Hij stapt uit de bus en loopt met zijn bivakmuts nog op en een pistool in zijn hand richting de taxi. Hierop gooit de chauffeur zijn taxi in de achteruit en maakt dat hij wegkomt. Wel alarmeert hij via zijn mobilofoon de politie.

Agenten treffen aan de andere kant van de fietstunnel alleen de oranje bestelbus met draaiende motor aan; de daders zijn met hun slachtoffers overgestapt in twee gereedstaande auto's. Heineken ligt op de vloer van een Citroën, Doderer wordt vervoerd in een Renault. Er zijn houten platen over hen heen gelegd, zodat ze onderweg niets kunnen zien. Toch vangen beide mannen iets op van de omgeving. Zo zien ze dat ze langs de kauwgomfabriek en over een heuvel rijden.

De ontvoering en de rit naar de schuilplaats op industriegebied de Heining in het Westelijk Havengebied van Amsterdam duren bij elkaar nog geen 35 minuten. Eenmaal aangekomen bij de 42 meter lange, groene Romneyloods rijden beide auto's naar binnen. De ontvoerders trekken een oranje kleed over de auto's en brengen de twee slachtoffers naar hun cel.

De vier ontvoerders – Cor 'Flipper' van Hout, Jan 'de Poes' Boellaard, Frans 'Stekel' Meijer en Willem 'de Neus' Holleeder – zijn afkomstig uit de Staatsliedenbuurt en de Jordaan in Amsterdam. Ze kennen elkaar al sinds hun jeugd en delen een gemeenschappelijke passie voor bodybuilden. Van jongs af aan fantaseren ze over het plegen van een ontvoering: hun droom is om in één klap 'binnen' te zijn. Wanneer in 1977 de ontvoerders van Maurits Caransa niet worden gepakt, versterkt dat hun vertrouwen dat het mogelijk is om in Nederland iemand succesvol te ontvoeren. Ze maken dan al plannen voor hun zogenoemde 'Operatie Rolls Royce.' De dubbele R verwijst naar *Rich Ransom*, letterlijk vertaald 'Rijk Losgeld'. Om verschillende redenen belanden de plannen in de ijskast. Daar worden ze pas weer uitgehaald op oudejaarsnacht 1981-1982, tegelijk met de flessen champagne. De plannen worden nieuw leven ingeblazen: 1982 moet het jaar worden van de verwezenlijking van hun jeugddroom. Wanneer in november van dat jaar Toos van der Valk wordt ontvoerd (zie hoofdstuk 13), leidt dit tot een woede-uitbarsting bij Cor van Hout: door deze ontvoering is Heineken misschien meer op zijn hoede. De vier overwegen zelfs om helemaal met de voorbereidingen te stoppen, maar de verleiding is toch te groot. Mede door de ontvoering van Toos van der Valk slaan ze pas toe in november 1983.

Bij alle ontvoeringen die de Amsterdammers bestudeerd hebben, wordt geëist dat de politie erbuiten wordt gehouden, maar niemand houdt zich daaraan. Daarom eisen de Heinekenontvoerders in hun losgeldbrief (zie fotokatern) dat de politie met het losgeld gaat rijden. Sterker nog, ze deponeren de losgeldbrief bij een klein politiebureau in Den Haag.

Ze eisen 35 miljoen gulden, te betalen in verschillende valuta: Franse franks, Duitse marken, Amerikaanse dollars en Nederlandse guldens. Het gaat in totaal om 200.000 biljetten. Ze zijn tot deze hoeveelheid gekomen door blokjes hout te zagen waarvan gewicht en grootte gelijk zijn aan de bundeltjes losgeld. Deze doen ze in vijf postzakken, die samen 400 kilo wegen. Meer losgeld vragen zou bij het incasseren voor problemen kunnen zorgen.

In de brief noemen de ontvoerders zichzelf 'De Adelaar'; de tegen-
partij krijgt de naam 'De Haas'. Wanneer de familie bereid is het
losgeld te betalen, moet zij een advertentie plaatsen in *De Telegraaf*,
onder de rubriek 'Felicitaties', met de – inmiddels bijna legendarische – tekst: 'Het weiland is groen voor de haas.'

De politie zet vijftig rechercheurs op de zaak. Onder leiding van Kees
Sietsma wordt een soort commandocentrum opgezet, met meerdere
denktanks. De politie besluit de advertentie al op vrijdag 11 november te plaatsen. Dit is de ontvoerders eigenlijk net iets te snel. Ze hebben namelijk een rekenfoutje gemaakt in de eerste losgeldbrief bij de
Franse frank en willen dat herstellen in een tweede brief. Het enige
probleem: er is in het hele land een poststaking aan de gang, waardoor ze de brief niet per post kunnen versturen. Omdat het te riskant
is om hem opnieuw bij een politiebureau te bezorgen, deponeren ze
de brief in een bagagekluis op het Centraal Station van Utrecht.

Op zaterdag 12 november plaatst het concern wederom een
advertentie in de krant. Die avond bellen de ontvoerders om 19.09
uur, precies drie etmalen na de ontvoering, vanuit een telefooncel in
bioscoop Tuschinski, in het centrum van Amsterdam, naar villa De
Ark in Noordwijk. Secretaresse Elly van Gaans neemt op. De ontvoerders draaien een bandje af met de boodschap dat er een nieuwe
opdracht ligt in bagagekluis 2150 op het station van Utrecht.

Elly probeert contact te krijgen met de beller. Als ze vraagt 'Bent
u er in levenden lijve of is het een band?' laat de beller zich verleiden
en zegt: 'Band'. De beller is Jan Boellaard. De stem op het bandje is
die van chauffeur Ab Doderer, maar diens stem wordt niet herkend.
De andere ontvoerders zijn behoorlijk kwaad op Boellaard. Het
gesprek wordt natuurlijk door de politie opgenomen. De ontvoerders
lopen nu het risico dat het gesprek wordt uitgezonden en dat de stem
van Jan Boellaard wordt herkend.

De politie gaat naar Utrecht en haalt de brief uit de bagagekluis. Bij
de brief zitten twee foto's, eentje van Heineken en eentje van Doderer. Beiden houden *De Telegraaf* van die dag vast.

De foto's zijn gemaakt in de cellen waarin beide slachtoffers worden vastgehouden. De kleine cellen zijn vernuftig weggewerkt achter
een blinde muur in de loods. De ontvoerders hebben daar een timmerfabriek, en de loods is er speciaal voor de ontvoering neergezet.
Een groot deel van hun gevangenschap zitten Heineken en Dode-

rer vastgeketend met een handboei aan een ketting. De ketting is verankerd in de betonnen muur. Hun behoefte moeten ze doen op een chemisch toiletje. De ontvoerders hebben een paar oude boeken aangeschaft die ze kunnen lezen, en dag en nacht klinkt muziek uit een luidspreker: een cassettebandje met Duitse muziek. De ontvoerders doen dit om de indruk te wekken dat ze Duitsers zijn. Heineken irriteert zich mateloos aan de muziek; op zijn verzoek wordt die vervangen voor een radiozender.

Het cellenblok is in het voorjaar gebouwd. De muren bestaan uit betonblokken van 60 centimeter dik. Daaromheen staat een spouwmuurtje. Het cellenblok heeft een oppervlakte van 8,5 bij 3,5 meter. Tussen het spouwmuurtje en de betonnen muur hebben de ontvoerders houtsnippers aangebracht om alles zo goed mogelijk te isoleren. Ze willen voorkomen dat Heineken en Doderer de vliegtuigen van het nabijgelegen Schiphol horen overvliegen en zo later bij benadering de locatie aan de politie kunnen vertellen.

De bewaking in de loods komt voor rekening van de 20-jarige Martin Erkamps, bijgenaamd Remmetje. Hij is de halfbroer van Cor van Hout, die eerder dat jaar door Cor is gevraagd om wat hand- en spandiensten voor de groep te verrichten.

Heineken en Doderer, slechts gekleed in een pyjama, krijgen in de ochtend vier boterhammen. Vaak eten ze die niet allemaal gelijk op, maar verstoppen ze een paar onder het matras, voor het geval ze geen avondeten zouden krijgen. Over het algemeen krijgen ze dit wel. Frans Meijer kookt regelmatig in het keukentje van het kantoorgedeelte. Ook wordt er eten afgehaald, meestal Chinees.

Na ongeveer vier dagen zetten de ontvoerders de celdeuren open. Heineken en Doderer mogen even met elkaar praten. Tot dan toe had Heineken geen idee dat Ab Doderer ook was ontvoerd. In de bestelbus had hij iemand tegen zich aan gevoeld, maar hij had niet gedacht dat dit zijn chauffeur was; hij ging ervan uit dat het een ontvoerder was. Later werden ze overgeladen in twee gereedstaande auto's en vervolgens ieder apart naar hun cel gebracht.

'Ab, jij hier ook? Jij hebt toch helemaal geen geld?' grapt Freddy. Die grap had hij beter niet kunnen maken: Doderer knakt. 'Inderdaad,' denkt hij. 'Ik heb geen geld, wat moeten ze eigenlijk met mij?' Vanaf dat moment is hij ervan overtuigd dat hij als 'wisselgeld' zal worden gebruikt. 'Als er niet wordt betaald, vermoorden ze mij als eerste en dumpen ze me ergens langs de weg.'

Telegraafverslaggever Peter R. de Vries ontdekt dat de opvallende advertenties zijn opgegeven door een directiesecretaresse van het Heinekenconcern. Op maandag 12 november 1983 verschijnen deze dan ook prominent op de voorpagina van zijn krant.

De ontvoerders willen de losgeldoverdracht laten plaatsvinden in de nacht van dinsdag 15 op woensdag 16 november 1983. Die nacht wordt er om 0.23 uur gebeld naar De Ark. Er wordt een bandje afgedraaid met de opdracht voor de losgeldchauffeur om met het geld te gaan rijden. De losgeldchauffeur moet binnen tien minuten vertrekken naar het Schiphol Hilton Motel. Bij een vlaggenmast bij de oprit van het motel moet hij een beker opgraven. Hierin zal een volgende opdracht zitten.

De politie besluit echter niet te gaan rijden. Onderzoeksleider Kees Sietsma zal later verklaren dat het onverantwoord was om die nacht een opvallend busje met daarin 35 miljoen gulden de weg op te sturen. In werkelijkheid wil Sietsma tijd rekken. De tactiek is om niet meteen op de eisen van de ontvoerders in te gaan. Daarmee probeert de recherche de ontvoerders te dwingen tot improvisatie en vervolgens tot fouten te verleiden. Deze methode brengt een behoorlijk risico met zich mee, maar de Heinekentop gaat akkoord. De politie heeft ze ervan weten te overtuigen dat de kans klein is dat de ontvoerders hun slachtoffers iets zullen aandoen.

Als 'De Haas' die nacht wel was gaan rijden, had hij een soort puzzelrit moeten doen. Het plan van de ontvoerders was om de losgeldchauffeur kriskras door Nederland te sturen, met op verschillende plekken ingegraven bekers met opdrachten. De route ging via Amsterdam, Akersloot en de kop van Noord-Holland over de Afsluitdijk, door Friesland en de Noordoostpolder. In het Friese Joure moest het geld worden overladen in een gereedstaande auto. In deze auto zou de chauffeur een nieuwe opdracht per portofoon ontvangen, met instructies over het droppen van het losgeld. Dit moest gebeuren vlak bij het eindpunt, een viaduct bij Utrecht.

De ontvoerders zitten daar deze nacht voor niets te wachten. Rond 8 uur 's ochtends besluiten ze terug te keren naar Amsterdam. Ze zijn kwaad en besluiten een poosje niets van zich te laten horen.

Die ochtend staat er weer een advertentie in *De Telegraaf*. Deze was al opgegeven voordat de politie wist dat ze moest gaan rijden. De krant plaatst de advertentie ook op de voorpagina. Dit is reden voor de ontvoerders om de codenamen te veranderen, maar er is nog een reden: Jan Boellaard heeft op het kantoor bij de timmerfabriek op de Heining een briefje laten slingeren met daarop de codenamen. Dit is gelezen door drie mensen, die daar tijdens de ontvoering overdag gewoon aan het werk zijn. De drie denken dat Boellaard een grap met hen uithaalt en nemen het briefje niet serieus. Toch verandert 'De Adelaar' in 'De Uil' en wordt 'De Haas' nu 'De Muis.'

De ontvoerders stippelen een geheel nieuwe losgeldroute uit, deze keer in zuidelijke richting. Voor het geval de chauffeur weer niet gaat rijden, doen ze er een telefonische opdracht tussen. Zo geven ze niet de hele route prijs. Van de eerste rit heeft de politie een paar dagen later alle bekers alsnog opgegraven. Die route is dus bekend, behalve het laatste stuk, naar het viaduct bij Utrecht: dit had per portofoon moeten gebeuren. De ontvoerders kiezen daarom hetzelfde eindpunt.

Als de politie bijna een week na de ontvoering nog steeds niets van de ontvoerders heeft vernomen, wordt besloten weer een advertentie te plaatsen. Deze verschijnt op dinsdag 22 november in *De Telegraaf*. Een dag later nemen de ontvoerders telefonisch contact op. Ze draaien een cassettebandje af waarop wordt verteld dat een nieuwe boodschap kan worden gevonden langs de A44, van Den Haag naar Amsterdam, bij hectometerpaaltje 5,8.

In de beker zit een nieuwe losgeldbrief met de gewijzigde codenamen en nieuwe foto's van Heineken en Doderer, waarop ze allebei een arm in een mitella hebben en een strop om hun nek. De tekst in de brief is dreigend: 'Ze hebben de strop al om, dwing ons niet om alvast een leven als voorbeeld te moeten nemen. Lijken terugkopen is niet meer mogelijk.' Als 'De Muis' met de inhoud van het schrijven volledig akkoord gaat, moet een advertentie worden geplaatst in *Het Parool*: 'Te Koop, Groene Eend bouwj. 1973. Met lichte schade, moter in prima staat. Tel. 017 19-12 345.' De advertentie verschijnt op vrijdag 25 november.

Het onderzoek zit intussen volledig op slot. De vele tips die binnenkomen, worden onderzocht, maar de gouden tip zit er op het eerste gezicht nog niet tussen. Ook tip 547 lijkt weinig op te leveren. Deze tip is een week na de ontvoering binnengekomen bij het Heinekenconcern. In deze tip worden drie namen genoemd: Cor van Hout, Frans Meijer en Jan Boellaard. Volgens de anonieme afzender zijn deze drie mensen al een tijdje niet in het openbaar gezien en zijn ze bezig met dubieuze zaken in hun timmerfabriek op bedrijventerrein de Heining in het Westelijk Havengebied in Amsterdam.

In de tip worden zelfs de naam en het adres van het timmerbedrijf genoemd: JADU BV, Heining 25. De politie gaat kijken, maar de tip lijkt, zoals zoveel van de ruim vijfhonderd tips, koude informatie. Op het betreffende adres wordt geen timmerfabriek aangetroffen.

De politie begaat hier een enorme blunder. Vanaf de melding van de ontvoering hield de politie er sterk rekening mee dat de ontvoerders dezelfde mensen zouden kunnen zijn als een groep overvallers op wie ze geen grip kon krijgen. Deze groep had een reeks spectaculaire overvallen gepleegd in Amsterdam en omgeving. Bij sommige van die overvallen werd gebruikgemaakt van speedboten.

De overvallers waren bijna gepakt bij een routinecontrole. De politie had daarbij een verdachte auto gevolgd. De achtervolging was uiteindelijk gestaakt nadat 146 kogels op de politieauto waren afgevuurd. In de processen-verbaal van deze schietpartij en de overvallen heeft een getuige de naam Cor genoemd. Deze getuige had een auto verkocht aan twee mannen die door de politie aan de dadergroep waren gelinkt. Een van de mannen had bij de aankoop tegen de ander gezegd: 'Moet jij ook even rijden, Cor?' Het onderzoeksteam had moeten aanslaan bij het lezen van de naam Cor in tip 547.

Dat de politie bij het verkeerde adres is gaan kijken, wordt duidelijk op vrijdag 25 november. Op het hoofdbureau krijgt de politie die middag bezoek met hete informatie. Een tipgever – wiens naam hier om veiligheidsredenen niet wordt genoemd – heeft Jan Boellaard de advertentietekst 'Het weiland is groen voor de haas' horen voorlezen over de telefoon, zonder dat Boellaard het in de gaten had. Pas later, toen de codenamen op de voorpagina van *De Telegraaf* verschenen, werd een en ander duidelijk.

Eveneens om veiligheidsredenen kan niet worden verteld waar en wanneer dit telefoongesprek heeft plaatsgevonden, maar feit is dat de ontvoerders – anders dan altijd werd gedacht – door hun eigen stommiteiten tegen de lamp gelopen zijn. Mijn verzoek om een interview, in het kader van hoor en wederhoor, werd door de tipgever afgewezen. Dat de angst er nog steeds behoorlijk in zit, blijkt uit zijn reactie toen hij hoorde dat deze informatie zou worden onthuld in een boek: 'Jij schrijft helemaal niks.'

Blijkbaar is het menens: enkele dagen na deze ontmoeting vond een (tot nu toe) geheime afspraak plaats op een politiebureau in Amsterdam tussen schrijver dezes en de Criminele Inlichtingen Eenheid (CIE). Daarin werd dringend verzocht om de identiteit van de tipgever niet bekend te maken. De CIE beschikt over informatie dat deze tipgever in geval van bekendmaking dusdanig gevaar loopt dat hij een nieuwe identiteit zou moeten aannemen en naar het buitenland zou moeten verhuizen.

Vanwege deze drastische maatregelen is besloten de naam van de tipgever hier niet te noemen. Dat ligt anders met de aangever van de tip, Jan Boellaard: dat is het risico van het vak. Het is de vraag of hij met deze onthulling zelf ook gevaar loopt. Justitie zal zich hierom zeker niet druk maken. Een nieuw land en een nieuwe identiteit zal hij op zijn buik kunnen schrijven.

Bij de politie gaan na deze tip alle alarmbellen rinkelen. Jan Boellaard staat al sinds 21 november 1977 met zijn bedrijf JADU ingeschreven bij de Kamer van Koophandel in Amsterdam op De Heining 49. Tip 547 wordt weer van de stapel 'uitbehandeld' gehaald. Het bedrijf bevindt zich in Vak 25, in plaats van op nummer 25. De tipgever van tip 547 heeft zich dus vergist, maar dat blijkt niet zo gek: er is briefpapier in omloop waarop alle gegevens van JADU juist staan vermeld, behalve het adres: Heining 25.

Dit werd onthuld in het boek *Cor* van misdaadjournalist Hendrik Jan Korterink. De politie zal dit nooit toegeven, maar niet uitgesloten kan worden dat tip 547 mogelijk zelfs is ingeleverd op briefpapier van JADU BV. Met terugwerkende kracht bombardeert de politie tip 547 tot de gouden tip.

Nog diezelfde dag komen Jan Boellaard, Frans Meijer en Cor van Hout onder observatie te staan. Het valt de politie op dat de mannen de zaterdag erna af en aan rijden bij de timmerfabriek. Dat is vreemd: het is weekend, en bovendien heeft een eerste onderzoek uitgewezen dat er sinds oktober 1983 officieel geen bedrijvigheid meer is en dat de laatste werknemer toen is ontslagen.

In feite zijn de rollen vanaf nu omgedraaid. De politie is niet langer 'De Haas', maar de ontvoerders zijn 'het haasje'. Op zondagochtend 27 november ziet de politie Frans Meijer en Cor van Hout stoppen aan de achterkant van het Centraal Station van Amsterdam. Een dan voor de politie nog onbekende man, Willem Holleeder, koopt er een krant, de *Welt am Sonntag*.

Die middag ziet de politie hoe Martin Erkamps twee porties Chinees haalt bij een restaurant in Zwanenburg. Hij brengt het eten naar de loods. Op dat moment zijn de andere vier ontvoerders in de timmerfabriek. Nog geen tien minuten later vertrekken ze alle vijf, de twee porties Chinees achterlatend. Dit vindt de politie vreemd. Mogelijk worden Heineken en Doderer hier vastgehouden en was het eten voor hen bestemd.

Toch is er twijfel. De foto's van de Heineken en Doderer, die als teken van leven dienen, zijn gemaakt met twee verschillende direct-klaarcamera's, een Kodak en een Polaroid. Om die reden gaat de politie ervan uit dat ze op verschillende plaatsen worden vastgehouden.

Als de politie nog diezelfde dag constateert dat de verdachten een beker ingraven bij een vlaggenmast bij Motel Maarsbergen in Maarsbergen, is er geen twijfel meer mogelijk. De politie graaft de beker even later op en ziet de codenamen. Het is nu zeker: dit zijn de ontvoerders van Heineken en Doderer. Toch besluiten ze niet over te gaan tot arrestaties: men is bang dat hiermee het leven van de slachtoffers in gevaar kan komen.

In de nacht van zondag 27 op maandag 28 november belt 'De Uil' om 2.37 uur naar 'De Muis', in de villa van een topman van het Heinekenconcern in Wassenaar. 'De Muis' moet binnen tien minuten gaan rijden met het losgeld. Hij moet een beker opgraven bij het Euromotel bij Schiphol. In de beker zitten een zaklamp en een foto van Heineken en Doderer met de *Sport am Sonntag*, als teken van leven. In de beker zit ook een gulden. Met de zaklamp kan 'De Muis', undercoveragent Dick Steffens, de brief lezen die in de beker zit.

Hij wordt naar een Texacotankstation gestuurd bij Zevenbergschen Hoek, in Brabant. Hier moet hij een kop koffie drinken (vandaar de gulden) en wachten op een telefoontje. De pompbediende denkt dat hij in de maling wordt genomen wanneer er tot twee keer toe wordt gebeld: 'Goedenavond, u spreekt met de Uil, is meneer de Muis bij u aanwezig?' Pas bij het derde telefoontje van 'de Uil', even na 5 uur 's morgens, is de Muis aanwezig. 'De Uil' draait een bandje af met de opdracht om via Breda en Tilburg naar Utrecht te rijden. Met verdraaide stem voegt Jan Boellaard er nog aan toe: 'Sneller rijden!'

In Utrecht graaft Steffens bij restaurant De Hommel de volgende beker op. Hij moet het geld overladen in een Ford Taunus die gereedstaat op het parkeerterrein van het restaurant. In deze auto moet hij zijn rit vervolgen over de A12, richting Arnhem. Daar moet hij in Maarsbergen, bij Motel Maarsbergen, de volgende opdracht opgraven. Op de voorbank ligt een portofoon. Opdrachten per portofoon hebben absolute voorrang, staat in de brief.

Nauwelijks is Steffens vertrokken of hij krijgt een nieuwe opdracht. Willem Holleeder commandeert hem over de portofoon om langzamer te gaan rijden: hij moet vaart minderen tot 50 kilometer per uur. Vervolgens moet hij stoppen bij rode verkeerspionnen op de A12. Daar moet hij de vijf postzakken met de 35 miljoen gulden over de vangrail gooien. Op die plek bevindt zich een gat doordat de ontvoerders van tevoren roosters hebben verwijderd.

Wanneer Holleeder door zijn portofoon begint te praten, is dat het sein voor Jan Boellaard om zijn Mercedes Hanomag precies onder het viaduct te rijden, zodat hij onzichtbaar is. Als de zakken zijn ingeladen, springen de ontvoerders in de bus en maken dat ze wegkomen.

Omdat op dat tijdstip veel bouwverkeer op de weg rijdt, valt de Hanomag met laadbak niet op. Ze rijden over een in aanbouw zijnde weg naar de bossen bij Zeist. Terwijl de Hanomag langzaam doorrijdt, springen Frans Meijer en Cor van Hout bij het bosperceel met de vijf postzakken uit de auto. Ze verstoppen het losgeld in vier plastic tonnen. Enkele weken eerder hebben ze een kuil gegraven en de tonnen daar vast in gezet. Als de deksels erop zitten en de tonnen zijn afgedekt met een laagje aarde, fietsen Cor van Hout en Frans Meijer naar Amsterdam. Jan Boellaard laat de Hanomag achter bij een ziekenhuis in Amersfoort. Holleeder rijdt op zijn brommertje vanaf het viaduct naar Amsterdam.

Later die maandagochtend treffen de ontvoerders elkaar in de flat van Willem Holleeder aan de Staalmeesterlaan in Amsterdam. De stemming is uitgelaten en de champagne vloeit rijkelijk: de buit is binnen. Heineken en Doderer krijgen diezelfde middag een briefje waarop staat dat er voor hen is betaald en dat ze de volgende dag worden vrijgelaten. Ze mogen nog hun wensen voor het eten noteren.

Heineken komt met een uitgebreide lijst. Hij schrijft ook dat hij zich zorgen maakt over de mogelijkheid dat de ontvoerders iets overkomt en dat de politie dan nooit hun verblijfplaats zal vinden. Mogelijk denkt hij aan zijn Duitse collega Egolf, die te laat door de politie werd gevonden. Op het lijstje van Doderer staat alleen: 'Frites met appelmoes en boontjes en een pilsje.'

De ontvoerders hadden niet in de gaten dat ze werden gevolgd, niet alleen via de snelweg, maar ook vanuit de lucht. Vanuit zijn auto gooide de losgeldchauffeur lege colablikjes uit het raam bij op- en afritten met daarin de briefjes die hij moest opgraven. Zo wisten de volgauto's precies hoe ze moesten rijden.

Een achtervolgende politiehelikopter heeft vrijwel alles meegekregen, maar miste de plek waar het geld werd verstopt omdat de helikopter in een luchtzak terechtkwam, waardoor de infraroodcamera van zijn statief viel. Toen deze weer werkte, waren de ontvoerders uit beeld.

Maandagavond 28 november zetten de ontvoerders de bloemetjes buiten in de binnenstad van Amsterdam. De politie volgt de gebeurtenissen op afstand, maar doet dit niet onopvallend genoeg. Cor van Hout ontdekt dat ze geobserveerd worden. Hij herkent een rechercheur. Met zijn auto test hij de achtervolgers door bij een rotonde wat extra rondjes te rijden. Als de rechercheur hen blijft volgen, zijn ook de andere ontvoerders overtuigd. Ze besluiten een deel van het losgeld op te graven en te vluchten. Ze graven 15 van de 35 miljoen op en verdelen dit met zijn vijven: ieder 3 miljoen gulden.

Martin Erkamps besluit niet te vluchten. Hij gaat ervan uit dat hij niet heel lang hoeft te zitten wanneer hij gepakt wordt, vanwege zijn bescheiden rol bij de ontvoering. Hij zal zijn aandeel van het losgeld goed verstoppen en er pas na zijn vrijlating van gaan genieten.

Jan Boellaard wil ook niet vluchten. De slachtoffers zitten per slot van rekening in zijn loods. Hij wil Heineken en Doderer eerst vrijlaten en er dan pas vandoor.

Cor van Hout en Willem Holleeder besluiten naar Parijs te vluchten. Frans Meijer wil wel vluchten, maar ziet het niet zitten om met hen mee te gaan: de relatie tussen hem en Holleeder is niet al te goed. Hij wil onderduiken in Nederland.

De losgeldchauffeur is na het droppen van het losgeld volgens opdracht doorgereden naar Maarsbergen. In de beker die hij moest opgraven, zat de opdracht om in te checken bij het motel en te wachten op nadere informatie omtrent de vrijlating van Heineken en Doderer.

Omdat de ontvoerders zich niet houden aan hun belofte om Heineken en Doderer na de betaling van het losgeld vrij te laten, besluit de politie de loods en de timmerfabriek binnen te vallen. Dit gebeurt in de vroege ochtend van woensdag 30 november 1983, even na 5 uur. Het arrestatieteam van de rijkspolitie valt de locatie op drie punten tegelijk binnen: de timmerfabriek, het kantoorgedeelte en de loods. In de 42 meter lange loods wordt een afgesloten afscheidingswand aangetroffen. De ketting wordt doorgeknipt en men gaat ervan uit de slachtoffers achter deze wand te zullen aantreffen, maar de ruimte is leeg.

Pas na enkele minuten wordt met behulp van klopsignalen een geheime ruimte ontdekt. Achter de blinde muur zit een gangetje, dat leidt naar een cellenblok. Het cellenblok bestaat uit twee cellen: in de linkercel wordt Ab Doderer aangetroffen, in de rechtercel Freddy Heineken.

Een team onder leiding van Bernard Welten ontfermt zich over Doderer. Ze hebben een brief van zijn vrouw bij zich, en zijn favoriete snoepjes. Politiechef Gert van Beek gaat met zijn mannen de cel van Heineken binnen. Ze hebben zijn favoriete sigaretten meegenomen. In een politiebusje worden de twee mannen vervolgens overgebracht naar de villa van een Heinekentopman in Wassenaar. Hier worden ze door een arts onderzocht. Onderweg naar de villa worden Heineken en Doderer aan een eerste verhoor onderworpen. De politie hoopt op deze manier een zo scherp mogelijke verklaring te krijgen.

Op het moment waarop Heineken en Doderer worden bevrijd, worden in het hele land arrestaties verricht. Onder de 25 arrestanten bevinden zich Martin Erkamps en Jan Boellaard. Hiermee heeft de politie meteen een deel van het losgeld terug. Het deel van Martin Erkamps wordt gevonden onder de vloer bij zijn vader in Amsterdam-Noord. Boellaard wordt klemgereden in Amsterdam terwijl hij onderweg is naar de loods om Heineken en Doderer vrij te laten. In de kofferbak van zijn Mercedes vindt de politie het grootste deel van zijn aandeel van het losgeld. Het andere deel wordt bij hem thuis in Halfweg gevonden.

Op zondag 4 december 1983 vindt een wandelaar in een bosperceel bij Zeist twee bundeltjes met Amerikaanse dollars. Hij stopt het geld in zijn binnenzak. Tijdens het avondeten bespreekt hij de vondst met zijn vrouw en twee dochters. Ze besluiten de politie te bellen. Onderzoek wijst uit dat het gaat om 20.000 dollar afkomstig uit het

losgeld. Alle serienummers van de 200.000 bankbiljetten zijn genoteerd. Bovendien is het losgeld bewerkt met een chemisch goedje,
waardoor het sporen achterlaat op de plaatsen waar het geweest is en
op huid en kleding.

Een dag later, op sinterklaasdag, doorzoeken zestig ME'ers met
prikstokken het bosperceel. Behalve 20 miljoen gulden vindt de politie kogelvrije vesten, pruiken, maskers en een pistool van het type
FN Highpower. Dit wapen is gebruikt bij meerdere overvallen in de
periode 1976-1982. De totale buit van deze overvallen bedroeg meer
dan 7 miljoen gulden. De politie is ervan overtuigd dat de overvallers en de ontvoerders tot dezelfde groep behoren.

Op 28 december 1983 meldt Frans Meijer zich bij de politie. Hij
maakt een verwarde indruk. Meijer vertelt dat hij zijn deel van het
losgeld heeft verbrand op het strand van Zandvoort. Twee maanden later worden Cor van Hout en Willem Holleeder gearresteerd
op hun onderduikadres in Parijs. De politie vindt in het appartement een klein deel van het losgeld terug. In totaal is nu nog 8 miljoen gulden zoek.

Holleeder en Van Hout belanden in de gevangenis La Santé. Hun
advocaten, mr. Ipo de Vos en mr. Max Moszkowicz, ontdekken dat
het uitleveringsverdrag tussen Nederland en Frankrijk stamt uit
1895. 'Wederrechtelijke vrijheidsberoving en afpersing', de juridische term voor ontvoeren, is in dit verdrag niet opgenomen. Wel
opgenomen zijn lichtere vergrijpen, zoals schriftelijke bedreiging en
diefstal met geweld. In Nederland zouden ze hiervoor hooguit vier
jaar cel krijgen.

Er ontstaat een juridische strijd en Nederland trekt uiteindelijk
het uitleveringsverzoek in. Frankrijk besluit de twee verdachten dan
maar vrij te laten, op 5 december 1985. Omdat hun paspoorten verlopen zijn, kunnen ze geen kant op. De Franse justitie zit met de twee
in de maag en geeft ze hotelarrest.

Frankrijk bedenkt een truc en wil het duo overvliegen naar Sint Maarten. Dat eiland bestaat uit een Nederlands en een Frans gedeelte, en
zodra ze de onzichtbare grens oversteken naar het Nederlandse deel,
kunnen ze worden gearresteerd. De ontvoerders is wijsgemaakt dat
ze naar Guadeloupe gaan, maar dit is slechts een tussenstop.

In het vliegtuig krijgt Cor van Hout argwaan. In Pointe-à-Pitre,
de hoofdstad van Guadeloupe, maakt Cor heibel; hij waarschuwt de

meegereisde Franse rechercheurs dat hun verkapte uitleveringstruc wereldkundig zal worden gemaakt en wijst daarbij naar de meegereisde journalist Peter R. de Vries en fotograaf Wim Hofland. De Fransen schrikken hier zichtbaar van. Hierdoor voorkomt Van Hout dat ze doorvliegen naar Sint Maarten.

De twee blijven op Guadeloupe, waar ze niet bepaald welkom zijn. Ze worden overgebracht naar Saint Barthélemy, maar ook dit eiland wil geen toevluchtsoord voor criminelen worden. De lokale bevolking begint een heuse klopjacht op Holleeder en Van Hout. Ze weten te vluchten en belanden alsnog op het Franse deel van Sint Maarten. Ook hier wordt op hen gejaagd – niet alleen door de lokale bevolking, maar ook door een team van het beveiligingsbedrijf van Heineken, Proseco, vaak 'de Heinekenagenten' genoemd.

Via het onbewoonde eiland Tintamare komen ze weer op Guadeloupe; vandaar keert het duo terug naar Frankrijk. Het hele avontuur in de Cariben heeft een week geduurd. In Frankrijk krijgen ze weer hotelarrest.

Nederland dient een nieuw uitleveringsverzoek in. Op 19 mei 1986 worden Holleeder en Van Hout tijdens hun hotelarrest gearresteerd. Op 31 oktober 1986 is het dan zover: na bijna drie jaar juridisch getouwtrek landt het duo eindelijk op Nederlandse bodem. Op 19 februari 1987 worden Cor van Hout en Willem Holleeder veroordeeld tot ieder elf jaar cel. De tijd die de Amsterdammers in Frankrijk in de gevangenis en in hotelarrest hebben doorgebracht, inclusief de week in de Cariben, wordt van de elf jaar afgetrokken.

Met dit proces zijn alle vijf verdachten veroordeeld voor hun rol in de ontvoering: Martin Erkamps kreeg acht jaar, Jan Boellaard kreeg twaalf jaar en ook Frans Meijer werd in 1985 bij verstek veroordeeld tot twaalf jaar cel. Hij is op 1 januari 1985 gevlucht uit het Pieter Baan Centrum in Utrecht door een boenwasmachine door het raam te smijten.

Het duurt bijna tien jaar voordat hij zijn straf alsnog kan uitzitten. In 1994 spoort Peter R. de Vries hem op in Paraguay, in samenwerking met weekblad *Panorama*. Meijer leeft daar onder de naam Rudi Doves. Hij is getrouwd met een Paraguayaanse vrouw, met wie hij vier kinderen heeft. In Nederland heeft Meijer bij twee vrouwen ook al vier kinderen. Kort na zijn ontdekking wordt hij in Paraguay gearresteerd. Pas in 2003 wordt hij uitgeleverd naar Nederland om het laatste deel van zijn straf uit te zitten.

Na zijn vrijlating in 2005 keert hij terug naar Paraguay. Regelmatig komt hij over naar Nederland om zijn bloedgabber Jan Boellaard en zijn familie te bezoeken. In augustus 2014 bracht hij met zijn Paraguayaanse familie en een groot deel van zijn Nederlandse familie nog een bezoek aan de timmerfabriek op de Heining in Amsterdam. Jan Boellaard was er ook bij.

Boellaard komt eind 1991 vrij. Eerder, op 22 augustus 1986, ontsnapte hij samen met drie medegedetineerden uit de gevangenis van Scheveningen. Een van de medegedetineerden is Franco Catberro, een van de ontvoerders van Toos van der Valk. Lang kan Boellaard niet van zijn vrijheid genieten: nog diezelfde dag wordt hij weer gearresteerd.

Op zondagavond 2 januari 1994 willen twee douaniers voor een routine-inspectie een auto controleren in de havens van Amsterdam bij een schip uit Colombia. De auto gaat er met een rotgang vandoor. De douaniers zetten de achtervolging in en rijden de auto klem. De inzittenden openen het vuur en douanier Jan Holm wordt geraakt. Even later overlijdt hij in het ziekenhuis.

Een van de inzittenden is Jan Boellaard. Hij is tijdens de schietpartij gewond geraakt aan zijn been. De tweede verdachte is gevlogen, maar Boellaard kan kort daarop worden aangehouden. Op zijn lijf draagt hij een speciaal vest dat 10 kilo zuivere coke bevat. Tijdens de rechtszaak tegen hem wordt levenslang geëist. De rechter veroordeelt hem tot twintig jaar cel. In 2007 zit zijn straf er definitief op.

Ook Martin Erkamps komt na zijn vrijlating weer in aanraking met justitie. In 1996 arresteert de Spaanse politie hem voor betrokkenheid bij een drugstransport. Hij gaat voor 39 maanden de Spaanse cel in. Nadien blijft het opvallend stil rond Erkamps.

In 2010 ontdekt misdaadjournalist Hendrik Jan Korterink dat Erkamps een nieuw leven heeft opgebouwd in Panama. Hij zit daar in het vastgoed. Er lopen wat juridische procedures tegen hem. Een lokale krant betitelt hem van betrokkenheid bij huizenzwendel, maar dat doet Erkamps af als onzin.

Cor van Hout en Willem Holleeder komen in 1992 vrij. Al snel duiken hun namen weer op in de media. Er wordt een vrijlatingsfeestje voor hen georganiseerd in een hotel in Amsterdam. De rekening wordt betaald door Rob Grifhorst. Grifhorst is ook verdachte geweest bij de ontvoeringszaak. Hij werd gearresteerd, maar tot een veroordeling kwam het nooit. Diezelfde Grifhorst koopt in 1992 het sekstheater Casa Rosso in het Amsterdamse Wallengebied. De politie vermoedt dat hij dit deels heeft gefinancierd met het ontbrekende losgeld, de 8 miljoen gulden die nog altijd zoek is.

Van Hout overleeft in maart 1996 een aanslag op zijn leven in de Deurloostraat in Amsterdam. Hij duikt een tijdje onder in het buitenland. In oktober 1997 wordt hij gearresteerd en veroordeeld tot vierenhalf jaar gevangenisstraf wegens drugshandel en deelname aan een criminele organisatie. Willem Holleeder was ook verdachte in deze 'City Peakzaak', maar is niet gearresteerd.

De twee zwagers – Sonja, de zus van Willem Holleeder, is de vrouw van Cor – zijn in die periode geen 'bloedgabbers' meer. Na de eerste aanslag op Cor van Hout is een breuk tussen de twee ontstaan. Van Hout nam het Holleeder kwalijk dat hij omging met de criminelen Sam Klepper en John Mieremet; hij ging ervan uit dat dit Amsterdamse duo verantwoordelijk was voor de aanslag op hem.

Eind 2000 is er weer een aanslag op Van Hout, deze keer in Amstelveen. Als hij tegen middernacht aankomt bij de woning van zijn vriendin Sonja, wordt hij van 150 meter afstand met een *sniper rifle* onder vuur genomen. Ook deze aanslag overleeft hij. Wie achter deze beide aanslagen zit, wordt niet helemaal duidelijk.

Een derde aanslag, op vrijdagmiddag 24 januari 2003, wordt hem fataal. Van Hout heeft met een paar vrienden geluncht bij een Chinees in de Dorpsstraat in het oude centrum van Amstelveen. Terwijl hij staat na te praten met een metgezel, Robert ter Haak, komt een motor aangereden. De duopassagier opent met een mitrailleur het vuur op Cor van Hout. Er worden meer dan veertig kogels afgevuurd en Cor wordt door meer dan 24 kogels geraakt. Hij overlijdt vrijwel direct. Zijn metgezel raakt zwaargewond en wordt met de traumahelikopter afgevoerd naar het ziekenhuis, waar hij 18 dagen later overlijdt aan zijn verwondingen.

Het leven van de 45-jarige Cor van Hout eindigt letterlijk zoals zijn leraren vroeger op school al voorspelden: in de goot. Een week later is de begrafenis. Maar liefst 8 Friese paarden, bedekt met witte rouwdoeken, trekken door de straten van Amsterdam, dwars door de Jordaan en de Staatsliedenbuurt. Samen trekken ze een sneeuwwitte koets, richting begraafplaats Vredenhof.

Op de begrafenis is niemand van zijn bloedgabbers aanwezig. Van zijn medeontvoerders is alleen halfbroer Martin Erkamps gekomen.

Jan Boellaard en Frans Meijer zitten nog vast. Allen plaatsen wel afzonderlijk een rouwadvertentie. De rouwadvertentie van Willem Holleeder – 'Alles is nu verleden. Alleen de dierbare herinnering aan hoe het ooit was blijft.' – is ondertekend met 'De Neus', de bijnaam die Cor op de mavo voor Willem bedacht. Het gerucht gaat dat de tonnen kostende begrafenis is betaald door Holleeder.

Bij de afronding van dit boek is de liquidatie van Cor van Hout weer volop in het nieuws. Justitie komt in de aanloop naar het hoger beroep in het Passageproces (het proces over de liquidaties in de Amsterdamse onderwereld) met een nieuwe kroongetuige op de proppen: 'moordmakelaar' Fred Ros. Volgens justitie beweert Ros dat Willem Holleeder de opdrachtgever is van de liquidatie van zijn voormalige bloedgabber en zwager Cor van Hout.

Geheel nieuw is deze verdachtmaking niet. Vastgoedmagnaat Willem Endstra verklaarde dit ook al tijdens de zogenoemde achterbankgesprekken met de CIE. Holleeder werd in 2006 gearresteerd voor andere feiten en in 2007 veroordeeld voor het leiding geven aan een criminele organisatie, afpersing, mishandeling en witwassen. Hij werd veroordeeld tot een gevangenisstraf van negen jaar. In het liquidatieproces wordt hij wel genoemd als verdachte, maar is hij (nog) niet gearresteerd.

In 2012 komt Holleeder weer op vrije voeten. Bij de jeugd is zijn naam inmiddels bekender dan die van zijn vroegere slachtoffer, Freddy Heineken. Hij heeft twee derde van zijn straf uitgezeten. Het is echter maar de vraag of hij nog steeds op vrije voeten is. Justitie is er alles aan gelegen om hem weer achter de tralies te krijgen. Het OM wil Holleeder terug de cel in om het schenden van zijn proeftijd. De feiten zijn de bedreiging van misdaadjournalist Peter R. de Vries in april 2013 en de afpersing van Theo Huisman, gewezen president van de Hell's Angels.

Alfred Heineken overlijdt op 3 januari 2002, op 78-jarige leeftijd. Hij maakt nog mee dat zijn bedrijf in Nederland tot 'merk van de eeuw' wordt uitgeroepen. Dochter Charlene erft zijn belangen binnen het bedrijf. Na zijn ontvoering richtte Heineken onmiddellijk een eigen veiligheidsdienst op: Proseco. Het bedrijf komt onder leiding te staan van Arjo de Jong, door Heineken voor veel geld weggekocht bij het Koninklijk Huis. Heineken noemt hem steevast 'mijn generaal'.

Na het overlijden van Heineken wijdt het AVRO-programma *Hoge Bomen* een uitzending aan Alfred Heineken. Hierin vertelt Arjo de Jong dat de schrik er na de ontvoering bij Heineken behoorlijk in zat, en dat hij zich het liefst dag en nacht liet beveiligen. 'Daar voelde hij zich prettig bij,' aldus De Jong in de uitzending.

Het beveiligingsteam van Proseco bestond uit ruim twintig personen en Freddy wilde dit graag zo houden, hoewel De Jong tegen hem had gezegd dat het gerust wat minder kon. Volgens De Jong zou hij statistisch gezien nooit meer ontvoerd worden. Arjo de Jong maakt hier een enorme inschattingsfout. Wat hij niet wist – en ook niet kon weten, omdat het in dit boek wordt onthuld – is dat Freddy Heineken wel bijna voor de tweede keer slachtoffer van een ontvoering is geworden.

In 1988 zit een beruchte voortvluchtige Belgische criminele groepering, de Bende Haemers, midden in de voorbereidingen van een ontvoering. Tot dan toe houdt de bende zich voornamelijk bezig met overvallen op geldtransporten. De bende wordt verantwoordelijk gehouden voor meer dan vijftig overvallen en pleegt in die periode gemiddeld één overval per maand. Omdat de transporten steeds beter beveiligd worden, moeten er explosieven aan te pas komen.

Wanneer hier doden bij vallen, willen de bendeleden het roer omgooien. Ze willen nog één keer een klapper maken, door het plegen van een ontvoering. Ze hebben nog geen slachtoffer op het oog, en lezen boeken en tijdschriften over de rijken der aarde om hun keuze te maken. Na het lezen van *Les Grandes Fortunes d'Europe*, een boek over de rijken van Europa, zijn ze eruit: het wordt Freddy Heineken.

In de maanden november en december 1988 verblijft prominent lid van de Bende Haemers Basri Bajrami in Amsterdam om voorbereidingen te treffen. De Belgische crimineel van Albanese afkomst onderzoekt de mogelijkheden om Freddy Heineken op korte termijn in Amsterdam te ontvoeren.

Door de gemakzucht van de bende en de hulp van een louche advocaat, een Belgisch maffiamaatje, valt uiteindelijk de keus op politicus Paul Vanden Boeynants. In het hoofdstuk over deze ontvoering, hoofdstuk 16, zal duidelijk worden dat veiligheidsdienst Proseco onder leiding van Heinekens 'generaal' Arjo de Jong niet bestand zou zijn geweest tegen deze gewelddadige Bende Haemers.

Ab Doderer zou geen gevaar meer hebben gelopen: na de ontvoering werd een goede regeling met hem getroffen en ging hij met vervroegd pensioen. Hij heeft nog meegemaakt dat er een film verscheen over de ontvoering van hem en zijn baas. Menno van Beekum speelt Ab in de in 2011 verschenen film *De Heineken Ontvoering*, Rutger Hauer speelt Freddy Heineken.

Bij leven en welzijn kan de inmiddels 88-jarige Ab Doderer in 2015 zien hoe zijn rol gespeeld wordt door David Dencik in *Kidnapping Freddy Heineken*, de internationale verfilming van het boek *De ontvoering van Alfred Heineken* van Peter R. de Vries, met Anthony Hopkins als Freddy Heineken.

15

De ontvoering van Gerrit Jan Heijn

Wanneer: 9 september 1987
Waar: Bloemendaal, Nederland
Losgeld: geld en diamanten ter waarde van 8 miljoen gulden
Ontknoping: 6 april 1988

Vanuit zijn woonplaats Aalsmeer rijdt de 44-jarige werkloze ingenieur Ferdi Elsas op woensdagochtend 9 september 1987 om 6.45 uur naar Bloemendaal. Op de Hoge Duin en Daalseweg parkeert hij zijn auto, een grijze Fiat Uno die hij van zijn zwager heeft gestolen. Vandaar loopt hij ongeveer een kilometer naar de Saxenburgerlaan. Om herkenning te voorkomen heeft hij zich vermomd met een snor, een baard en een bril, en draagt hij een alpinopet.

Ferdi loopt het erf op van nummer 6, villa De Elshof. Meer dan een uur houdt hij zich schuil achter de garage. Wanneer Aholdtopman Gerrit Jan Heijn (56) even na 8.30 uur in zijn donkerblauwe Audi 200 Turbo de garage uitrijdt en vervolgens stopt om de garagedeur weer dicht te doen, duikt Ferdi op. Hij is gewapend met een Flobertgeweer met afgezaagde loop, dat hij een jaar eerder in het Belgische Zundert heeft gekocht. Elsas stapt bij Heijn in de auto en dwingt hem naar de plek te rijden waar de Fiat Uno staat geparkeerd. Daar wordt Heijn geboeid met een ketting, die met hangsloten wordt vastgemaakt. Elsas neemt zijn slachtoffer mee in de Fiat en rijdt via Amsterdam naar de Veluwe. Bij vliegveld Deelen parkeert hij de auto. Het is dan ongeveer 9.30 uur.

Onder dwang van het wapen moet Gerrit Jan mee het bos in.

Zijn ontvoerder heeft een lange wandeling voor hem in petto. Tijdens de wandeling spreken ze over alledaagse dingen. Ze hebben het over hun kinderen en hun hobby's. Heijn vertelt dat hij graag piano speelt. Nadat ze een paar uur onafgebroken in de bossen hebben gewandeld, laat Heijn weten dat hij eigenlijk niet zo'n wandelaar is. Elsas last een pauze in. Bij een bankje stoppen ze om te lunchen. Ferdi heeft een paar pakken sinaasappelsap en brood van huis meegenomen.

Heijn zegt dat hij het jammer vindt dat hij zijn aktetas niet heeft meegenomen, dan had hij ondertussen wat kunnen werken. Gelukkig heeft hij zijn zakagenda bij zich. Om de tijd niet geheel nutteloos door te brengen, maakt hij er een paar notities in. Op het bankje laat Elsas hem een aantal boodschappen inspreken op een cassetterecorder. Plotseling valt het Gerrit Jan Heijn op dat zijn belager een valse snor draagt. De snor laat een beetje los en zit daardoor scheef. Met een glimlach maakt Heijn er een opmerking over: 'Ik zie u zo nog niet in Rio de Janeiro, omringd door mooie vrouwen.'

In Koog aan de Zaan maakt tandarts Michelle Marchant zich inmiddels zorgen. Die ochtend staat om 9 uur een afspraak gepland met meneer Heijn, maar hij is niet komen opdagen. Ze vraagt haar assistente om zijn secretaresse, Elly Rol, te bellen. Elly weet van niks. Ze vertrouwt het niet en neemt contact op met de beveiligingsdienst van Ahold. Meteen gaan beveiligingsmedewerkers op onderzoek uit, onder meer in de woning van Heijn. Zij kunnen niets verdachts ontdekken.

Albert, de broer van Gerrit Jan, wordt ingelicht; op zijn advies wordt het ontvoeringsprotocol in werking gesteld. Ook de politie wordt gebeld. Beide broers hebben onlangs een training gehad bij het Britse bedrijf Control Risks, dat is gespecialiseerd in ontvoeringen en afpersingen.

Nog voor het middaguur krijgt het hoofd van de recherche in Zaandam, Henk Munting, de melding van de vermissing. Door de beveiliging van Ahold is altijd rekening gehouden met de mogelijkheid van een ontvoering van Albert Heijn, de oudere broer van Gerrit Jan. In april 1987 verscheen het boek *De ontvoering van Alfred Heineken* van Peter R. de Vries. Hierin werd duidelijk dat Albert Heijn op het verlanglijstje van de ontvoerders stond. Voor hem waren dan ook extra veiligheidsmaatregelen getroffen. Gerrit Jan wilde dat pertinent niet, onder het motto: 'Wie kent mij nou?'

De broers Heijn staan aan het hoofd van de Koninklijke Ahold NV in Zaandam. Oprichter Albert Heijn begon in 1887 in Oostzaan. In dat jaar nam hij samen met zijn vrouw Neeltje voor 5000 gulden het rommelwinkeltje van zijn vader over en ging er levensmiddelen verkopen. Al snel volgde een tweede filiaal.

In 1948 ging het bedrijf onder zijn naam naar de beurs. Albert Heijn kwam met de eerste zelfbedieningswinkel en droeg bij aan de introductie van de koelkast in Nederlandse huishoudens.

Onder leiding van de kleinzoons van de oprichter groeide het bedrijf uit tot het grootste levensmiddelenconcern van Nederland. In 1973 werd de naam veranderd in Ahold NV. In de jaren zeventig kreeg het concern ook internationaal voet aan wal, onder meer in Spanje en de Verenigde Staten.

De politie zoekt met speurhonden en helikopters naar sporen van de vermiste Gerrit Jan Heijn. Alle mogelijke routes van en naar de tandarts worden grondig onderzocht. Rond 17 uur vindt de politie de Audi van Heijn. De vrouw van Gerrit Jan, Hank, is een paar dagen weg geweest met vriendinnen; Gerrit Jan was alleen thuis.

In 1956 zijn Gerrit Jan en Hank Engel getrouwd. Hun meerderjarige kinderen Corinne, Ronald Jan, Dennis en Gerrianne zijn allemaal het huis uit. Als Hank 's avonds thuiskomt, staan er allemaal auto's naast de villa. Oudste dochter Corinne stelt haar op de hoogte: 'Papa wordt vermist.' Hank denkt meteen aan een ontvoering.

Een dag later wordt het operationeel commandocentrum geformeerd. Het zenuwcentrum daarvan wordt het politiebureau van Haarlem. In het 'Heijnteam' zitten het hoofd van de recherche in Zaanstad Henk Munting, officier van justitie Onno van der Veen, de korpschef van Bloemendaal A. Brinkman en persvoorlichter van de Rijkspolitie Anne Geelof. Ook de chef van het Recherchebijstandsteam Alkmaar-Haarlem en de chefs van de technische recherche, observatieteams en arrestatieteams maken deel uit van het team.

De bekendste naam in het team is Kees Sietsma. Sietsma heeft alom respect afgedwongen als leider van het Amsterdamse rechercheteam dat de ontvoering van Alfred Heineken en zijn chauffeur Ab Doderer wist op te lossen. Als ontvoeringsexpert wordt hij al op de dag van de ontvoering opgetrommeld. In eerste instantie worden veertig rechercheurs op de zaak gezet. Door Sietsma wordt nog een crisiscentrum opgezet, met daarin broer Albert Heijn, het hoofd beveiliging van Ahold Daan Rouw, officier van justitie Onno van der

Veen, een ingevlogen Britse specialist en Kees Sietsma zelf. Sietsma zal het onderzoek in de gehele breedte leiden en de strategie bepalen.

Op zaterdag 12 september komt voor het eerst een bericht binnen van de ontvoerders. De brief wordt per post bezorgd op villa De Elshof in Bloemendaal en is gericht aan Hank Heijn:

Geachte mevrouw Heijn,
Wij hebben sedert 9 september jl. uw echtgenoot in verzekerde bewaring, het gaat hem goed. Indien u hem gezond en wel terug wilt, zult u aan enkele voorwaarden moeten voldoen; een ervan is het met ons contact onderhouden via de volgende kranten: de Telegraaf; *Speurders, rubriek mededelingen,* het NRC-Handelsblad; *Treffers rubriek oproepen,* het Parool, *Mini's, rubriek diversen,* de Volkskrant; *Mini's, rubriek diversen. Uw bericht in alle 4 kranten moet luiden: 'JOHAN, heb je me gisteren in de trein niet willen zien? MARIA'. In de avondkranten moet het d.d. 14 sept. a.s. verschijnen en in de ochtendkranten de daarop volgende dag. Pas daarna nemen wij weer contact op. Op voorpaginanieuws wordt geen prijs gesteld. In verband met de gezondheid van uw man en dus ook de uwe is het verstandiger de politie hier niet in mee te laten spelen, ook al zal zij dit ontkennen. Natuurlijk wel de heer Rauw (hfd veiligheid AHOLD) en uw zwager A. Heyn.*

De namen 'Rouw' en 'Heijn' zijn fout gespeld. De politie vermoedt dat dit met opzet is. Dat de politie en pers erbuiten moet blijven, is al niet meer mogelijk: de politie heeft de dag ervoor de vermissing naar buiten gebracht en deze werd meteen voorpaginanieuws. Het poststempel toont aan dat de brief verstuurd is voordat alle media over de zaak zijn gaan berichten. De politie gaat er daarom van uit dat ze met de echte ontvoerders te maken heeft. Helemaal zeker is dat nog niet, aangezien er geen bewijs bij zit. Diezelfde dag zijn nog vier brieven binnengekomen met claims – geen daarvan overigens op het adres van de villa.

Hank Heijn is om veiligheidsredenen met haar kinderen overgebracht naar de villa van haar zwager Albert, De Wiltzangk in Aerdenhout. Hier krijgt ze een kopie van de brief uitgereikt door Daan Rouw. Het origineel wordt op sporen onderzocht.

De familie is vol vertrouwen. Kees Sietsma sprak ze een paar dagen eerder bemoedigend toe: 'We halen hem eruit. Ontvoeringen duren nooit langer dan een paar weken.' Het vertrouwen van de

familie in Sietsma is groot. Volgens hem heeft onderzoek naar vijf-
duizend ontvoeringen wereldwijd uitgewezen dat 93 procent van de
slachtoffers het er levend van afbrengt. Als slachtoffers overlijden,
gebeurt dat meestal bij een bevrijdingsactie of een ontsnapping.

De familie gaat akkoord met Sietsma's plan om in de gevraagde
advertentie enkele wijzigingen toe te passen. Op deze manier kan
onderhandelingsruimte ontstaan. Bij de Heinekenontvoering is deze
tactiek ook toegepast.

Op dinsdag 15 september staat de advertentie in de kranten, een dag
later dan opgedragen in de brief, aangezien het niet mogelijk was in
het weekend advertenties door te geven.

> JOHAN, graag zie ik je in de trein, maar hoe herken ik je? MARIA.
> Maria Kaspers, Zocherstr.69 II Amsterdam.

Het laatste gedeelte van de advertentie had er niet bij gemoeten: het
is het privéadres van Aholdmedewerkster Maria Kaspers. Zij heeft
de advertentie telefonisch opgegeven. Voor de zekerheid krijgt ze een
tijdje vrij en wordt ze op de trein naar Parijs gezet.

Op donderdag 17 september komt de tweede brief, wederom gericht
aan mevrouw Heijn. De ontvoerders laten in de brief weten dat ze het
'niet op prijs stelden' dat de gevraagde advertentie niet is geplaatst
volgens opdracht. Ze wekken de indruk dat ze in 'een zuidelijker
land' verblijven met hun slachtoffer. Voordat ze de losgeldeis bekend
zullen maken, krijgt mevrouw Heijn nog een kans om de advertentie te plaatsen.

Dat de strategie van Sietsma effect heeft gehad, blijkt uit het feit
dat bij deze tweede brief twee bewijzen zijn gevoegd waaruit blijkt
dat het gaat om de echte ontvoerders. Bij de brief zitten de sleutelbos
van Gerrit Jan Heijn en een cassettebandje met daarop zijn stem. Hij
zegt: 'Vanochtend, woensdag 9 september om 8.30 uur, werd ik, vlak
voordat ik naar Zaandam wilde wegrijden, ontvoerd.' Dan blijft het
even stil, alsof er iets is gewist. Vervolgens valt nog te horen: 'Tot op
dit moment voel ik mij goed.'

De familie beluistert het bandje honderden keren, in de hoop een
verborgen boodschap van Gerrit Jan te ontdekken, maar ontdekt
niets. Hij klinkt opvallend rustig, zeker niet angstig. De technische
recherche vindt een bruikbare vingerafdruk, maar vergelijking met

de database levert geen match op. Het bandje wordt naar Duitsland gestuurd, waar het grondig wordt onderzocht door het Bundeskriminalamt in Wiesbaden.

Dit levert onder meer op dat de cassetterecorder op het moment van opname was aangesloten op netstroom, en dus niet op batterijen. Op de achtergrond zijn passerende auto's te horen. Ook is te horen dat het woord dat is weggeknipt na 'ontvoerd' met een d begint. De d van 'door', vermoedt de politie. Mogelijk heeft Gerrit Jan gezegd door wie hij ontvoerd is en is het fragment daarom weggehaald. Dit zou erop kunnen duiden dat Heijn zijn ontvoerder kent.

Een nieuwe advertentie wordt geplaatst op vrijdag 18 september. De tekst is weer aangepast:

> *JOHAN, ik herkende je stem in de trein. Wij moeten praten! MARIA.*

De familie plaatst zelf ook nog kleine advertenties elders in de krant. Ze hoopt dat Gerrit Jan de krant mag lezen en de advertenties zijn bedoeld als morele steun. Ze verschijnen in *De Telegraaf* en *NRC Handelsblad*. Een van de advertenties luidt: '*Kusje van drolletje drie.*' Gerrit Jan zou dit onmiddellijk herkennen: zo noemde hij zijn dochter Gerrianne vaak.

In de derde brief van de ontvoerders staat weinig nieuws. Hij wordt bezorgd bij het hoofdkantoor van Ahold in Zaandam en is gericht aan Albert Heijn. Wederom moet een advertentie worden geplaatst. De ontvoerders laten weten dat Gerrit Jan het goed maakt.

Pas in de vierde brief, van 30 september, komt de losgeldeis. De brief is weer bezorgd in Zaandam en gericht aan Albert Heijn. De inhoud van de vierde brief luidt:

> *Geachte heer Heijn,*
> *Wij hebben uw bericht, zij het te laat, ontvangen. Onze eisen ter vrijlating van uw broer zijn:*
> *U zorgt dat ons wordt overhandigd:*
> *1000 biljetten van f100 (honderd gulden)*
> *2000 „ f250 (tweehonderdvijftig gulden)*
> *3000 „ f1000 (duizend gulden)*
> *1000 „ 100 US dollar (honderd dollar)*
> *2000 „ DM 500 (vijfhonderd w-duitse mark)*
> *3000 „ DM 1000 (duizend w-duitse mark)*

De 12.000 biljetten worden per soort per duizend gebundeld, om elke bundel komen twee stevige elastieken. 1000 diamanten, eerste klas geslepen elk ter grootte tussen 0,6 en 0,8 karaat, doch samen minstens 700 karaat, alle stenen moeten van D-zuivere kwaliteit zijn. De stenen worden verpakt in een zeemleren zakje. De bankbiljetten zijn gebruikt, er wordt op geen enkele wijze gebruik gemaakt van detectie-middelen (bijv. chemisch, optisch, electronisch of politie), doet u dat toch, dan loopt uw broer onmiddellijk gevaar. Aangezien u de diamanten niet onmiddellijk tot uw beschikking zult hebben, zet u op dezelfde wijze als voorheen in de krant: "MARIA, ik neem over … dagen contact met je op", JOHAN.

Voor … kiest u het aantal dagen dat u nodig heeft om aan de stenen te komen.

Dit bericht komt 2 oktober a.s. in dezelfde kranten als voorheen (allemaal). Het aantal dagen dat u gekozen heeft (en u houdt zich aan de afspraak anders gebeuren er ongelukken) slaat u over, daarna meldt u zich in dezelfde kranten als volgt: "MARIA, ik neem nu contact met je op", JOHAN

De politie kan onmogelijk aan de gewenste diamanten komen. Dat gaat zeker drie maanden duren. Het geld is geen probleem. Op 2 oktober plaatst de politie daarom ook de volgende advertentie in de vier kranten:

MARIA, zo kunnen we niet blijven praten. Je voorstel is uitgesloten. De 12 bundels liggen vandaag klaar. JOHAN.

In de vijfde brief laten de ontvoerders blijken dat ze niet akkoord gaan. Ze leggen een boete op. De losgeldeis wordt met 100.000 gulden verhoogd. Bij de brief zit ook de bril van Gerrit Jan Heijn. Spottend wordt geschreven:

Hoezeer het ons ook tegen de borst stuit; is het enige dat we kunnen bedenken G.J. straf te geven. Hij mag niet meer lezen.

De ontvoerders zijn nog steeds boos dat de advertenties niet worden geplaatst zoals opgedragen. Na het afnemen van de bril hebben ze nu een zwaardere straf toegepast. Ze zetten hun woede kracht bij in een volgende, sadistische brief:

Bijgaand een bewijs dat het ons ernst is. G.J. zal de eerste tijd met piano spelen wat last hebben, maar de wond geneest al goed.

De brief wordt op 14 oktober in een postpakketje bezorgd bij het Aholdkantoor in Zaandam. Behalve de brief zit in het pakketje een geel aluminium filmkokertje van het merk Kodak. De technische recherche maakt het kokertje open. Er zit een pink in: de linkerpink van Gerrit Jan. Voor Sietsma en zijn mannen is dit niet nieuw – in Frankrijk is het gedaan bij de ontvoering van de Belgische multimiljonair baron Empain (zie fotokatern) – maar het brengt een enorme schok teweeg in het onderzoeksteam.

De Belgische industrieel baron Édouard-Jean Empain, roepnaam Wado, was de president-directeur-generaal van de Empain-Schneidergroep. Op 23 januari 1978 wordt hij ontvoerd voor zijn woning aan de Avenue-Foch in Parijs. Zijn auto met chauffeur wordt klemgereden en beiden worden overgeladen in busje. De chauffeur wordt even later vrijgelaten. De ontvoerders eisen in eerste instantie 80 miljoen Franse frank (ca. 26,5 miljoen gulden) van het Empain-Schneiderimperium. Om hun eis kracht bij te zetten, amputeren de ontvoerders de linkerpink van de baron. Uiteindelijk wordt een akkoord bereikt over het losgeld. Het bedrag is gehalveerd.

Bij de overdracht van de 40 miljoen Franse frank schiet de politie een ontvoerder dood. Een tweede dader kan worden gearresteerd. Deze Alain Caillol weet onder druk van de politie zijn mededaders ervan te overtuigen dat ze Empain moeten vrijlaten.

Op 28 maart 1978 laten ze hem na 63 dagen vrij in de buurt van een metrostation. Een groot deel van zijn gevangenschap bracht Empain geketend door in een tent in een ondergrondse galerij nabij Parijs. De plek was niet op de kaart te vinden: de galerij was aangelegd door de nazi's en werd gebruikt om V2-raketten op te slaan tijdens de oorlog.

De daders, in totaal meer dan acht man, worden vrij snel opgepakt en veroordeeld tot gevangenisstraffen tussen de vijftien en twintig jaar. Hoofddader Alain Caillol komt in 2012 met een boek over de zaak, *Lumière*. In dit boek zegt hij groot respect voor zijn slachtoffer te hebben. Hij vertelt ook hoe ze zijn pink afsneden. 'We legden zijn hand op een plankje. Hij was nog slaperig toen we zonder verdoving met een mes toesloegen. Het vingerkootje sprong weg als een vlo. Empain gromde even, maar ook niet meer dan dat.'

Bij het onderzoeksteam neemt de vrees toe dat Gerrit Jan Heijn niet meer in leven is. De pink wordt onderzocht bij het Gerechtelijk Laboratorium in Rijswijk. De onderzoekers kunnen geen uitsluitsel geven of de pink is afgesneden van een dode of een levende Gerrit Jan. Ook onderzoek in het buitenland biedt geen uitkomst. De familie blijft hoop houden dat hun man, vader en broer nog in leven is.

De politie laat in een nieuwe advertentie wederom weten dat niet aan de eisen kan worden voldaan wat de diamanten betreft. Ze biedt soortgelijke diamanten aan, met dezelfde waarde.

Op woensdag 21 oktober komt brief nummer zeven. De ontvoerders laten weten akkoord te gaan. De namen JOHAN en MARIA zijn gewijzigd in HENK en ROSA. Ze eisen dat het losgeld wordt gereden door secretaresse Elly Rol, die door de ontvoerders ROSA wordt genoemd. In de krant van 23 oktober maakt de familie volgens opdracht bekend in welke auto Elly zal rijden: een rode Opel Kadett Hatchback 1.2 SC met kenteken RG-48-SX.

In een tweede advertentie maakt de familie duidelijk dat Elly niet alleen kan rijden; het voorstel is dat Daan Rouw meegaat. Voor het eerst wordt gevraagd om een teken van leven, door middel van een vraag waarop alleen een levende Gerrit Jan het antwoord kan geven:

Hoe heette de zwarte kruier op Sint-Maarten? JOHAN

In de achtste brief geven de ontvoerders toestemming voor Rouw om met het geld te gaan rijden. Er wordt geen antwoord gegeven op de vraag wie de zwarte kruier is. Het had moeten zijn: zoon Ronald Jan – op vakantie had hij verkleed als zwarte kruier om zijn familie voor de gek gehouden.

In de negende brief staat nog steeds geen antwoord op de vraag. Wel is als een soort teken van leven weer een cassettebandje meegestuurd. Hierop is te horen hoe Gerrit Jan van elf tot negentien telt. In de brief staat dat hij op korte termijn geestelijke en medische hulp nodig heeft. Hoewel het gevraagde levensteken niet is gegeven – ook op de vraag om een kleurenfoto van Gerrit Jan met een recente krant wordt niet gereageerd – besluiten de familie en de politie toch met het losgeld te gaan rijden. Ze hebben geen keus, zo stellen ze.

Donderdag 12 november is het zover. De elfde brief komt, met instructies voor de losgeldrit. Daan Rouw, in de brief opnieuw gespeld als 'Rauw', moet die avond om 23 uur plaatsnemen in de lobby van Hotel Okura in Amsterdam. De ontvoerders zullen naar de receptie bellen met de vraag of de heer Rosa aan de telefoon wil komen. Hij zal dan instructies ontvangen over hoe hij moet rijden.

Rouw neemt plaats in het hotel. Het losgeld en de diamanten met een totaalwaarde van 16 miljoen gulden laat hij in de kofferbak van zijn auto: er zijn genoeg collega's die op het parkeerterrein verdekt staan opgesteld om de boel te observeren. Toevallig zijn die avond autokrakers in actie op het parkeerterrein, maar de auto van Rouw slaan ze over.

Op het afgesproken tijdstip wordt niet gebeld. Rouw durft niet eens naar de wc te gaan omdat hij bang is het telefoontje te missen. Als om 2 uur 's nachts nog niet is gebeld, geeft Sietsma het sein om het hotel te verlaten. Een halfuur later gaat in het hotel de telefoon. De beller vraagt naar de heer Rosa. De receptionist, die van niets weet, vertelt dat er niemand aanwezig is. De beller probeert het nog eens door de naam te spellen. Daarna beëindigt hij het gesprek. Even later belt hij opnieuw: 'A9, Alkmaar, 17,7. Boodschap doorgeven aan de heer Rouw.'

De telefoonlijn wordt afgetapt en de telefooncel waaruit werd gebeld, kan worden getraceerd. Het is een telefooncel aan de Kadoelenweg in Amsterdam-Noord. De politie snelt ernaartoe, maar is te laat: de beller is al vertrokken. Sporenonderzoek in de telefooncel levert niets op. In de brief staat dat de losgeldrit 24 uur zal worden uitgesteld wanneer er niet gebeld wordt. Daan Rouw zit daarom de volgende avond weer op dezelfde plek in Hotel Okura. Ditmaal wacht hij tot in de vroege uurtjes. Tevergeefs.

In het weekend wordt een nieuwe advertentie opgesteld:

JOHAN, ik heb twee keer tevergeefs op je bericht gewacht. MARIA.

Peter R. de Vries is in die tijd hoofdredacteur van weekblad *Aktueel*. Hem is het verhaal over de pink ter ore gekomen. Het staat in zijn wekelijkse column. Aan het verzoek van de familie Heijn om niet te publiceren, kan De Vries niet meer voldoen. Het blad is al gedrukt en gedeeltelijk gedistribueerd. De primeur is het blad echter niet gegund, want in de wetenschap dat *Aktueel* toch gaat publiceren, tipt de familie *De Telegraaf* en het *NOS Journaal*. Die pakken flink uit. Pas dan voegt *Aktueel* een nieuwskatern aan het blad toe.

Het verhaal over de pink wordt opgepikt door de internationale pers. Zo gaat de pink van Gerrit Jan Heijn voor de tweede keer de hele wereld over.

De twaalfde brief arriveert op het kantoor in Zaandam op dinsdag 24 november. Onderzoek heeft uitgewezen dat de meeste brieven zijn gepost in Amsterdam of omgeving, en dat geldt ook voor deze brief. De ontvoerders zijn akkoord gegaan met de wens van de familie Heijn dat secretaresse Elly Rol niet hoeft te rijden. Daan Rouw rijdt in haar plaats en wordt nu ook in de brieven genoemd.

Rosa (Rouw) moet van 25 tot en met 28 november in het kantoor van Ahold in Zaandam telefonisch bereikbaar zijn in de nachtelijke uren. Zijn auto moet hij voorzien van een volle tank en het losgeld. Voor akkoord moet op 26 november weer een advertentie worden geplaatst: *'PIET, gefeliciteerd, ANNA.'*

In de nacht van donderdag 26 op vrijdag 27 november rinkelt om 2.15 uur de telefoon in het hoofdkantoor van Ahold. De beller meldt: 'A12, Arnhem 75,2.' Daan Rouw gaat met het losgeld op pad. Speciaal voor deze rit heeft het Aholdconcern een levensverzekering voor hem afgesloten van een miljoen gulden. Via een in het autodak gemonteerd zendertje kan in het operationeel commandocentrum alles worden gevolgd wat Rouw zegt. In villa De Wiltzangk is de hele familie Heijn wakker gemaakt. Via een grote landkaart kunnen de familieleden de route volgen. Om 4 uur is Rouw bij de aangegeven plek. Onder een steen vindt hij een briefje met de volgende getypte boodschap:

A12, Arnhem, 75,2. Doe de deuren van de auto open en laat zien dat je alleen bent en geen telefoon hebt. Rijd door naar kilometerpaal 117,3. Rechts daarvan ligt nieuwe instructie. Je heet Jan.

Bij kilometerpaal 117,3 wordt hij doorgestuurd naar paal 117,5, en nu heet hij Piet. Daar vindt hij, weer onder een steen, de volgende instructie:

A12, 117,5. Piet, je pakt 2 bundels van f100 en 1 van f250 en het zakje stenen; daarmee loop je ca. 50 meter in de rijrichting tot je de tunnel ziet. Je legt genoemde spullen in de plastic zak bij de boom aldaar. Daarna ga je in de Albert Heijn-winkel aan de

V.L.v. Pabstr.73 (tel. 420278) naar binnen. Daar wordt telefonisch
een nieuwe instructie gegeven. Je heet nu Henk.

Rouw doet wat hem is opgedragen en legt het geld en de diamanten
bij de boom. Met zijn zaklamp schijnt hij nog even in de bosjes. Hij
ziet niemand. Hij stapt in de auto en rijdt volgens opdracht naar het
filiaal van Albert Heijn in Arnhem. Daar arriveert hij om 6.15 uur.
De supermarkt is gesloten. Terwijl Daan om het gebouw loopt, gaat
binnen de telefoon. Pas om 7 uur komt een bedrijfsleider bij de winkel. Het is te laat: er wordt niet meer gebeld door de ontvoerders. De
teleurstelling bij de politie en de familie is groot.

Ontvoerder Ferdi Elsas heeft de buit veilig kunnen stellen. Hij is op
de fiets naar de locatie gekomen en zo gaat hij ook weer terug. Hij
rolt een paar biljetten op en verstopt deze in het holle deel van zijn
fietsstuur. De rest verstopt hij in een van tevoren ingegraven kist.

Daarna fietst hij naar Doorwerth. Daar belt hij vanuit een telefooncel, naast een politiebureau, naar het Albert Heijnfiliaal om de
laatste instructie door te geven aan Rouw over het droppen van het
tweede deel van het losgeld. Als er niet wordt opgenomen, fietst hij
naar serviceflat De Koningshof in het Gelderse plaatsje Heelsum.
Zijn ouders wonen hier en hij slaapt zo nu en dan in een logeerkamer in het rusthuis. Hij heeft zijn fiets vastgezet aan een hek. Het
geld laat hij in het stuur zitten.

Na een paar uurtjes slaap ontbijt hij met zijn ouders. Rond 9.30
uur fietst Ferdi naar zijn huis in Landsmeer. Die avond kijkt hij met
zijn vrouw en kinderen naar het korte journaal van 19 uur.

De losgeldoverdracht is volop in het nieuws. Duidelijk wordt dat
de politie die nacht met man en macht op de been was. De politie-
gesprekken over de portofoon zijn te horen: de berichten waren niet
gecodeerd en iemand met een scanner heeft dag en nacht de politie
afgeluisterd en alles opgenomen.

De familie Heijn voelt zich verslagen. Zoon Dennis wordt door zijn
oom Albert gecorrigeerd wanneer hij zich afreageert op de politie en
roept: 'Wat een eikels!' Albert Heijn gooit hem een glas whisky in het
gezicht en bijt hem toe: 'Jij houdt je brutale mond. Er zijn toevallig
wel zeshonderd politiemensen voor ons op pad.'

Door het naar buiten komen van het politieoptreden maakt de
familie zich wel ernstige zorgen over een goede afloop, temeer omdat

het tweede deel van het losgeld nog niet is betaald. In allerijl wordt in overleg met de politie een tekst opgesteld. Nog dezelfde avond is deze integraal te horen aan het einde van het achtuurjournaal:

> *De familie Heijn is geschokt en verontwaardigd over de berichten in de media over de politiebemoeienis bij de aflevering van het losgeld. Dit temeer omdat de familie aan de politie had gevraagd niet in de buurt te komen bij de betaling van het losgeld. De familie benadrukt dat zij hoopt op een spoedig contact met de ontvoerders om alsnog tot een veilige terugkeer van Gerrit Jan te kunnen komen.*

Het is maar de vraag of de ontvoerders Gerrit Jan na de beloofde vijf dagen zullen vrijlaten, nu slechts de helft van het losgeld is betaald. Er gebeurt niets. Geen nieuwe brief. Ook de meer dan tweeduizend tips hebben niets opgeleverd.

Gedragsdeskundigen zijn met een daderprofiel gekomen. Het zou gaan om een groep van niet meer dan vijf personen met criminele antecedenten, vooral inbraak en diefstallen. Mogelijk zit er een vrouw bij met een mavo-opleiding die een groot aantal van de brieven heeft geschreven.

Ook Frans Meijer en Franco Catberro, de voortvluchtige ontvoerders van respectievelijk Heineken en Van der Valk, zijn als verdachten in beeld geweest. Hank Heijn heeft via zwager Albert de beste wensen van Freddy Heineken gekregen en Toos van der Valk heeft haar gebeld om haar een hart onder de riem te steken.

Na het verstrijken van de vijf dagen doet Hank Heijn een dramatische oproep, die integraal wordt uitgezonden op radio en televisie:

> *Ons vertrouwen in een goede afloop van de ontvoering van Gerrit Jan duurt nu al 86 dagen. We hadden gehoopt dat u mijn man zou vrijlaten, nu wij al het mogelijke hebben gedaan om u het losgeld te overhandigen. Vandaag, 7 dagen later, blijkt dat echter niet te zijn gebeurd. Wat de media allemaal hebben gepubliceerd over de aflevering van het losgeld mag u ons niet aanrekenen. Daarom vraag ik u, uit het diepst van mijn hart: laat Gerrit Jan zo gauw mogelijk vrij, zodat er een einde komt aan deze lijdensweg. Als u dat niet van plan bent, vraag ik u met klem om snel op de gebruikelijke wijze weer contact met ons op te nemen. Wij kunnen dan, zonder inmenging van buitenaf, nadere afspraken*

*maken. Wij willen immers maar één ding, en dat is een spoe-
dige thuiskomst van onze Gerrit Jan. Laat ons niet nog langer in
onzekerheid, want op deze manier verder leven is voor iedereen
onmenselijk.*

De blijdschap is groot wanneer op woensdag 9 november 1987 toch
nog een brief komt. De losgeldchauffeur moet weer beschikbaar zijn
op het Aholdkantoor, en hij moet ook toegang hebben tot alle Albert
Heijnfilialen.

Sietsma heeft zich deze keer voorgenomen om bij de losgeldoverdracht alles op alles te zetten om de ontvoerders te arresteren. De
advertentie wordt exact volgens opdracht geplaatst:

Annie van harte gefeliciteerd met je jubileum, Gerard.

Daan Rouw wacht een hele week, maar er komt geen telefoontje.
Het tweede deel van het losgeld blijft nog de gehele maand december in de kluis bij Ahold liggen. Van de ontvoerders wordt niets meer
vernomen, hoewel ze hebben gezegd dat Gerrit Jan voor kerst thuis
kon zijn. Alle politiemensen die aan de zaak werken, krijgen van de
familie Heijn een kerstpakket.

De strategie wordt omgegooid. In een oproep in de krant maakt de
familie duidelijk dat wanneer Gerrit Jan niet voor zondag 27 december is vrijgelaten, zij het onderzoek volledig in handen van de politie zal geven. Op 28 december is het zover. Met een persconferentie
op radio en televisie komt een einde aan de informatiestop. In een
speciale uitzending van *Opsporing verzocht* wordt de hulp van het
publiek ingeroepen. Onderzoeksleider Henk Munting vertelt van
minuut tot minuut wat zich de afgelopen maanden heeft afgespeeld.

Thuis in Landsmeer kijkt het gezin Elsas naar de uitzending.
Hierin worden alle belangrijke aanwijzingen en aanknopingspunten
getoond. Ook wordt een opname afgespeeld van de stem van Ferdi
Elsas, bij zijn telefoontje naar Hotel Okura, maar niemand van het
thuisfront herkent hem.

Na de uitzending komen meer dan zevenduizend tips binnen,
maar de gouden tip zit er niet tussen. Deze komt ook niet naar
aanleiding van een advertentie waarin een beloning van 1 miljoen
gulden wordt uitgeloofd voor concrete aanwijzingen over de verblijfplaats van Gerrit Jan Heijn.

Het onderzoek zit muurvast. In de tweede week van januari wordt besloten het crisisteam en het beleidsteam te ontmantelen. Kees Sietsma gaat terug naar Amsterdam, waar hij een paar maanden later zijn ontslag zal indienen. Hij krijgt een nieuwe baan bij Philips als hoofd beveiliging.

Begin januari is er ook goed nieuws: bij de Nederlandsche Bank zijn drie biljetten van 250 gulden aangetroffen die afkomstig zijn uit het losgeld. De biljetten zijn uitgegeven in de dagen voor Sinterklaas en op 5 december bij de bank binnengebracht. Vanwege de kerstvakantie zijn ze nu pas ontdekt.

In de loop van de maand volgen meer biljetten. De meeste zijn afkomstig uit Amsterdam, maar er zit ook een biljet bij dat is ingeleverd in Hoogeveen. Er duiken steeds meer briefjes op. De politie ontdekt dat in slijterij Dirk van de Broek III is betaald met een 250 guldenbiljet. De kassarol wijst uit dat het gaat om een fles whisky van het merk Bell's Old Scotch Whisky.

De recherche gaat undercover in de winkel aan de slag. Op 10 maart 1988 komt een man in een lange regenjas met een opvallende gele sjaal de slijterij ingelopen. Hij betaalt met een briefje van 250 gulden. De kassamedewerkster roept de 'bedrijfsleider' om te vragen of hij het biljet even kan wisselen. Achter in het kantoor van de winkel wordt het biljet gecheckt. Bingo!

Nog voordat de man de winkel heeft verlaten, zijn op het parkeerterrein de leden van het observatieteam al op de hoogte. Ze zien de man wegrijden in een witte Honda Civic. Ze controleren het kenteken. Dat staat op naam van de heer P.R.F. Elsas, woonachtig in Landsmeer aan de Dr. Martin Luther Kingstraat 18. Hij is getrouwd en vader van drie kinderen.

Toevallig staat die week in *Panorama* een verhaal van misdaadjournalist Hendrik Jan Korterink. Samen met collega Leo van Rooijen heeft hij de theorie uitgewerkt van een Zaandamse rechercheur dat de ontvoering mogelijk het werk is van één persoon. Die theorie lijkt nu te worden bevestigd.

Na een kleine maand van intensieve observatie valt het arrestatieteam in de vroege ochtend van 6 april 1988 om 5 uur de woning van Ferdi Elsas binnen. In de woning worden Elsas, diens vrouw en twee kinderen met aanhang gearresteerd. 'Haal dat licht uit mijn smoel,' is Ferdi's eerste reactie. Tijdens het eerste verhoor ontkent Ferdi Elsas alles: 'Ik ben daar niet bij betrokken,' en 'Jullie hebben de verkeerde'.

Hij heeft echter geen alibi voor woensdag 9 september 1987. Sterker nog, de politie van Landsmeer heeft de afgelopen weken ontdekt dat op de avond van de ontvoering Elsas' vrouw Els Hupkes vreselijk ongerust het politiebureau heeft gebeld. Ze wilde aangifte doen van de vermissing van haar man.

Bij het tweede verhoor lezen de rechercheurs aantekeningen voor uit zijn agenda: 'Wapen klaar, auto klaar, graf klaar, Hema tape.' Nu is er voor Elsas geen ontkennen meer aan, realiseert hij zich. Nadat hij een sigaret heeft gekregen, zegt hij: 'Ik heb het gedaan, ik heb hem van zijn vrijheid beroofd. (...) Ik heb hem met een karabijn met afgezaagde loop door het hoofd geschoten.'

Nog diezelfde middag rijden de rechercheurs met Elsas naar het bosperceel bij Renkum. Ter plekke knikt hij met zijn hoofd naar de grond. 'Ik sta erop,' zegt hij. Hij bekent Gerrit Jan Heijn al op de dag van zijn ontvoering te hebben vermoord.

Nadat ze samen de hele dag hebben doorgebracht, rijdt Elsas op woensdagavond 9 september 1987 met Heijn naar het bosperceel, waar ze om 21.40 uur aankomen. Hij parkeert de auto aan de Veerweg en houdt Heijn voor dat hij daar zal worden overgedragen aan een medeontvoerder.

Elsas zegt: 'Stil, ik hoor wat.' Gerrit Jan kijkt en luistert of er inderdaad iemand aankomt. Op dat moment richt Elsas zijn Flobertgeweer met een aardappel als geluidsdemper op het achterhoofd van Gerrit Jan Heijn en haalt de trekker over. Heijn zakt in elkaar en is op slag dood.

Elsas haalt wat spullen uit zijn auto die hij nodig heeft bij de voortzetting van zijn militaire operatie. Met een mes en een snijplankje snijdt hij de pink van Gerrit Jan af. Deze doet hij in een filmkokertje, dat hij in een thermosfles bewaart. Daarna graaft hij een graf, waar hij Gerrit Jan Heijn in duwt.

De avond van de arrestatie en de bekentenis krijgt de familie Heijn het hele verhaal te horen. 'Uw man heeft niet geleden,' wordt Hank Heijn verteld. De familie is opgelucht. De familie krijgt ook te horen dat Gerrit Jan nog geprobeerd heeft te ontsnappen. Toen zijn ontvoerder even moest plassen, zag hij een kans om weg te komen. Hij rende een weg op en probeerde een bus tot stoppen te dwingen door wild met zijn armen heen en weer te zwaaien. Tevergeefs: de bus reed met een boog om hem heen. Daarna hield Elsas hem weer onder schot en dreigde hem bij een volgende poging dood te schieten.

Tijdens het verhoor vertelt Ferdi Elsas de politie ook waar het losgeld zich bevindt. De diamanten zitten in vier plastic bekers en het geld zit in een diepvriesbakje. Het zit verstopt onder de vloer in de kruipruimte van zijn woning in Landsmeer. Daarmee is bijna het complete losgeldbedrag terug. Vijf stenen ontbreken. De politie vindt eentje terug op de plaats van de losgeldoverdracht; de andere zijn mogelijk door voorbijgangers gevonden.

Van het geld ontbreekt 7000 gulden. Dit heeft Elsas uitgegeven aan sinterklaascadeaus, dagelijkse boodschappen en drank. De duurste aanschaf was een nieuwe cv-ketel.

Op zaterdag 9 april 1988, precies zeven maanden na de ontvoering, neemt de familie afscheid van Gerrit Jan in de aula van Driehuis-Westerveld. Tonny Eyk speelt op de piano onder andere 'The man I love', een nummer van Gershwin dat Gerrit Jan ook vaak speelde op zijn piano.

Een dag later geeft de politie een persconferentie over de zaak. Nu de arrestatie van Ferdi Elsas bij het grote publiek bekend is, komen er veel nieuwe meldingen binnen. De buschauffeur van de touringcar meldt zich: hij had wel twee mannen gezien, maar niet in de gaten gehad dat er iets aan de hand was.

Ook de stem bleek een paar keer te zijn herkend. Een man die ooit met Ferdi Elsas op cursus had gezeten, dacht zijn stem te herkennen. Hij had onmiddellijk de videorecorder aangezet om de stem op te nemen, en na een paar keer afspelen wist hij het zeker: dit is de stem van Elsas. Hij had het de politie echter niet verteld, omdat hij simpelweg niet kon geloven dat Ferdi Elsas zoiets zou doen. Zo hebben meer mensen Ferdi's stem herkend, maar het niet voor mogelijk gehouden dat hij er iets mee te maken had.

Op vrijdag 1 juli 1988 begint voor de rechtbank van Haarlem het proces tegen Paul Ferdinand Robert Elsas, geboren op 6 september 1942 te Oosterbeek. De familie Heijn wordt via de achteringang naar binnen geloodst. Even later worden de vrouw en kinderen van Ferdi Elsas via dezelfde ingang de rechtbank binnengeleid.

Tijdens de rechtszaak wordt duidelijk dat Gerrit Jan Heijn min of meer een toevallig slachtoffer is. Elsas heeft Gerrit Jan Heijn uitgekozen omdat hij van een kennis had gehoord waar hij woonde en dat hij schatrijk was. Na betaling van het losgeld heeft hij de familie niet

op de hoogte gebracht van het graf van Gerrit Jan Heijn omdat de
zakagenda van Heijn mee het graf is ingegaan. Elsas wist niet zeker
of de aantekeningen die Heijn erin had gezet, tot zijn aanhouding
konden leiden.

Tijdens de rechtszaak wordt ook duidelijk dat Ferdi Elsas ongeveer een week voor de ontvoering nog met Ahold heeft gebeld om
wat informatie los te peuteren. Tot zijn eigen verbazing kreeg hij uiteindelijk Gerrit Jan zelf aan de lijn.

Elsas zegt geen boeken te hebben gelezen over ontvoeringen ter voorbereiding van de zijne. Dit is haast niet te geloven. De advertenties
in de krant, de codenamen en de wijzigingen daarvan in de losgeldbrieven, en de betaling van het losgeld lijken rechtstreeks overgenomen uit *De ontvoering van Alfred Heineken*. Elsas geeft wel toe dat
het idee van het afsnijden van de pink is geïnspireerd op de ontvoering van baron Empain.

De aanzet tot de ontvoering was volgens Elsas een conflict met
oud-bestuursleden van stichting Nieuwe Banen. Hij zat daar ook in
en wilde een deel van het losgeld gebruiken voor het laten liquideren
van deze 'vier van Nijmegen', zoals ze in de pers werden genoemd.
'Hij was in oorlog met de Nederlandse samenleving,' is een van de
conclusies van het psychiatrisch rapport dat in het Pieter Baan Centrum in Utrecht werd opgesteld.

De zitting duurt tot laat in de middag. Officier van justitie Onno
van der Veen eist levenslang; de verdediging stuurt aan op een
gevangenisstraf of TBR (nu TBS), of een combinatie van beide. Twee
weken later is de uitspraak. Ferdi Elsas wordt veroordeeld tot twintig jaar gevangenisstraf en onvoorwaardelijke terbeschikkingstel-
ling van de regering (TBR).

Tijdens het hoger beroep toont hij min of meer spijt wanneer hij
van de rechter de mogelijkheid krijgt tot een laatste woord. 'Woorden kunnen pijn en leed niet wegnemen of verzachten,' zegt hij. 'Ik
heb berouw.' Voor zijn strafoplegging telt het niet; in hoger beroep
blijft die hetzelfde. In de gevangenis krijgt Elsas de bijnaam Pinkel-
tje. Nadat hij in totaal zeven jaar heeft doorgebracht in de Bijlmerbajes in Amsterdam en de gevangenis van Scheveningen, wordt hij in
1995 overgeplaatst naar de Van Mesdagkliniek in Groningen.

Ronald Jan Heijn brengt in 1998 in de kliniek een bezoek aan de moordenaar van zijn vader. Tijdens het urenlange gesprek krijgt Ronald Jan de antwoorden op de vele vragen die hij stelt over de laatste uren van zijn vader. Na het bezoek trekt hij de conclusie dat deze 'zieke man zonder geweten' en 'hautaine wrede aartsleugenaar' nog lang niet genezen is.

In 2000 krijgt Ferdi Elsas zijn eerste proefverlof en in augustus 2001 komt hij definitief vrij, na het afronden van de TBS-behandeling en het uitzitten van twee derde van zijn straf. Zijn advocaat Wim Anker claimt voor hem 700.000 gulden als achterstallige WAO/AWW-uitkering. Van het geld koopt hij een mooie woonboerderij in het Achterhoekse Ruurlo, waar hij onder de naam Paul samen met zijn vrouw Els gaat wonen.

Op 3 maart 2003 stuurt Ferdi Elsas een lange brief naar Hank Heijn. In die brief schrijft hij onder meer dat hij zou willen dat hij de twee jaar dat hij zich 'in een oorlog' bevond, kon overdoen. 'Ik zou wensen dat u mij kunt vergeven,' schrijft hij verder. Hij schaamt zich dood. 'Het spijt mij meer dan ik kan zeggen,' laat hij weten. Diezelfde maand doet Ferdi Elsas zijn verhaal op televisie in een uitzending van *Zembla*.

De weduwe van Gerrit Jan kan het dan nog niet opbrengen om terug te schrijven. Twee jaar nadat hij een brief aan Hank Heijn heeft gestuurd, krijgt hij een brief terug.

'Geachte Heer Elsas,' begint ze. 'Pas nu breng ik het op, antwoord te geven op uw brief.' Hank Heijn vertelt dat ze van haar tiende tot haar veertiende jaar in een jappenkamp zat. 'Voor mij was de ontvoeringstijd weer oorlog. Mijn kinderen en ik hebben ons vaak afgevraagd: wat moet Gerrit Jan gedacht hebben toen hij voor u liep en u hem doodschoot?' Halverwege schrijft ze: 'Ik hoop dat ook uw heling voorspoedig verloopt en dat u inzicht krijgt in uw proces, zodat u wat meer grip krijgt op het leven en de bedoeling daarvan.' Ze sluit af met: 'Gerrit Jan is ondertussen nooit uit mijn gedachten. Hij was het dierbaarste wat ik had. Ik wens u, uw vrouw en uw kinderen veel sterkte, voor nu en in de toekomst. Hoogachtend, Hank Heijn-Engel.'

Op 3 augustus 2009 komt de dan 66-jarige Ferdi Elsas bij een fietsongeluk in het Gelderse Vorden om het leven. Doordat hij een graafmachine geen voorrang verleent, wordt hij overreden. Ferdi Elsas was, net als zijn slachtoffer bijna 22 jaar eerder, onderweg naar zijn tandarts. Bij aankomst in het ziekenhuis in Zutphen overlijdt hij. Hij wordt gecremeerd in Dieren.

Hank Heijn kreeg een enorme huilbui toen ze het nieuws van zijn overlijden vernam, zo staat te lezen in het boek *De verzoening*, dat ze samen schreef met Alex Verburg. Ook de vrouw van Ferdi Elsas, Els Hupkes, kwam in 2000 met een boek: *De kleine Britt: het leven na de overval*. Naast deze boeken kwamen twee films uit over de ontvoering: *De langste reis* van Pieter Verhoeff in 1996, en in 2004 *The Clearing*, van de dan al meer dan dertig jaar in de Verenigde Staten wonende Nederlander Pieter Jan Brugge. Voor zijn regiedebuut strikte hij Willem Dafoe als dader en als slachtoffer Robert Redford, ooit de favoriete acteur van Hank Heijn.

16

De ontvoering van Paul Vanden Boeynants

Wanneer: 14 januari 1989
Waar: Brussel, België
Losgeld: 63 miljoen Belgische frank (ca. 3,3 miljoen gulden)
Ontknoping: 13 februari 1989

Zaterdag 14 januari 1989. Tegen 21 uur begint Lucienne Deurinck ongerust te worden. Gewoonlijk komt haar man rond 18.30 uur thuis en hij komt eigenlijk nooit te laat, waarom nu dan wel? Uitgerekend op de avond dat ze hebben afgesproken om met vrienden een hapje te eten in restaurant Le Chalet Rose, bij hen om de hoek.

Als Paul Vanden Boeynants om 22 uur nog niet thuis is, houdt Lucienne het niet meer. Ze verlaat het appartement, nummer 12 op de zevende etage van een flatgebouw aan de Franklin Rooseveltlaan in Brussel, en neemt een kijkje in de garagebox onder de flat. De auto van Paul, een metaalgrijze Mercedes 300, staat er keurig geparkeerd, maar van hem verder geen spoor. Een rondje telefoontjes naar vrienden biedt geen uitkomst.

Lucienne belt de politie, die al snel doorheeft dat een misdrijf heeft plaatsgevonden: bij de deur naar de lift worden het gehoorapparaat, de pijp en een schoen van Vanden Boeynants gevonden. Ook ligt er een dopje van een injectiespuit. De politie houdt rekening met een ontvoering, mogelijk een politieke ontvoering.

Paul Vanden Boeynants wordt geboren op 22 mei 1919 in de Brusselse deelgemeente Vorst in België, waar zijn ouders een slagerij hebben. Hij doorloopt het jezuïetencollege Sint-Michel, waar zijn slimheid opvalt, maar hij beslist niet uitblinkt in intellectuele belangstelling.

Daarop sturen zijn ouders hem naar de slagersvakschool. Hij slaagt cum laude. Op zijn zestiende is Paul een tijdje profvoetballer bij Union Saint-Gilloise, destijds een van de beste voetbalclubs van België. Later maakt hij carrière in de vleesindustrie. Zijn vleesbedrijf vervaardigt en verpakt vlees in blik, en exporteert meer dan negentig soorten worst over de hele wereld.

Eind jaren veertig gaat hij in de politiek voor de Franstalige PSC (Parti Social Chrétien). Tijdens zijn politieke carrière is Vanden Boeynants twee keer premier van België: van 1966 tot 1968 en tussen 1978 en 1979.

In 1989 – het jaar van de ontvoering – is hij gemeenteraadslid voor de PSC in Brussel. Paul Vanden Boeynants, kortweg VDB, is niet geheel onomstreden. Hij raakte in opspraak door diverse fraudezaken. In 1986 werd hij veroordeeld tot drie jaar voorwaardelijk en een geldboete van een half miljoen Belgische frank wegens fiscale fraude en valsheid in geschrifte. Hij zou de fiscus voor 5 miljoen euro hebben opgelicht.

Het duurt even voordat met zekerheid gesteld kan worden dat het gaat om een ontvoering, al dan niet politiek. Dat had sneller gekund als Roger Luyckx, nachtportier bij dagblad *Le Soir*, brood had meegenomen naar zijn werk in plaats van bier. In de nacht van 14 op 15 januari heeft hij dienst van 20 uur tot 5 uur 's ochtends. Als om 23.30 uur de telefoon gaat, heeft hij al zeker vier blikjes bier achter de kiezen.

Luyckx neemt op en krijgt een Franssprekende man aan de lijn.

Beller: 'Hallo *Le Soir*?'

Roger: 'Ja.'

Beller: 'Goedenavond. Hier de Brigades Socialistes Révolutionnaires.'

Roger: 'Hela, daarmee moet ge mij niet lastigvallen, hè! Zot!'

Roger gooit de hoorn op de haak. Hij denkt te maken te hebben met een grappenmaker, of vrienden in de kroeg die hem in de maling willen nemen. Even later gaat de telefoon opnieuw.

Beller: 'Hallo *Le Soir*?'

Roger: 'Ja.'

Beller: 'Hang niet op. Noteer de volgende boodschap...'

Roger: 'Ja, ja.'

Beller: 'Wij zijn de Brigades Socialistes Révolutionnaires. Vandaag om half zeven hebben wij VDB ontvoerd bij hem thuis, en...'

Roger: 'En ik ben de koningin van Engeland en ik ga meteen het Monument van de onbekende soldaat opblazen! Zeg, is het nu gedaan met mij voor de zot te houden?'

Opnieuw verbreekt Roger de verbinding. De ontvoerders begrijpen dat dit niet werkt, en besluiten zondagochtend te bellen met televisiezender RTBF.

Diezelfde avond bevestigt de politie middels een persbericht de vermissing van VDB. Ze voegen eraan toe dat hij in stresssituaties dagelijks het geneesmiddel Adalat moet innemen.

Precies 24 uur eerder is Paul Vanden Boeynants ontvoerd. Als hij om 18.30 uur zijn auto parkeert en naar boven wil lopen, bukt hij even voor de deur om het sleutelgat beter te kunnen zien. Op dat moment springen twee mannen uit een bezemkast en duiken boven op hem. Vanuit een gaatje in de bezemkast hebben ze hem in de gaten gehouden. Beide mannen dragen een bivakmuts.

Vanden Boeynants verzet zich hevig. Even denkt hij dat het om een beroving gaat en geeft hij zijn portemonnee. Met zijn drieën rollen ze al vechtend over de grond, totdat een auto de garage komt binnenrijden. De bestuurder stapt uit en geeft VDB een klap in de nek, waarop die even buiten bewustzijn raakt. Een poging van de ontvoerders om hun slachtoffer voor langere tijd te verdoven mislukt: de injectienaald breekt af.

Vanden Boeynants wordt achter in de auto op de vloer gegooid en krijgt een kleed over zich heen. De knie in zijn zij en het pistool dat hij in zijn nek gedrukt krijgt, moeten ervoor zorgen dat hij kalm blijft. Onderweg worden zijn handen en voeten vastgebonden en krijgt hij een bivakmuts op.

VDB probeert te onthouden hoe ze rijden, maar dat valt hem nog behoorlijk tegen. Hij weet alleen zeker dat ze bij het verlaten van de flat rechtsaf gingen, maar dat is op dat punt de enige mogelijkheid. Als hij onderweg roept dat hij dorst heeft, stoppen de ontvoerders en halen ze een fles water voor hem.

Hij schat dat ze bijna drie uur hebben gereden tot aan zijn 'vakantieverblijf', zoals Vanden Boeynants zijn schuilplek noemt. Hij wordt door twee mannen naar binnen gedragen. In een donkere kamer kleden ze hem uit, op zijn hemd en onderbroek na. Daarna wordt hij op een bed gelegd. Om zijn linkerpols krijgt hij een handboei, die vastzit aan een ketting. Deze ketting zit verankerd in de muur.

Hij ligt al drie dagen zo op bed als hij bij zijn ontbijt een briefje krijgt toegeschoven met daarop de tekst: 'Dit is een ontvoering.'

Drie dagen na de ontvoering, op dinsdag 17 januari 1989, ontvangen de kranten *Het Laatste Nieuws* en *Le Soir* een brief. De brief is een dag eerder gepost in Elsene, ten zuidoosten van Brussel. De brief beslaat twee kantjes en is opgesteld in het Frans. Als afzender staat genoteerd: BSR, de afkorting van Brigades Socialistes Révolutionnaires, een politieke groepering waarvan tot dan toe nog nooit iemand heeft gehoord. De groepering wil dat de brief gepubliceerd wordt. Boven aan de brief staat een grof getekende rode ster. Daardoorheen staan de letters BSR in het geel op een zwarte achtergrond.

De BSR stelt in de brief dat ze geen terroristen zijn: ze streven naar een rechtvaardiger maatschappij met meer gelijkheid en willen dat de politieke partijen die de kandidatuur voor het burgemeesterschap van de in hun ogen corrupte VDB hebben ondersteund, 20 miljoen Belgische frank doneren aan vijf organisaties die de armoede bestrijden.

De AGG, de Antiterroristische Gemengde Groep, komt na analyse van de brief tot de conclusie dat de briefschrijver een verwarde, praatzieke en pretentieuze man is, die maar wat opsomt. De tekst vertoont geen politiek inhoudelijke samenhang.

Toch moet de tekst serieus genomen worden. Op het moment dat de brief gepost werd, was de naam BSR niet bekend bij het publiek. De conclusie is dan ook dat de brief afkomstig moet zijn van de ontvoerders.

Op woensdag 18 januari heeft de familie nog niks gehoord van de ontvoerders; de familieleden besluiten daarom de pers uit te nodigen in hun appartement. Jongste zoon Christian Vanden Boeynants spreekt namens zijn moeder en twee zussen zijn ongerustheid uit over het lot van hun vader en echtgenoot. Daarnaast zegt hij het jammer te vinden dat in sommige media wordt geïnsinueerd dat VDB zijn eigen ontvoering in scène heeft gezet.

Het blijft een tijd stil rond de ontvoering. Pas op dinsdag 24 januari wordt weer iets vernomen – niet bij de familie, maar weer bij de krant, deze keer alleen bij *Le Soir*. Daar worden twee handgeschreven briefjes bezorgd waarop onsamenhangende losse teksten staan geschreven. De afzender is weer BSR. Het handschrift wordt herkend: het is onmiskenbaar dat van Paul Vanden Boeynants. Ook zijn identiteitskaart zit erbij.

De politie heeft nu geen enkele twijfel meer: de onbekende afzenders die zich BSR noemen, zijn de ontvoerders van Paul Vanden Boeynants. In de briefjes zelf staat geen losgeldeis en ook de familie hoort nog steeds niets.

Deze tergende onzekerheid doet de familie besluiten om nogmaals de pers uit te nodigen voor een nieuwe oproep in de media. Op dinsdag 31 januari richt Christian Vanden Boeynants zich via de televisie rechtstreeks tot de ontvoerders met de volgende boodschap:

Moeder, mijn zusters en ikzelf zijn en blijven ongerust. Na zeventien dagen hebben wij geen enkel bewijs voor het feit dat vader nog steeds in leven is. Daarom richt ik mij rechtstreeks tot u, de ontvoerders, en wel langs de pers, aangezien dit op het ogenblik het enige middel is om met u in contact te komen. Ik wil u vragen dat u zich rechtstreeks tot mij zou wenden. Doet u dit op de wijze die u het meest aangewezen en veilig lijkt. Ik ben ook bereid elders met u af te spreken op de manier die u wenselijk acht om aan uw eisen tegemoet te komen en het te regelen. Ik zie niet in wat ik aan deze voorstellen nog zou kunnen toevoegen. Mocht u een andere regeling wensen, deelt u mij die dan mee.

De tekst wordt eerst in het Frans voorgelezen en daarna in het Nederlands. De familie, de politie en de kijkers weten dan nog niet dat er al contact is geweest over het losgeld.

Een dag eerder wordt Jean Natan, een vriend van Paul Vanden Boeynants, om 22 uur gebeld door een onbekende man. 'Dag, mijnheer Jean,' zegt de beller, 'ik bel u vanwege "mijnheer Leon". Onder de deurmat aan uw voordeur zult u een brief vinden. Ga hem maar halen en lees hem.'

Het was Vanden Boeynants' eigen idee om Jean Natan te benaderen. Natan is namelijk de enige persoon die hij in staat acht om het losgeld te betalen. In het verleden heeft hij ooit vrienden van Natan geholpen, en naar aanleiding daarvan had Natan gezegd:

'Als je ooit hulp nodig hebt, kun je op me rekenen.'

In de door VDB geschreven en ondertekende brief die onder Natans deurmat ligt, schrijft hij dat hij wordt vastgehouden op een onbekende plek. Het is zijn ontvoerders enkel en alleen om het geld te doen. Hij vraagt zijn vriend om zo snel mogelijk 63 miljoen Belgische frank te regelen en aan de ontvoerders te overhandigen. VDB benadrukt in de brief dat Jean er met niemand over mag praten, niet met zijn familie, noch met de politie.

Jean houdt zich daar niet helemaal aan: hij zoekt stiekem contact met Christian. De familie gaat akkoord en laat de betaling aan Jean over. Ook de politie wordt ingelicht, maar die houdt zich afzijdig, in het belang van de veilige terugkeer van Vanden Boeynants.

De hoogte van het losgeld is tot stand gekomen na lang onderhandelen tussen de ontvoerders en hun slachtoffer. In de krant die hij na vijf dagen voor het eerst onder ogen krijgt, leest hij dat hij is ontvoerd door de revolutionaire groep BSR. Daar schrikt Paul behoorlijk van: zijn vriend Aldo Moro, een Italiaanse politicus, heeft een politieke ontvoering in 1978 met de dood moeten bekopen. Hij is dan ook zeer opgelucht als duidelijk wordt dat het de ontvoerders alleen maar om geld te doen is.

VDB mag zelf met een voorstel komen en begint met 20 miljoen Belgische frank. De ontvoerders vragen hem of hij denkt dat ze gek zijn. Volgens hen is hij zeker twee miljard waard. Ze willen 20 procent van die twee miljard: 400 miljoen. VDB ontkent dat hij zoveel waard is en stelt voor dat ze hem dan maar meteen vermoorden wanneer ze bij hun eis blijven.

De ontvoerders tonen hem krantenknipsels over zijn vermeende smeergeldaffaires, die hem 800 miljoen zouden hebben opgeleverd. Toevallig komt in deze periode net in het nieuws dat de onderzoekscommissie heeft besloten deze zaak niet voor het Hof van Cassatie te brengen, wegens onvoldoende wettig en overtuigend bewijs tegen Vanden Boeynants. De verdenking tegen hem wordt ingetrokken en dat komt hem goed van pas bij de onderhandelingen over het losgeld.

Na meer dan tien dagen van onderhandelen gooien de ontvoerders en hun slachtoffer het op een akkoordje: het losgeld moet 63 miljoen Belgische frank bedragen. De ontvoerders laten VDB zelf met een plan komen voor de betaling, zolang die maar niet in België plaatsvindt.

Op donderdag 2 februari om 12.30 uur wordt Jean Natan weer gebeld. Hij vraagt om een bewijs dat zijn vriend nog leeft: hij wil een duidelijke foto van hem zien met de krant van 2 februari. Daarnaast vraagt hij de ontvoerders om Paul een herinnering te laten omschrijven van een recent voorval tussen hen beiden. De ontvoerders beloven dat dit zal gebeuren.

De maandag erop krijgt Jean de beloofde brief. In een door Vanden Boeynants handgeschreven brief omschrijft deze een gebeurtenis tussen hem en Jean, en er zijn twee polaroidfoto's bijgeleverd, met VDB rechtop in zijn hemd en onderbroek tegen een neutrale achtergrond, terwijl hij *Le Soir* van 2 februari vasthoudt.

Dinsdag 7 februari belt de ontvoerder opnieuw. Er is overleg over de overdracht. Op voorstel van Jean wordt er betaald in Zwitserse frank. De ontvoerder zegt tegen Jean: 'U moet vrijdag in Genève zijn. Donderdagavond zal een kamer voor u gereserveerd zijn in het Noga Hiltonhotel.'

Die donderdag komt Jean in de namiddag aan bij het hotel. Er is inderdaad een kamer voor hem gereserveerd. Om 19.30 uur gaat de telefoon in zijn kamer: de ontvoerders vertellen hem dat de losgeldoverdracht de volgende dag moet plaatsvinden en dat hij ervoor zal boeten als er iets misgaat.

De volgende dag heeft Jean om 9 uur 's ochtends het geld gereed. Het geld is geregeld door Israëlische relaties van Vanden Boeynants, als dank voor bepaalde diensten die hij als politicus aan Israël heeft verleend. Welke diensten dat zijn geweest, zal nooit duidelijk worden. Het gaat in totaal om 2.550.000 Zwitserse frank, vijf bundeltjes van 500.000 en een bundeltje van 50.000. Het geld zit een zwarte aktetas. Van een deel van de biljetten van 1000 frank zijn de serienummers genoteerd.

Klokslag 10 uur gaat de telefoon. Een man die zich 'mijnheer Leon' noemt, geeft instructies over het verdere verloop van de ochtend: 'Verlaat het hotel met het geld binnen twee minuten en ga naar rechts, richting het standbeeld van Brunswick. Daar ligt links van het monument bij het eerste bankje tussen de twee leeuwen een krant.'

De krant is de New Yorkse krant *The Wall Street Journal*. In de krant zit een papier met de volgende aanwijzing. Op de achterkant is met militaire precisie een plattegrond getekend met de volgende route. Jean moet oversteken en langs het meer wandelen. Vervolgens moet hij de brug oversteken en naar Hotel Touring-balance aan de Place Longemalle lopen. Op de benedenverdieping van het hotel zit een bar, genaamd L'Astragale.

Jean gaat naar binnen en bestelt een kop koffie. Niet veel later roept de barvrouw dat er telefoon voor hem is. Het is mijnheer Leon. Die beveelt Jean de bar te verlaten en buiten twee keer links af te slaan. Zo komt hij in een grote straat, waar hij links moet blijven lopen en vijf kruispunten moet oversteken. Voorbij het vijfde kruispunt moet hij wachten. Jean moet er rekening mee houden dat hij onderweg kan worden aangesproken. Wanneer dit gebeurt, moet hij doorlopen en vooral niet omkijken.

Hij verlaat het café om ongeveer 10.15 uur en doet precies wat hem is opgedragen. Onderweg voelt Jean dat hij gevolgd en benaderd wordt. Iemand zegt: 'Mijnheer Jean, ik denk dat u iets hebt voor mij.' Jean antwoordt dat alles in de tas zit. De twee lopen zij aan zij nog even verder. Mijnheer Leon legt zijn hand op de schouder van Jean. Hij wil Jean meenemen in een portiek om de tas te controleren. Jean vertrouwt het niet, blijft rechtdoor lopen en houdt de tas stevig vast.

Mijnheer Leon gelooft het kennelijk wel, laat zijn hand zakken naar de tas en zegt: 'Het is goed zo, laat de tas maar los. Alles is in orde. Ga terug naar het hotel en wacht op mijn instructies.' Terug in het hotel gaat om 11.30 uur de telefoon. Het is mijnheer Leon. Die bedankt hem voor het geld. Hij zegt dat alles in orde is en dat VDB na het weekend zal worden vrijgelaten. Jean gaat terug naar Brussel en stelt de familie op de hoogte.

De ontvoerders zelf gaan naar Frankrijk. VDB wordt daar vastgehouden in een vakantiehuisje in de populaire Noord-Franse badplaats Le Touquet. Omdat het kustplaatsje dit weekend overvol is vanwege de jaarlijkse motorwedstrijd, hebben de ontvoerders besloten hem pas na het weekend vrij te laten. Vanwege de wedstrijd is het plaatsje afgeladen met politieagenten.

De ontvoerders laten Vanden Boeynants weten dat er betaald is en schrijven dat hij na het weekend zal worden vrijgelaten. Vanden Boeynants deelt zijn ontvoerders mee dat hij opgelucht is en dat hij hoopt dat ze iets zinnigs met het geld gaan doen om weer op het rechte pad te komen.

De laatste dagen van zijn gevangenschap maken ze het hem zo aangenaam mogelijk. Er is vaker en meer licht op de kamer, hij krijgt een stapel Franse tijdschriften en boeken, en de zondag voor zijn vrijlating krijgt hij een nieuwe pijp. Bij zijn ontvoering, inmiddels 29 dagen geleden, heeft hij noodgedwongen zijn eigen pijp moeten achterlaten in de strijd, maar dat wordt nu helemaal goedgemaakt. Hij krijgt zijn favoriete tabak en omdat zijn ontvoerders niet weten of hij strong, medium of light rookt, krijgt hij van alle drie varianten een pakje.

De familie en de politie maken zich ondertussen grote zorgen. Zullen de ontvoerders woord houden? Er was geen andere mogelijkheid dan zich afzijdig houden bij de losgeldoverdracht. Zelfs als de Belgische politie had willen samenwerken met de Zwitserse autoriteiten, had dat niet gekund: in Zwitserland is het officieel verboden om losgeld te betalen.

Maar de ontvoerders houden zich aan hun woord: op maandag 13 februari 1989 krijgt Paul Vanden Boeynants een briefje waarop staat dat hij die avond wordt vrijgelaten. Hij moet zich in de badkamer uitkleden en wordt gefouilleerd. Zo willen ze voorkomen dat hij bewijsmateriaal vanuit het huisje meesmokkelt.

Ze vragen of hij een foto wil meenemen, als souvenir. Dat wil hij wel, en de ontvoerders maken twee polaroidfoto's van hem. Ze hebben nieuwe pantoffels voor hem gekocht en hij krijgt eindelijk zijn kleren terug. Zijn horloge en portemonnee zitten nog in de zakken. Wel ontbreekt er zo'n 20.000 Belgische frank uit de portemonnee.

Voordat de ontvoerders hem in de auto plaatsen, krijgt Vanden Boeynants watten op zijn ogen geplakt en een zwarte bril opgezet. Na een rit van zo'n vijf uur wordt hij die avond rond 22.15 uur in Doornik uit de auto gezet. Hij mag gedurende twee minuten niet achteromkijken. De ontvoerders groeten hem en rijden weg.

Na de twee minuten haalt VDB de watten van zijn ogen. Enigszins verblind door de straatverlichting weet hij zijn weg te vinden naar het station van Doornik. Hij heeft van zijn ontvoerders 6000 Belgische frank gekregen voor een taxi om thuis te komen, maar de rit naar huis kost 6600 Belgische frank. Hij laat zich daarom afzetten bij een vriendin, die de familie inlicht.

Nog diezelfde nacht, nadat hij is thuisgekomen, wordt Vanden Boeynants medisch onderzocht en aan een urenlang getuigenverhoor onderworpen. De politie houdt nog altijd rekening met de mogelijkheid dat hij zijn eigen ontvoering in scène heeft gezet, maar van dat vermoeden blijft na die nacht niets over.

De volgende dag komt er een persverklaring van justitie dat Vanden Boeynants leeft en is vrijgelaten. 'Dat is altijd onze prioriteit geweest,' wordt er gezegd. 'Wij hebben de ontvoerders nog niet kunnen identificeren. Er is losgeld betaald. Meer kunnen we voorlopig niet zeggen.' Vanden Boeynants zelf zegt ook niks en blijft binnen.

De pers staat massaal voor zijn flat aan de Franklin Rooseveltlaan. Ze vangen een glimp op van een sterk vermagerde VDB wanneer hij even voor het raam verschijnt. Een journalist komt op het idee om met de pet rond te gaan bij de journalisten. Van de opbrengst wordt een grote bos bloemen voor de oud-premier gekocht. Na ontvangst van het boeket laat hij een fotograaf toe, op voorwaarde dat foto beschikbaar wordt gesteld voor alle media. De foto van een nog ongeschoren Paul Vanden Boeynants in ochtendjas haalt alle media.

De volgende dag geeft hij een persconferentie, geschoren en wel, en met een net pak aan. Het is druk: in de grote zaal van het Internationaal Perscentrum zitten meer dan 250 mensen. Op de persconferentie zijn niet alleen journalisten afgekomen, onder wie veel buitenlandse; ook vrienden, studenten en fans zitten in de zaal. Het wordt een legendarische persconferentie met veel theater, zoals men gewend is uit zijn politieke loopbaan. VDB verschijnt met een grote zwarte zonnebril op, die hij pas afzet als de fotografen hem beloven te stoppen met flitsen. Hij begint met een dankwoord aan justitie, politie en het volk; daarna vertelt hij wat er gebeurd is tussen 14 januari en 13 februari 1989.

Hij heeft geen idee wie zijn ontvoerders waren. Ze waren militair georganiseerd en droegen legerkisten. Dag en nacht werd hij bewaakt. Er zijn minstens drie, mogelijk vier personen bij betrokken. 'Neemt u van mij aan, het waren professionals.' Van de 30 dagen die hij heeft vastgezeten, kreeg hij 27 dagen hetzelfde voorgeschoteld: doperwten met worteltjes. 'Daar heb ik nu wel even genoeg van.'

Hij vertelt dat hij door zijn ontvoerders werd getutoyeerd, waarop hij op een bepaald moment een briefje naar hen schreef met de tekst: 'Ik zou graag weten met welk recht u denkt me te tutoyeren.' Met het antwoord van de ontvoerders wist hij gelijk waar hij aan toe was: 'Hier zijn wij de baas. Hou je bek.'

Over de hoogte van het losgeld wil hij niets kwijt. De pers krijgt een sneer vanwege publicaties over hem. Vanden Boeynants: 'Als u zulke dingen over een man of een vrouw schrijft, dan wijst u hem aan. U wijst hem met de vinger aan als een gemakkelijke prooi. En dat is precies wat er gebeurd is.' Verder vertelt hij: 'Ze hebben zich heel correct gedragen. Ze hebben me niet mishandeld. Het was hard, maar ze waren fatsoenlijk.'

Wel hebben ze gedreigd dat ze eerst zijn linkerpink en later zijn rechteroor zouden afsnijden wanneer er niet betaald zou worden. Ook dreigden ze zijn kinderen en kleinkinderen iets aan te doen. Emotioneel: 'Ik heb tegen mijn eigen gevochten. Ik heb gedacht aan al degenen die ik absoluut terug wilde zien, ik heb gedacht aan alles wat ik nog wilde doen. En ik heb tegen mezelf gezegd: "VDB, je gaat hier niet creperen." Ik herhaal: het is tegen mijn eigen dat ik heb gevochten om de moed en de energie te vinden om blijven te bestaan. Ze hebben van mij geen traan gekregen. Ze hebben geen klacht van me gekregen.'

De VDB-mania barst los, op televisie, in kranten en in weekbladen; een popgroep komt zelfs met een nummer over VDB. Het logo van de BSR, dat door de ontvoerders werd gebruikt, prijkt op de hoes, maar staat nu voor 'Brussels Sound Revolution'. In het nummer 'Qui?' zijn fragmenten te horen van de persconferentie, met een New Beatdeun eronder. Vanden Boeynants zelf vindt het allemaal goed. Van SABAM, de Belgische Buma Stemra, krijgt hij netjes royalty's uitgekeerd. Dit bedrag, in totaal 100.000 Belgische frank, schenkt hij aan liefdadigheidsinstellingen in Brussel.

Nog geen 24 uur na de vrijlating van Vanden Boeynants wordt in Frankrijk een van de daders gearresteerd. Pas later ontdekt de politie dat het gaat om een van de ontvoerders: het is een toevalstreffer. De man die op 14 februari wordt opgepakt, is Basri Bajrami. De politie van Leuven is al anderhalf jaar op zoek naar deze Albanese Joegoslaaf vanwege een ontsnapping in 1987.

In dat jaar werd op donderdag 13 augustus een justitieel transportbusje in Heverlee, vlak bij Leuven, klemgereden door een Audi 80. Twee mannen sprongen uit de auto, openden het vuur op het busje met een riotgun en een 9 mm-pistool, en brachten zo het busje definitief tot stilstand. De chauffeur en de bijrijder werden allebei in hun benen geraakt.

Het busje was onderweg van de gevangenis van Leuven naar het Paleis van Justitie in Brussel. Een van de drie gevangenen die worden bevrijd, is Patrick Haemers. Hij wordt gezien als de leider van de

Bende Haemers: een groep van keiharde criminelen die zich bezig-houden met gewelddadige overvallen. Naast naamgever Haemers bestaat de bende op dat moment uit Philippe Lacroix, Marc Van-dam, Denise Tyack en Basri Bajrami.

Bendelid van het eerste uur Thierry Smars is er dan al niet meer bij: hij pleegt op 21 mei 1986 zelfmoord. De politie houdt er rekening mee dat hij door de andere bendeleden is vermoord. Smars had een trauma opgelopen na een overval op een geldtransport in Verviers op 4 november 1985, waarbij de bende voor het eerst met explosie-ven werkte. De bom die ze aan de wagen bevestigden, was te zwaar en de gevolgen waren dramatisch: twee postbeambten werden door de explosie gedood, een derde raakte zwaargewond.

Patrick Haemers wordt op 2 november 1952 geboren in Schaarbeek. Samen met zijn broer Eric groeit hij op in een welgesteld gezin. Vader Achille en moeder Lilianne hebben twintig goedlopende kledingza-ken in Brussel. Broer Eric runt een kroeg in Brussel waar veel cri-minelen komen. Patrick, die vanwege zijn lengte, opvallende blauwe ogen en blonde haren *Le Grand Blond* wordt genoemd, komt er ook vaak. Hij trekt veel op met Philippe Lacroix, Thierry Smars en Axel Zeyen, zijn latere vakbroeders.

In 1972 begint zijn vader een nachtclub. Patrick is een tijdje bedrijfsleider, totdat de zaak afbrandt. Volgens de verzekering is er sprake van opzettelijke brandstichting. In 1978 wordt Patrick ver-oordeeld tot drie jaar cel voor verkrachting. Na veertien maanden komt hij weer vrij.

Vlak naast de afgebrande nachtclub opent Achille Haemers in 1979 een privéclub, Elysée 19. De clientèle bestaat uit een mengel-moes van criminelen, politiemensen, bankiers, zakenlui en poli-tici. Later wordt de naam veranderd in Happy Few. De tent wordt nu geleid door Patrick en zijn Franse vriendin Denise Tyack.

Haemers, Lacroix en Smars vormen de vaste kern van de Bende Hae-mers. Eind jaren zeventig, begin jaren tachtig smokkelen ze voor een bankier veel zwart geld naar het buitenland. Het geld dat ze later zelf buitmaken met overvallen, parkeren ze ook op buitenlandse reke-ningen.

In 1981 wordt Haemers opgepakt voor een bankoverval. De buit: 330.000 Belgische frank. De auto waarin de buit wordt overgela-den en waarmee de overvallers vluchten, wordt bestuurd door vader

Achille. Patrick wordt veroordeeld tot twee jaar gevangenisstraf, zijn vader wordt vrijgesproken.

Daarna volgt een hele reeks overvallen; gemiddeld is het bijna om de maand raak. Haemers zit sinds oktober 1986 vast op verdenking van betrokkenheid bij minstens negen overvallen, tot hij op donderdag 13 augustus 1987 om 14 uur met militaire precisie wordt bevrijd. Sindsdien is hij spoorloos.

De politie van Leuven werkt al anderhalf jaar met vijf man continu aan de spectaculaire bevrijding. Inmiddels is duidelijk dat Haemers is bevrijd door Philippe Lacroix en Basri Bajrami. Lacroix was in oktober 1986 tegelijk met Haemers gearresteerd, maar in maart 1987 weer vrijgelaten wegens gebrek aan bewijs.

Basri Bajrami, bijgenaamd 'Tosca' of 'De Vlieg', is geboren in Kosovo op 16 oktober 1955. Hij komt eind jaren zeventig naar België. Nadat hij eerst in een casino heeft gewerkt, belandt hij in het criminele circuit en begint zijn eigen bende. In 1986 leert hij in de gevangenis van Vorst Philippe Lacroix kennen.

Met behulp van de Nederlandse politie is de politie van Leuven de vriendin van Bajrami op het spoor gekomen. Zij verblijft veel in Nederland, in de buurt van Breda. Haar telefoon komt onder de tap.

Op 12 februari 1989 hoopt de politie Bajrami te kunnen pakken: op die dag wordt zijn zoontje gedoopt in Etten-Leur. Hij vermoedt echter dat er iets gaande is en komt niet opdagen.

Een dag later hoort de politie via de telefoontap dat zijn vriendin geld nodig heeft. Ze spreekt met Bajrami af in 'de Franse stad met vier letters', voor 'het gebouw met de hoge toren'. Met een gehuurde Golf rijdt ze de volgende dag vanuit Nederland naar de Franse plaats Metz. Het gebouw met de hoge toren is het station. Bajrami's vriendin heeft in de gaten dat er politie is en rijdt een paar rondjes om het station heen. Na het derde rondje vertrekt ze. Bajrami is niet naar buiten gekomen.

De politie baalt en wil de boel afblazen, tot de Belgische topspeurder Rudy De Jonghe het station inloopt en Bajrami letterlijk tegen het lijf loopt. Bajrami wordt gearresteerd. Hij heeft een plastic tas met speelgoed bij zich en in zijn binnenzak heeft hij 198 briefjes van 1000 Zwitserse frank en 13.800 Franse frank. De Zwitserse franks blijken afkomstig van het losgeld van de ontvoering van Paul Vanden Boeynants.

Bajrami heeft ook een notitieboekje bij zich, met namen en nummers in codetaal. De inhoud wordt ontcijferd en leidt de politie naar het telefoonnummer van een vakantievilla in Le Touquet. De link tussen de villa en de ontvoering wordt dan nog niet gelegd; de politie gaat ervan uit dat het een schuilplaats is voor de Bende Haemers. De villa wordt op afstand geobserveerd, in de hoop dat de bendeleden komen opdagen, maar ze laten zich niet zien. Wel groeien de vermoedens dat de groep Haemers te maken heeft met de ontvoering van VDB.

Op zaterdag 18 februari besluit de politie huiszoeking te verrichten in de villa. Dan wordt alles duidelijk. Agenten vinden onder meer een revolver, het geneesmiddel Adalat, lege voedselblikjes, handboeien, een schrijfmachine en briefjes met de correspondentie tussen de ontvoerders en Vanden Boeynants. Het huisje ziet er vanbinnen precies zo uit als VDB het omschreef: het bed tegen de muur, het venster afgeplakt, het nachtkastje, de badkamer, een babyfoon en handboeien. In de muur zit een stuk ketting verankerd. De politie ontdekt ook een blanco identiteitskaart met een foto van Kevin Haemers, de 4-jarige zoon van Patrick Haemers.

Later zal VDB bij een persoonlijk bezoek aan de villa onder grote belangstelling van de pers bevestigen dat dit de plaats is waar hij 'dertig dagen vakantie heeft gehouden'. Hij grapt verder nog: 'Ik wou dat u hier ook zo talrijk was geweest op de avond van 14 januari, toen ik hier aankwam.'

De politie ontdekt dat de Bende Haemers ook verantwoordelijk is voor een gewelddadige overval die in de periode van de ontvoering plaatsvond. Op donderdag 31 januari 1989 wordt België opgeschrikt door een van de gruwelijkste overvallen uit zijn geschiedenis.

Die avond wordt in Groot-Bijgaarden een busje van GMIC-geldtransport voorbijgereden door een BMW. In de auto zitten vier gemaskerde mannen. Een van de mannen steekt zijn bovenlichaam uit het open dak van de auto. Met een automatisch machinegeweer opent hij het vuur op het gepantserde geldtransportbusje. De kogelvrije voorruit barst, maar blijft wel heel. De twee inzittenden, chauffeur Ronny Croes en bijrijder Peter Bultinck, gaan volgens het veiligheidsprotocol op de vloer van hun bestelbus liggen. Ze hebben de alarmknop ingedrukt.

De overvallers blijven de bus van alle kanten beschieten en roepen in het Frans dat ze de deuren moeten opendoen. De twee heren weigeren dit. Een kogel gaat door de gepantserde wand en raakt Bultinck in de knie. De deur blijft dicht. De overvallers plaatsen nu een bom van anderhalve kilo met een zuignap op de achterdeur van het geldtransport. Ze rijden met hun BMW een stuk achteruit en brengen de bom tot ontploffing.

De enorme knal zorgt voor een complete chaos. De achterdeur vliegt eruit en de 22-jarige Ronny Croes wordt op slag gedood. Bloed en de geplofte verfbommen van de geldkoffer kleuren de auto en de straat rood. Het weerhoudt de overvallers er niet van om door de rook en langs het dode lichaam van Croes de auto in te stappen om alle koffers mee te pakken. De buit bedraagt 'slechts' 3,3 miljoen Belgische frank.

De politie kan niet bevatten dat de groep gelijktijdig een ontvoering en een dergelijke met militaire precisie uitgevoerde overval heeft gepleegd. Kennelijk zat de bende tijdelijk in geldnood, zo vermoedt de politie. De politie houdt er ook rekening mee dat ze het gedaan hebben uit pure zelfoverschatting: ze wanen zich blijkbaar onaantastbaar.

Geholpen door het notitieboekje van Bajrami en door intensief speurwerk stuit de politie op steeds meer bewijs. De leden van de Bende Haemers die verantwoordelijk zijn voor de ontvoering van Paul Vanden Boeynants, zijn volgens de politie: Philippe Lacroix, Axel Zeyen, Basri Bajrami, Marc Vandam en Patrick Haemers.

Bij een huiszoeking in een woning van de voorvluchtige Philippe Lacroix vindt de politie nieuwe aanwijzingen. Nader onderzoek van het wegwerplint van de aangetroffen elektrische IBM-schrijfmachine levert de politie ook aanwijzingen op over een reeks overvallen. Als klap op de vuurpijl vermeldt het lint de nieuwe identiteit van Patrick Haemers en diens adres: Alain Goffin, Condominio Vivendas do Bosque 147, Rio de Janeiro, Brazilië.

In mei 1989 vliegt de Belgische politie naar Brazilië. De woning ligt in de chique wijk Barra da Tijuca, maar Haemers blijkt er niet meer te wonen. Volgens de buren is het vriendelijke stel verhuisd; waar naartoe weet niemand.

Thuis in België wordt alles en iedereen afgeluisterd die ook maar enigszins in relatie staat met de bendeleden. Op die manier wordt ontdekt dat Haemers vanuit dezelfde openbare telefooncel regelmatig met familie en vrienden in België belt. Hij telefoneert vaak met de louche advocaat Michel Vander Elst. Deze advocaat zou in het verleden sjoemelpraktijken hebben opgezet voor Lacroix en Haemers. De advocaat is de buurman van Paul Vanden Boeynants. Justitie denkt dan ook dat Vander Elst de gangsters op VDB heeft gewezen. Naar aanleiding hiervan wordt hij op 23 maart 1989 door de Nationale Brigade opgepakt.

Sindsdien belt Patrick vooral met zijn vader Achille om op de hoogte te blijven van de ontwikkelingen omtrent de ontvoeringszaak. Op zaterdag 27 mei 1989 zal hij om 14 uur weer bellen. In Rio zijn op dat moment maar vijf telefooncellen van waaruit internationale gesprekken kunnen worden gevoerd. Een van die telefooncellen staat in het luxe winkelcentrum Barra Shopping. Braziliaanse politiemensen lopen daar onopvallend rond, zogenaamd als winkelend publiek. De Belgische politie kijkt van een afstand toe; in Brazilië hebben de rijkswachters geen bevoegdheden.

Klokslag 9 uur lokale tijd komt Patrick Haemers aangelopen, in het gezelschap van Axel Zeyen. Wanneer Patrick in de telefooncel staat, slaat de Braziliaanse politie toe. Haemers is totaal verrast en heeft geen schijn van kans. Ook Axel Zeyen wordt gearresteerd.

De Belgische agenten worden door de Braziliaanse politie naar hun hotel gestuurd. Zeyen en Haemers zullen worden overgebracht naar een politiebureau in Rio voor een verhoor. Onderweg probeert Haemers de politie om te kopen: hij biedt 25.000 dollar. De Brazilianen willen 50.000. Ze worden het eens; de politiestoet keert en rijdt naar het nieuwe adres van Haemers. Zijn vrouw, Denise Tyack, doet open. De politie neemt al het geld mee dat ze in het huis vinden.

Toevallig is Philippe Lacroix op dat moment op weg naar de woning van Haemers. Hij parkeert zijn auto een straat verderop. Op een kleine 100 meter afstand wordt hem verteld dat 'meneer Goffin' de politie op bezoek heeft. Het lukt Philippe Lacroix om onopgemerkt weg te komen; samen met Marc Vandam vlucht hij later naar Colombia.

De Braziliaanse politie doet Haemers de valse belofte dat hij en Zeyen later zullen worden vrijgelaten. Ze nemen Denise Tyack ook mee naar het politiebureau. Kevin, het 4-jarige zoontje van Denise en Patrick, wordt overgebracht naar het Belgische consulaat in Rio. Opa en oma Haemers zullen hem daar twee dagen later ophalen en meenemen naar België.

Opa Haemers zou later aan de onderzoeksrechter verklaren dat

zijn zoon hem tijdens de ontvoering al had verteld over zijn betrokkenheid daarbij. Dat deed hij op een groot familiefeest dat Patrick
had georganiseerd ten tijde van de ontvoering, in een groot kasteel
vlak bij Parijs. De politie kan er niet bij dat iemand tijdens een ingrij-
pend misdrijf als een ontvoering ook nog in staat is om een ontspan-
nen familiefeest te organiseren.

Haemers geeft in Rio een persconferentie die zo mogelijk nog legen-
darischer is dan die van Vanden Boeynants eerder dat jaar. Met
handboeien zit hij vastgeketend aan Zeyen en Tyack. Het blijkt
dat Haemers al op 13 augustus 1987, de dag van zijn bevrijding uit
het arrestantenbusje bij Leuven, via Parijs naar Zuid-Amerika is
gevlucht. Regelmatig vliegt hij terug naar België om overvallen te
plegen, vermomd en onder een valse identiteit. Zijn zoontje maakt
hij wijs dat hij piloot is op lijnvluchten. Tijdens de persconferentie
bekent hij de ontvoering en zijn betrokkenheid bij een hele reeks
overvallen. Hij is de tel kwijt, mogelijk gaat het om veertig, misschien wel vijftig overvallen.

De bedreigingen aan het adres van Vanden Boeynants zegt
Haemers dat die bij het spel horen. 'Als je een gijzelaar geen angst
aanjaagt, zal hij geen cent betalen. Je zegt niet: "Als je niet betaalt,
moeten we je weer vrijlaten," want dan betaalt hij niet. Je zegt: "Als
je niet betaalt, dan onthoofden we je."' Het is nooit de bedoeling
geweest om VDB echt iets aan te doen, zo laat Haemers in Rio weten.

Hij antwoordt bevestigend op de vraag van een journaliste of hij
VDB een briefje heeft geschreven met daarop de tekst 'We vinden
je OK, sorry dat we je ontvoerd hebben.' 'Ik heb het altijd erg opge-
had met Paul Vanden Boeynants,' zo vertelt Haemers. 'Hij is een per-
soonlijkheid. Hij heeft altijd veel indruk op me gemaakt.'

Het was de bedoeling dat de ontvoering de laatste grote slag van de
bende zou zijn. Ze wilden stoppen met de overvallen, omdat die steeds
meer risico met zich meebrachten. Een ontvoering leek hun aantrekkelijk, omdat die veel geld oplevert en de risico's veel kleiner zijn.

In eerste instantie hadden de bendeleden Freddy Heineken op
het oog. Ze hadden over zijn rijkdom gelezen in het boek *Les Grandes Fortunes d'Europe* ('De grootste fortuinen van Europa'). In België was niemand rijk genoeg volgens de bandieten, en zeker niet zo
rijk als Freddy Heineken. Eind 1988 reist Basri Bajrami zelfs naar
Amsterdam om Heineken te observeren.

Uiteindelijk leiden de gemakzucht van de ontvoerders en de betrokkenheid van de louche advocaat Michel Vander Elst tot de keuze voor Paul Vanden Boeynants. VDB en Vander Elst zijn buren; ze wonen in dezelfde flat in Brussel aan de Rooseveltlaan. In die straat, op nummer 141, werd Toos van der Valk in 1982 drie weken vastgehouden (zie hoofdstuk 13).

Het verzonnen logo 'BSR' diende om de bedoelingen van de bende te camoufleren en was bovendien een verwijzing naar de Brigade de Surveillance et de Recherche, de Franse benaming voor de Belgische Bewakings- en opsporingsbrigade, kortweg BOB genoemd. Haemers zegt daarover: 'Er was totaal geen politiek motief, het ging puur om geld.'

Denise Tyack zegt tijdens de persconferentie onder meer: 'Het blijft een mooie herinnering. Het is jammer dat we gepakt zijn, maar het was de moeite waard.' Haemers: 'Ik ben twee jaar met mijn zoon en vrouw samen geweest. Ik heb er geen spijt van als gangster te hebben geleefd. En het leven gaat verder.'

Hij heeft nog een boodschap voor de slachtoffers. 'We vergeten nooit de doden. Ik kan de pijn niet voelen die de vrouwen hebben gevoeld bij de drie doden die ik op mijn geweten heb. Ik wil alleen maar zeggen: het zou belachelijk zijn om te zeggen dat het me spijt. Daar hebben de mensen niks aan. Maar ik kan wel zeggen dat ze het me kwalijk mogen nemen. Als dat hen kan troosten, wil ik graag doen wat daarvoor nodig is.' De persconferentie is dat jaar in België de best bekeken televisie-uitzending.

Haemers, Tyack en Zeyen blijven nog een tijdlang in de Braziliaanse gevangenis zitten. De uitlevering is een complexe juridische zaak en duurt bijna een jaar. Haemers en Tyack krijgen in de gevangenis alle gelegenheid om intiem met elkaar te zijn. Hun advocaat heeft ze geadviseerd om zwanger te raken; dit zou uitlevering naar België kunnen voorkomen. Wanneer justitie hier lucht van krijgt, komen ze onder een strenger regime.

Eind maart 1990 worden de drie door het Belgische leger uit Brazilië opgehaald. Men is op alles voorbereid, ook op een kaping. Om die reden worden Haemers, Tyack en Zeyen in een kooi geplaatst en zo naar België gevlogen. Op 1 april 1990 landt het vliegtuig op Belgisch grondgebied.

Lacroix en Vandam worden op 16 april 1991 in Colombia opge-

pakt en uitgeleverd aan België. Alle verdachten zitten nu vast in België. Het proces rond de Bende Haemers begint in april 1993 voor
het Hof van Assisen in Brussel. De internationale pers is er in gro-
ten getale op afgekomen. De aanklacht is, naast de ontvoering, een
lange reeks van gewapende overvallen. Speciaal voor deze gelegenheid is in de rechtszaal een kooi gebouwd waarin de verdachten worden vastgehouden.

Op de zittingsdag zelf wordt pas duidelijk dat het proces niet van
start kan gaan wegens een tekort aan juryleden. Rechtbankvoorzit-
ter mr. Guy Wezel besluit het proces uit te stellen. Haemers vraagt
het woord: 'Stel het niet uit, ik kan het niet meer aan. Ik wacht al zo
lang.' Hij krijgt geen gehoor. De drie jaar die hij in isolement heeft
doorgebracht, vallen hem zwaar. Hij heeft onder meer last van ontwenningsverschijnselen na jarenlang cocaïnegebruik.

Haemers vraagt aan zowel Denise – door een procedurefout bij
het verlengen van de aanhoudingsmandaat mag Tyack het proces in
vrijheid afwachten – als aan zijn vader om hem te helpen ontsnappen. Beiden weigeren: het is te riskant. Bovendien wil Denise hun
zoon Kevin een leven op de vlucht niet weer aandoen.

Op 3 mei 1993 ontsnappen Philippe Lacroix, Basri Bajrami en een
derde gedetineerde, Kapllan Murat, op spectaculaire wijze uit de
gevangenis van Sint-Gillis. Ze gijzelen acht bewaarders en nemen
er uiteindelijk vier mee. Deze worden, samen met de inspecteur-ge-
neraal van het gevangeniswezen Harry van Oers, gebruikt als menselijk schild bij hun vlucht. Eén cipier steken ze door het dak van
de vluchtauto. Hij hangt zo over de voorruit en motorkap als ze de
gevangenispoort uitrijden. Een paar straten verderop worden de
cipiers vrijgelaten.

Van Oers nemen ze de hele dag mee als gijzelaar op hun vlucht,
waarbij ze onderweg schuilen in huizen van burgers. Even na 21
uur wordt Harry van Oers vrijgelaten. De 4000 Belgische frank die
Lacroix uit zijn beurs heeft 'geleend', krijgt hij zoals beloofd een
maand later terugbezorgd. Bajrami heeft alle gegevens overgeschre-
ven uit Van Oers' paspoort. Later zal blijken dat hij op zijn vlucht de
identiteit van Van Oers heeft aangenomen.

Haemers baalt ervan dat ze hem niet hebben meegenomen. Hij
gaat ervan uit dat Philippe hem later wel zal komen bevrijden. Dit
blijkt ijdele hoop. Lacroix en Bajrami hebben Haemers uitgekotst. Ze
zien hem als een verrader. Bij zijn arrestatie in Brazilië heeft hij hen

tijdens een televisie-interview genoemd als zijn mededaders. Tussen Bajrami en Haemers heeft het sowieso nooit geboterd.

Vier dagen later wordt Philippe Lacroix alweer opgepakt in Laken. Een overval doet hem de das om. Deze keer is hij niet zelf de dader. Na een overval eerder die dag zijn de eigenlijke daders gevlucht in een blauwe Renault 5, en toevallig rijdt Philippe in precies hetzelfde type auto. Twee politieagenten in burger zien een Renault 5 geparkeerd staan in een ander deel van de stad. Ze besluiten de wagen te checken en herkennen de persoon op de passagiersstoel als Philippe Lacroix. De bestuurder wordt niet aangetroffen. Wel ligt er een pistool onder de stoel en heeft hij een handgranaat in zijn broekzak. Hij biedt geen verzet bij zijn arrestatie.

Een week later, op vrijdag 14 mei 1993, pleegt Patrick Haemers zelfmoord. 'Le Grand Blond' werd 40 jaar. Hij heeft om drugsvervangende medicijnen gevraagd. Patrick heeft zijn celdeur gebarricadeerd en zijn horloge voor het raampje gelegd. Wanneer binnen de door hem gestelde tijd niets geregeld is, zal hij zich verhangen. De bewakers denken dat dit dreigement een truc is om te ontsnappen.

Toch vertrouwen ze het niet helemaal. Als ze even later een kijkje nemen bij cel nummer 1035, zien ze dat Haemers zich met een radiosnoer ophangt aan de radiator. Ze proberen de cel binnen te komen, maar Haemers heeft de celdeur zo effectief geblokkeerd dat het gevangenispersoneel niet binnen kan komen. Ze proberen van alles. Ondertussen zien ze het gezicht van Patrick alle kleuren uitslaan. Als ze de deur uiteindelijk open hebben, zijn ze te laat. Volgens complottheorieën zou het hier niet om zelfmoord gaan. Haemers zou zijn vermoord omdat hooggeplaatste personen bang waren dat hij te veel zou vertellen. Patrick had eerder aangekondigd dat hij zou gaan vertellen over de smokkel van zwart geld naar het buitenland.

Zijn eigen familie twijfelt niet aan zijn zelfmoord. Sinds zijn jeugd was Patrick al suïcidaal. Tijdens de laatste bezoeken van Denise Tyack in de gevangenis kondigt Patrick zijn zelfmoord al aan. Hij is depressief. Alles zit tegen: het proces is uitgesteld, en Denise heeft een nieuwe relatie en wil niet meer dat Kevin nog langer bij hem op bezoek komt.

Zijn enige broer Eric is eind vorig jaar omgekomen tijdens een auto-ongeluk. Tijdens het allerlaatste bezoek van Denise op maandag 10 mei 1993 zegt Patrick: 'Mijn besluit staat vast, ik stop ermee. Definitief. Dat is de beste beslissing voor jou en Kevin. Over een paar dagen wordt hij acht jaar. Wat kan hij met een vader die misschien nog twintig jaar moet zitten?'

In de cel wordt een afscheidsbriefje gevonden:

Voor Denise Tyack, mijn echtgenote. Ik kan niet meer. Ik heb te veel pijn en ben te moe. Mijn laatste gedachten zijn voor jou en onze zoon. Ik heb je altijd doodgraag gezien. Patrick.

Denise neemt geen afscheid van Patrick Haemers. Zijn lichaam in de kist heeft ze niet meer gezien. Ze wil zich hem herinneren zoals ze hem gekend heeft in de goede dagen. Haemers wordt gecremeerd in het bijzijn van zijn ouders, zijn advocate mr. Motte de Raedt en Denise Tyack. Hun zoontje Kevin is hierbij niet aanwezig. Haemers' as wordt uitgestrooid op een veldje in Ukkel.

Het dossier Haemers krijgt nu de naam 'Dossier-Lacroix en co'. Lacroix werd beschouwd als de eerste luitenant van Patrick Haemers, maar volgens velen was hij het echte brein achter de Bende Haemers.

Op maandag 6 september 1993 gaat het proces Haemers II alsnog van start, deze keer met voldoende juryleden. In totaal zijn er zeven verdachten: Philippe Lacroix, Marc Vandam, advocaat Michel Vander Elst, Axel Zeyen en Denise Tyack. Michel Gauthier en Robert Darville worden beschouwd als de explosievenexperts en -leveranciers van de bende. Ze zitten weer in een grote kooi en worden bewaakt door rijkswachters in gevechtsuniform. Ze worden beschuldigd van oorlogvoering tegen de samenleving in de vorm van roofmoorden, gewapende overvallen, bendevorming en de ontvoering van Paul Vanden Boeynants, die zelf komt getuigen.

Aan de pers laat VDB weten dat het hem niet onberoerd laat nu hij het allemaal opnieuw beleeft. Hij denkt dat hij geluk heeft gehad dat hij er zo van af is gekomen. Deze ervaring wenst hij niemand toe. Op de vraag hoe hij zich zijn ontvoerders herinnert, antwoordt hij: 'Ik zal ze niet uitnodigen voor een partijtje bridge.'

Het proces duurt drie maanden. Op 20 januari 1994 komt de rechtbank met de uitspraak. Denise Tyack wordt veroordeeld tot vijf jaar cel, explosievenexpert Michel Gauthier krijgt zes jaar, advocaat Michel Vander Elst krijgt acht jaar cel, Marc Vandam krijgt achttien jaar, en bommenmaker Robert Darville en Philippe Lacroix krijgen de doodstraf. Zij zijn twee van de laatste criminelen die in België de doodstraf hebben gekregen. De straf wordt later omgezet in levenslang.

In 2004 wordt Lacroix voorwaardelijk vrijgelaten. In de gevangenis heeft hij een studie gevolgd en hij staat nu in Brussel voor de klas in het middelbaar onderwijs als docent Nederlands en Engels. In 2015 krijgt hij zijn Belgisch staatsburgerschap weer terug.

Basri Bajrami wordt in juli 1995 in Macedonië gearresteerd en uitgeleverd aan België. In 1996 wordt hij veroordeeld tot levenslang. In 2004 komt hij vrij en wordt hij op het vliegtuig naar Macedonië gezet, omdat hij in België niet langer welkom is. In 2013 komt hij weer even in het nieuws: de Spaanse politie zou hem zoeken in verband met de afpersing van een Belgische zakenman op Ibiza.

In 1995 trekt Paul Vanden Boeynants zich terug uit het politieke leven. In 1999 krijgt hij van de Brusselse justitie een kartonnen doos met daarin een kleine 5 miljoen Belgische frank van het losgeld. Verder zitten er voorwerpen in die hij bij zich had tijdens de ontvoering, waaronder zijn pijp en pantoffels. In een interview vertelt hij dat de ontvoering zijn leven niet erg heeft veranderd. Wel bekent hij iedere nacht met een revolver op zijn nachtkastje te slapen.

Hij herstelt nooit helemaal van een openhartoperatie die hij in december 2000 onderging. Op dinsdag 9 januari 2001 overlijdt hij op 81-jarige leeftijd aan de gevolgen van een longontsteking.

In 2014 krijgt de familie Vanden Boeynants nog een deel van het losgeld terug. Justitie had bij de arrestatie van de Bende Haemers beslag gelegd op het geld. Na het proces werd het toegewezen aan de weduwe Denise Tyack, omdat er volgens een Brusselse rechter te weinig bewijs was dat het geld afkomstig was van de ontvoering. Het Hof oordeelde anders en wees 250.000 euro (omgerekend zo'n 10 miljoen Belgische frank) toe aan de familie. De rest van het misdaadgeld van de Bende Haemers staat volgens justitie op minstens acht verschillende gecodeerde Zwitserse bankrekeningen. De politie heeft er twee kunnen ontcijferen. De rest niet. Lacroix ontkent het bestaan van die rekeningen niet: 'Er staat nog geld op, er zijn zelfs kluizen. Ze staan op een andere naam. Degene die de rekeningen geopend heeft, herinnert zich niet meer welke identiteitsgegevens hij toen heeft gebruikt.

In het najaar van 2010 verscheen een stripboek over de Bende Haemers, *De zaak Patrice Hellers*. De strip is gemaakt door twee bekende namen in de Belgische stripwereld, tekenaar Steven Dupré en scenarist Alcante. Het is de eerste strip uit de reeks *Interpol*, gebaseerd op waargebeurde verhalen.

In 2012 sprak documentairemaker Peter Boeckx een aantal betrokkenen voor de camera. De zesdelige reeks – die balanceert op het randje tussen human interest en onderzoeksjournalistiek – biedt een unieke inkijk in de werking van een van de gewelddadigste misdaadbendes in België, tegen de achtergrond van de woelige jaren tachtig. De documentaire bevat uniek beeldmateriaal uit de privécollectie van Denise Tyack. Patrick Haemers, ooit publieke vijand nummer 1 van België, is te zien als een echte familieman.

Peter Boeckx werkt bij het ter perse gaan van dit boek aan een film over het leven van Patrick Haemers. Hij heeft de bekende acteur Matthias Schoenaerts gestrikt voor de hoofdrol.

17

De ontvoering van Anthony De Clerck

Wanneer: 4 februari 1992
Waar: Belsele, België
Losgeld: 250 miljoen Belgische frank (ca. 13,2 miljoen gulden)
Ontknoping: 6 maart 1992

Op dinsdagochtend 4 februari 1992 worden de broertjes Gregory, Anthony en Jan De Clerck opgehaald door een vriendin van de familie De Clerck, Véronique Van Onsem. In haar Saab zitten haar eigen dochters al. Véronique zal de kinderen naar school brengen in het even verderop gelegen Sint-Niklaas. Anthony wil graag bij het raam zitten, maar daar zit een van Véroniques dochters al.

De auto is nog geen twee minuten van het erf als een donkerblauwe Audi 80 midden op de weg de doorgang verspert. Uit de auto komen twee gewapende en gemaskerde mannen; één man blijft in de auto achter het stuur zitten. De twee mannen trekken de portieren van de Saab open. Een van de mannen drukt Véronique een pistool in de nek. In gebroken Frans beveelt hij haar om achter haar auto te gaan staan.

De tweede man sleurt haar dochter, die bij het raam zit, uit de auto. Algauw realiseert hij zich dat hij de verkeerde te pakken heeft: hij moet een jongen hebben. Het doodsbange meisje wordt omgeruild voor de jongen die het dichtst bij het rechterachterportier zit: de 11-jarige Anthony, de middelste van de drie broertjes De Clerck. Anthony verzet zich en begint hard te schreeuwen. Zijn broer

Gregory probeert hem te helpen door hem vast te pakken. 'Zitten blijven en kop dicht!' bijten de mannen hem toe. Anthony wordt meegesleurd en in de Audi gegooid. Met piepende banden rijdt de auto in de richting van de E17.

Een paar kilometer verderop wordt Anthony bij een bos overgeladen in een gereedstaande Mercedes. Hij moet plaatsnemen in de kofferbak. De ontvoerders hebben daar wat stro, twee zachte kussens en een paar lakens neergelegd. Een van hen kruipt bij de jongen in de kofferbak; de twee andere mannen stappen in de auto. Via een landweggetje rijden ze weer de E17 op. Over de ring van Antwerpen belanden ze in het Waalse dorp Engreux, waar Anthony wordt ondergebracht in een witte bungalow aan de Chemin de l'Adeps.

Véronique Van Onsem rijdt met de andere kinderen onmiddellijk terug naar het landgoed van de familie De Clerck. Compleet in shock rent ze met de kinderen het huis binnen. Vader Jan De Clerck hoort hen roepen: 'Anthony is meegenomen, Anthony is ontvoerd!'

Jan De Clerck is de zoon van Roger De Clerck. Deze West-Vlaamse textielondernemer is de oprichter van het textielimperium Beaulieu, dat hij vanuit het niets uitbouwde tot de grootste West-Europese tapijtengroep. Als Roger moet stoppen met werken, zijn er problemen over de opvolging. Het bedrijf wordt opgesplitst in verschillende bedrijven en elk van de zes kinderen krijgt een eigen bedrijf.

Zoon Jan krijgt de DOMO-groep, die is gespecialiseerd in kamerbreed tapijt en kunstgras. In de loop der jaren raken veel bedrijven van de familie De Clerck in opspraak. Zo zat Jan in 1989 een tijdje in de cel in Groot-Brittannië omdat hij zijn tapijten deels voor zwart geld zou hebben verkocht. Hij weet verdere strafvervolging te voorkomen door een schikking te treffen met de douane. Jan is getrouwd met Martine Van De Weghe. Ze wonen op een landgoed aan de Schoonhoudtstraat in Belsele. Het echtpaar heeft vier kinderen: Gregory, Anthony, Jan jr. en dochter Nathalie.

Vader Jan slaat meteen alarm bij de Rijkswacht. Binnen een halfuur werkt de politie met man en macht aan de zaak. Er wordt druk gezocht naar een donkerblauwe Audi. Véronique heeft het kenteken onthouden en onderzoek wijst uit dat de Audi gestolen is. Nauwelijks een halfuur later wordt hij aangetroffen in Waasmunster bij een bosje in de buurt van de E17.

Sporenonderzoek in de auto levert weinig op. Onderzoek op het landgoed biedt meer resultaat: aan beide zijden van de hekken rond het huis worden voetsporen gevonden en er worden gaten in de heg waargenomen. Leden van het Speciaal Interventie Eskadron (SIE) nemen hun intrek in de woning van de familie De Clerck als onderhandelaars, voor het geval de ontvoerders contact opnemen. 2 ploegen van 2 zullen elkaar om de 24 uur aflossen. De logeerkamer wordt ingericht als commandokamer. De politie krijgt al snel veel informatie, ook uit het criminele circuit, maar er zit geen bruikbare informatie tussen. Ook een buurtonderzoek levert niets concreets op.

In het huisje in Engreux maken de ontvoerders Anthony wijs dat ze bezig zijn met een film. De hoofdrol wordt gespeeld door een kind, maar dat kind heeft een ernstige aandoening waarvoor hij alleen behandeld kan worden in de Verenigde Staten. De behandeling, de reis ernaartoe en het stilleggen van de opnames voor de film brengen enorme kosten met zich mee. De bivakmutsdragende 'filmmakers' hebben dit geld niet. Ze leggen Anthony uit dat ze hem wel moesten ontvoeren, omdat zijn vader een van de rijkste mannen van België is.

Anthony begrijpt de ontvoerders wel. Hij is aangedaan door het verhaal en vraagt hoeveel zijn vader moet gaan betalen – mogelijk kan hij iets met zijn vader regelen. Het gaat om 200 miljoen Belgische frank.

De werkelijke reden is uiteraard dat de mannen zelf geld nodig hebben. Twee Belgische criminelen, Jozef 'Jefke' Peeters en Danny Vanhamel, leerden tijdens een gevangenisstraf voor een reeks overvallen Isidro Sánchez Carrasco kennen. Na hun vrijlating stappen ze gezamenlijk in de drugshandel. Het wordt een fiasco, en het enige wat ze bereiken, zijn grote schulden bij collega-criminelen. Deze lopen op tot meer dan een paar miljoen Belgische frank.

De ontvoering van Paul Vanden Boeynants (zie hoofdstuk 16) brengt de drie mannen op een idee. In 1990 doen ze een eerste poging tot een ontvoering. Ze hebben hun oog laten vallen op Graaf Leopold Lippens, op dat moment burgemeester van Knokke. Wanneer een van de bendeleden tijdens observatie op het terrein van Lippens wordt betrapt door de zoon van de conciërge, volgt een schermutseling. De man weet op het nippertje te ontkomen, maar verliest tijdens zijn vlucht een schoen, wat reden is om de ontvoering van Graaf Lippens af te blazen.

Hun tweede keus is de dochter van de in België wonende Nederlandse bouwmiljardair Leon Melchior. De ontvoerders vergissen zich echter en ontvoeren in december 1991 zijn 29-jarige secretaresse Christiane Gielen. Ze wordt klemgereden, uit haar auto gesleurd en vervolgens in een gereedstaande auto weggevoerd. Als de ontvoerders ontdekken dat ze niet de dochter maar de secretaresse van Melchior hebben ontvoerd, laten ze haar na 24 uur ongedeerd vrij in de buurt van de Belgisch-Limburgse grens.

Na de twee mislukte pogingen moet het de derde keer goed gaan. De bende van Vanhamel en Peeters vindt een nieuw slachtoffer in Jan De Clerck. De keus valt op hem omdat de familie De Clerck in België behoorlijk omstreden is, vanwege een aantal fraudezaken. De familieleden weten hun straf steeds te ontlopen door hoge geldboetes te betalen.

Uiteindelijk bepalen de andere bendeleden – Tacha Din, Isidro Sánchez Carrasco en zijn vriendin Maryse Francquet – dat niet Jan De Clerck zelf, maar een van zijn zoons het slachtoffer wordt.

De ontvoering is wereldnieuws, en de ontvoerders hebben zich vergist met betrekking tot de impopulariteit van de familie. Wanneer Anthony's ouders op donderdag 6 februari 1992 voor de televisie een zeer emotionele oproep doen aan de ontvoerders om goed voor hun kind te zorgen en hem zo snel mogelijk vrij te laten, gaat heel België overstag en leeft mee met de familie. Moeder Martine richt zich in de uitzending tot haar zoon met de woorden: 'Anthonyke, u bent een toffe jongen, en iedereen bidt voor u.'

Tijdens zijn gevangenschap mag Anthony televisiekijken. Hij ziet de emotionele oproep van zijn moeder, maar blijft er behoorlijk kalm onder. Zijn moeder verklaart later: 'Ze hebben de beste eruit gepikt, mentaal is hij de sterkste van de jongens.' Anthony vermaakt zich prima in zijn kamertje van 3 bij 3 meter. Met Isidro Sánchez Carrasco speelt hij computerspelletjes. Hij tekent veel en leest stripboeken. 's Ochtends krijgt hij drie boterhammen met beleg naar keuze, en iedere avond is er een warme maaltijd. Vaak wordt er wat gehaald. Anthony mag dan iets uitzoeken; meestal kiest hij voor een pizza. De ontvoerders willen dat hij iedere dag een douche neemt en goed zijn tanden poetst.

De ontvoering is al bijna een week oud als de ontvoerders voor het eerst iets van zich laten horen. Op 11 februari 1992 ontvangt de jongste broer van Jan, Dominique De Clerck, een brief van de ontvoerders op het adres van zijn bedrijf in Wielsbeke. De brief is getypt in het Frans. Ze willen weten of de ouders bereid zijn losgeld te betalen. Verder eisen ze dat de politie het landgoed van de familie onmiddellijk verlaat. *'Geen flikken',* zo staat in de brief. Er zit een cassettebandje bij met daarop de stem van Anthony, die laat weten dat alles goed gaat.

Onderzoek wijst uit dat de brief verdacht veel lijkt op de losgeldbrief die de familie Melchior ontving. Die was geschreven in het Nederlands, maar het lijkt erop dat de brief bijna letterlijk is overgezet naar het Frans: sommige zinnen zijn letterlijke vertalingen van zinnen uit de brief aan de familie Melchior. De ontvoerders eisen dat de familie via een boodschap op televisie laat weten dat ze bereid is het losgeld te betalen.

Diezelfde avond is het zover. Moeder Martine richt zich weer tot haar zoon: 'Anthonyke, als het om losgeld zou gaan, weet dan dat papa altijd klaarstaat voor u, bij ons terugkomen is het enige wat wij wensen.' Tegen de ontvoerders zegt ze: 'Neem contact op met ons, we zullen doen wat jullie vragen.'

Op 14 februari krijgt Dominique een nieuwe brief. Bij de brief zit weer een cassettebandje met daarop de stem van Anthony. De ontvoerders eisen omgerekend ruim 256 miljoen Belgische frank. Dit bedrag moet betaald worden in verschillende buitenlandse valuta: 1 miljoen Nederlandse gulden, 1 miljoen Duitse mark, 2 miljoen Franse frank en 6 miljoen Amerikaanse dollar. Als de familie bereid is te betalen, moet ze gedurende een week een advertentie plaatsen op de voorpagina van de *Gazet van Antwerpen.*

De keuze voor deze krant en de gelijkenis met de Nederlandstalige losgeldbrief aan Melchior doet de politie vermoeden dat de ontvoerders Nederlandstalig zijn, maar de politie houdt rekening met de mogelijkheid dat de ontvoerders haar op een dwaalspoor willen zetten. Om ze uit te testen besluit de politie dat een volgende tv-oproep via de commerciële zender VTM moet plaatsvinden. Deze zender is alleen te ontvangen in Vlaanderen en niet in het zuiden van het land. Als de ontvoerders hier geen probleem van maken, kan dit een teken zijn dat ze uit Vlaanderen komen.

De familie doet, deze keer namens Dominique De Clerck, een nieuwe oproep en vraagt om een levensteken van Anthony. Een aantal dagen later volgt een nieuw cassettebandje met daarop een opname van de jongen. Op 18 februari verschijnt de gevraagde advertentie in de *Gazet van Antwerpen*. De volgende dag nemen de ontvoerders weer contact op, opnieuw met een brief met een cassettebandje. Anthony zegt hierop dat hij goed behandeld wordt, 'al begint het wel lang te duren'.

Het blijft een paar dagen stil. Op 24 februari, om 22.10 uur, nemen de ontvoerders contact op met de familie vanuit een telefooncel. Ze draaien een bandje af waarop Anthony te horen is. Hij leest de uitslagen voor van vier voetbalwedstrijden uit de Belgische competitie van het afgelopen weekeinde.

De politie kan de telefooncel traceren en haast zich ernaartoe. Het gaat om een telefooncel aan de Kruibeeksesteenweg in Burcht. Wanneer de politie aankomt, blijkt dat de bellers nog geen minuut daarvoor zijn vertrokken. In de telefooncel worden enkele sigarettenpeuken en wat haartjes aangetroffen. Deze worden onderzocht, maar een eerste analyse levert geen resultaat op.

De politie heeft geen idee wie de daders zijn en waar Anthony wordt vastgehouden. Wel vermoedt ze, mede door de losgeldbrief en de keuze voor de *Gazet van Antwerpen*, dat de daders in de regio Limburg moeten worden gezocht. Er wordt besloten de grote toegangswegen vanuit Limburg te controleren. Op de snelweg van Antwerpen naar Limburg wordt geflitst en de politie berekent de afstand van de fotoflits van iedere auto tot de brievenbussen en telefooncellen die gebruikt zijn voor het doorgeven van de boodschappen.

Op 25 februari wordt een auto geflitst die past binnen de berekeningen. Het gaat om een Fiat Uno. De auto staat op naam van de moeder van Danny Vanhamel, een bekende van de politie, die afkomstig is uit Belgisch Limburg.

De ontvoerders hebben inderdaad de auto van de moeder van Vanhamel gebruikt. Het is slechts een van de vele fouten die ze maken. Ze laten zich bijvoorbeeld ook bijstaan door andere criminelen, waardoor de kring van mensen die op de hoogte zijn van de ontvoering steeds groter wordt.

De losgeldoverdracht staat gepland op donderdag 27 februari 1992. Die avond gaat om 19.06 uur de telefoon bij Dominique De Clerck. Op een bandje noemt Anthony de locatie waar de eerste opdracht gevonden kan worden.

In werkelijkheid gaat niet Dominique De Clerck met het losgeld rijden, maar een onderhandelaar van de Rijkswacht. Deze vertrekt met een collega naar de eerste opdracht. De ontvoerders hebben voor de losgeldchauffeur een rit in gedachten van meer dan vijf uur. De rit gaat van West-Vlaanderen via Antwerpen, Limburg en Nederland richting Aken. Bij de Duitse grens gaat de rit terug richting Eindhoven. Onderweg zijn opdrachten voor de losgeldchauffeur verstopt, onder andere onder zitbankjes.

Bij een parkeerplaats in de buurt van Eindhoven gaat het mis. Aan de nietjes in de bank te zien heeft er een opdracht gezeten, maar hebben de ontvoerders die weggehaald. Ze hebben besloten af te zien van de rit omdat ze steeds veel politie zagen op de plaatsen waar de opdrachten moesten worden opgehaald.

Dat komt vooral doordat er die avond een grote politiecontrole is in verband met een voetbalwedstrijd. Deze politieagenten zijn niet op de hoogte van de losgeldrally. Bovendien stond er al een tijdje een politieonderzoek gepland ter hoogte van een parkeerterrein in Ranst, een van de plekken waar de ontvoerders een opdracht hebben verstopt.

De ontvoerders zien het niet meer zitten en besluiten de losgeldoverdracht die dag af te blazen: het is ze te riskant. De onderhandelaars melden de mislukking van de losgeldoverdracht aan Jan en Martine De Clerck. Die zijn diep ontgoocheld. Voor de familie is het een zware klap en de twijfel over een goede afloop neemt toe, ook bij de politie.

Op 19 februari houden Jan en Martine De Clerck op verzoek van de politie weer een persconferentie. Ze betreuren dat de losgeldoverdracht is mislukt en zeggen zich te distantiëren van de politiemensen. De tekst die ze voorlezen, maakt deel uit van de tactiek van het onderzoeksteam. 'Er is gisterenavond een poging tot geldoverdracht geweest, die in de streek van Eindhoven om ongekende reden afgesprongen is. Wij doen afstand van de eventuele stappen die gezet worden door de politionele en gerechtelijke diensten. (...) Aan de ontvoerders vragen we een rechtstreekse en discrete dialoog met ons.'

Het blijft stil. Pas na tien dagen, op 29 februari 1992, nemen de ontvoerders weer contact op. Dit gebeurt per brief via pastoor Oelbrandt van Belsele. In de brief vragen ze de pastoor deze discreet en persoonlijk aan de familie te overhandigen. De pastoor doet dit. De

ontvoerders schrijven onder meer dat ze niet begrijpen dat de Rijkswacht het leven van de jongen in gevaar brengt. Ze geven de familie
nog een tweede en laatste kans om het losgeld te betalen, en eisen dat
zondagavond iemand van de familie bij de telefoon in de pastorie zit.

De ontvoerders staan duidelijk onder tijdsdruk. Bepaalde correc-
ties en aanpassingen in de brieven worden niet opnieuw getypt, maar
zijn verbeterd met pen – opnieuw een fout van hun kant. Alhoewel
dit nadrukkelijk is verboden door de ontvoerders, neemt zondagavond 1 maart om 21.12 uur een onderhandelaar van de politie de
telefoon op.

Deze keer wordt geen bandje afgedraaid, maar zijn de ontvoerders zelf te horen. Het gesprek wordt opgenomen en tientallen keren
beluisterd. Alle politiediensten krijgen het gesprek te horen. Een
politieman van de BOB (Bewakings- en opsporingsbrigade) van
Hasselt herkent de stem van Jozef Peeters en wijst het onderzoeksteam in de richting van de groep rond Peeters.

Een dag later bellen de ontvoerders met een levensteken van
Anthony, waar in het gesprek van de vorige dag uitdrukkelijk om
was gevraagd. De jongen leest een recente krantenkop uit de *Gazet
van Antwerpen* voor. Ook komen er nieuwe instructies voor de losgeldoverdracht. Het bedrag blijft hetzelfde: omgerekend ruim 6 miljoen euro.

Op 3 maart 1992 gebeurt er iets merkwaardigs. Rond 11 uur wordt
tijdens een verkeerscontrole in Limburg een Volkswagen aangehouden. In de auto zitten vier mannen: Danny Vanhamel, Jozef Peeters,
Salvador Calatabiano en Yvan Huber. Later zal blijken dat de criminelen Calatabiano en Huber later bij de ontvoering betrokken raakten, en hand- en spandiensten verrichtten voor de drie ontvoerders,
Peeters, Vanhamel en Carrasco. De heren krijgen een boete omdat
ze hun gordel niet dragen.

Deze aanhouding zal de politie later helpen bij de bewijsvoering.
Achteraf blijkt namelijk dat ze die dag op pad waren om de opdrachten langs de route gereed te maken voor de tweede losgeldoverdracht.

Woensdagavond 4 maart 1992 rinkelt om 20.12 uur de telefoon in de
pastorie. De ontvoerders geven instructies voor de losgeldrally. De
onderhandelaar vertrekt met het losgeld. Hij rijdt in de Range Rover
van Jan De Clerck van punt naar punt. Na een rit van meer dan vijf
uur komt hij bij dezelfde parkeerplaats uit als tijdens de eerste los-

geldrit, in de buurt van Budel bij Eindhoven. Nu zit er wel een briefje onder het zitbankje. Het is het laatste bericht.

De chauffeur moet over de brug een parallelweggetje volgen en zo het bos inrijden. Aan een bosweg moet hij stoppen en het geld over een ijzeren hek gooien. De Rijkswacht, die alles op gepaste afstand volgt, ziet dat twee mannen aan de andere kant van het hek het losgeld pakken en er in een Mercedes op hoge snelheid vandoor gaan. De twee mannen in de auto zijn Yvan Huber en Salvador Calatabiano. Op een parkeerterrein in de buurt dragen ze de buit over aan Vanhamel en Peeters. Die brengen de buit naar België, waar hij wordt ondergebracht bij een neef van Vanhamel in Tessenderlo.

Een dag later wordt het geld geteld. De ontvoerders zijn uitzinnig van blijdschap. Ze weten niet dat het geld door een expert van het Duitse Bundeskriminalamt (BKA) is bewerkt met een chemisch goedje: het laat onzichtbare sporen na op lichaam en kleding, maar bijvoorbeeld ook in de ruimte waar het geld heeft gelegen.

Nu moet de familie afwachten of de ontvoerders zich houden aan hun belofte om Anthony binnen 48 uur vrij te laten. Het is een zenuwslopende periode.

Op 6 maart gaat 's avonds om 21.45 uur de telefoon in huize De Clerck. De onderhandelaar neemt de telefoon op, maar het is deze keer geen cassettebandje of iemand met een Limburgs accent, het is Anthony De Clerck. Hij is zojuist vrijgelaten op het dorpsplein van Massenhoven. Daar belt hij aan bij het eerste het beste huis, met de vraag of hij even zijn mama mag bellen. De politie gaat er meteen met Jan en Martine naartoe.

Een halfuur later kunnen de dolgelukkige ouders hun zoon in hun armen sluiten. Hij huilt en snikt: 'Het heeft zo lang geduurd, mama.' Anthony is ongedeerd en gezond. Zijn ouders hebben schone kleren voor hem meegebracht, die hem nog maar net passen: door de vele pizza's en het snoep dat hij kreeg voorgeschoteld, is hij in de periode van zijn ontvoering 4 kilo aangekomen.

Het nieuws van zijn vrijlating verspreidt zich snel. De familie wil in de eerste uren na zijn vrijlating geen commentaar geven en kondigt voor zondag 8 maart een persconferentie aan.

Diezelfde nacht gaan interventieploegen van het SIE en arrestatieteams van de POSA (Protectie, Observatie, Steun en Arrestatie) op pad om invallen te doen bij 25 verdachten. De hoofdverdachten

Danny Vanhamel, Jozef Peeters en Isidro Sánchez Carrasco worden meteen gearresteerd. Bij huiszoeking vindt de politie bij Carrasco een stukje papier dat is afgescheurd van een stripboek uit de serie *De Rode Ridder*. Op de achterkant staat het telefoonnummer van de familie De Clerck. Wanneer de politie hem hiermee confronteert, loopt er een traan over het gezicht van de anders zo emotieloze Carrasco.

Ook bij Vanhamel heeft de politie beet: in zijn portemonnee zit een briefje met daarop onder elkaar geschreven de getallen 2, 1, 1 en 6. De getallen en hun volgorde komen precies overeen met de verschillende valuta van het losgeld: 2 miljoen Franse frank, 1 miljoen Nederlandse gulden, 1 miljoen Duitse mark en 6 miljoen Amerikaanse dollar.

Bij Peeters worden sporen van het losgeld gevonden. Wanneer agenten aanbellen bij de vrouw van Vanhamel, horen ze dat zij de wc een paar keer achter elkaar doortrekt. De politie haalt het riool open en vindt allemaal versnipperde briefjes. Na enig puzzelen heeft de politie de complete kladjes van de losgeldbrieven.

Voor de verdachten is er geen ontkennen meer aan. Bij de vriendin van de neef van Vanhamel vindt de politie een groot deel van het losgeld op zolder. Na de vondst van het geld breken de ontvoerders en leggen ze volledige bekentenissen af.

Op 22 december 1994 worden Isidro Sánchez Carrasco, Jozef Peeters en Danny Vanhamel door het Assisenhof van Gent veroordeeld tot levenslange dwangarbeid. De vijf andere verdachten krijgen straffen variërend tussen de dertien en twintig jaar. Hun verweer dat ze Anthony goed hebben behandeld, krijgt geen gehoor bij de volksjury.

Tijdens de rechtszaak wordt duidelijk dat Anthony een slimme jongen is en dat hij de politie goed heeft geholpen bij het rond krijgen van de bewijsvoering. Hij herkende Jozef Peeters bijvoorbeeld aan zijn sterke, specifieke tabaksgeur. Peeters had naast Anthony in de kofferbak van de Audi gelegen tijdens de ontvoering. Die geur is hem steeds bijgebleven.

Verder heeft Anthony na zijn vrijlating een tekening gemaakt van de situatie waarin hij werd vastgehouden. Deze schets werd via het Centraal Signalementenblad van de Gerechtelijke Politie naar alle politiediensten gestuurd. Een oplettende agent uit Engreux legde de link met een huisje dat kort ervoor opzettelijk in brand was gestoken en meldde dit aan zijn collega's van het onderzoeksteam. Toen met Anthony een bezoek aan het huis werd gebracht, herkende hij het meteen, tot in de kleinste details. Anthony verbaast de politie wanneer hij zelfs de meterstand kan noemen. Het getal klopt tot op het laatste cijfer achter de komma.

De politie stelt vast dat een paar maanden eerder ook Christiane Gielen, de ontvoerde secretaresse van Leon Melchior, in dit huis werd vastgehouden. Daarmee is duidelijk dat dezelfde dadergroep ook achter deze ontvoering zit. Met de arrestatie van Salvatore Calatabiano heeft de politie ook de eigenaar te pakken van de schoen die in 1991 werd gevonden in de tuin van Graaf Lippens, wat duidelijk maakt dat Lippens hun eerste keus was.

Anthony levert nog een belangrijk bewijs. Omdat de daders steeds bivakmutsen droegen, heeft hij hun gezichten nooit gezien. Hij kan hen dan ook niet herkennen aan hun gezicht. Anthony kreeg zijn eten echter door een doorgeefluik en kreeg daardoor iedere dag hun handen te zien. Ook tijdens de computerspelletjes zag hij hun handen. De politie organiseert daarom een herkenning op handen. Anthony herkent uit de handen van twintig verschillende personen de handen van zijn twee bewakers.

De ontvoering van Anthony De Clerck heeft nogal wat overeenkomsten met de ontvoering van Alfred Heineken in 1983 (zie hoofdstuk 14). Voorbeelden zijn de verschillende valuta van het gevraagde losgeld en de lange losgeldrally, waarbij de chauffeur steeds van punt naar punt wordt gestuurd. Even leek het erop dat *De ontvoering van Alfred Heineken* van Peter R. de Vries, dat in 1987 verscheen, als handleiding heeft gediend voor Vanhamel, Peeters en Sánchez Carrasco.

Tijdens de ontvoering werd De Vries uitgenodigd door de Belgische televisiezender BRT om hierover te praten. Na de uitzending gaf Peter op verzoek een exemplaar aan een Belgische collega van de *Gazet van Antwerpen*. Die onderstreepte de passages waarin overeenkomsten tussen beide ontvoeringen worden beschreven.

De journalist raakte het boek kwijt omdat hij het per ongeluk op het dak van zijn auto had laten liggen. De eerlijke vinder ging ermee naar de politie, omdat hij ervan uitging dat het boek van de ontvoerders moest zijn. De politie ging hierin mee, tot een dag later de zaak werd opgelost.

In oktober 2004 komen Sánchez Carrasco, Vanhamel en Peeters vervroegd vrij onder voorwaarden. Ze staan onder elektronisch toezicht. Van Isidro Sánchez Carrasco vernemen we niet veel meer; de andere twee komen nog regelmatig in het nieuws.

Dat begint al direct na hun voorlopige invrijheidstelling. In november 2004 zoekt Jozef Peeters contact met zijn oude kompaan Danny Vanhamel. Vanhamel staat te schilderen in de kelder van zijn villa in Lummen als Peeters zijn erf nogal omslachtig via weilanden van de achterkant benadert. Volgens buren maken ze minstens twintig minuten ruzie over het nog steeds vermiste losgeld van 37 miljoen Belgische frank. Peeters wil weten waar Vanhamel het begraven heeft.

De Dienst Elektronisch Toezicht ziet door de enkelbanden die beide heren dragen waar ze zich bevinden en nog diezelfde zaterdag worden ze gearresteerd. Een van de voorwaarden voor de vervroegde invrijheidstelling is namelijk dat de twee mannen geen contact met elkaar mogen zoeken. Peeters verklaart dat hij Vanhamel opzocht om zijn plannen te bespreken voor het schrijven van een brief aan de familie De Clerck.

Peeters moet terug naar de gevangenis. Enkele maanden later komt hij weer vrij en pikt hij zijn oude beroep als bouwvakker op. Ook geeft hij rondleidingen in de oude gevangenis van Tongeren, die tussen 2006 en 2008 is ingericht als gevangenismuseum.

Op donderdag 25 februari 2010 wordt Jozef Peeters dood aangetroffen in zijn auto in de Dorpsstraat in Zelem. Hij werd al enkele dagen vermist. Een garagehouder vindt hem op zijn parkeerterrein en herkent Peeters meteen, omdat die de betreffende auto bij hem gekocht heeft. Jozef Peeters heeft zich verhangen aan het handvat aan het dak van zijn auto.

In 2006 ondernam hij al een zelfmoordpoging in de gevangenis van Oudenaarde, omdat hij het niet eens was met zijn overplaatsing naar de gevangenis van Brugge. Ook in 2004, nadat hij opnieuw werd vastgezet vanwege zijn bezoek aan Vanhamel, deed hij uit pure frustratie een poging. De pillencocktail die hij innam, bleek echter niet voldoende. Nadat hij 24 uur buiten westen was geweest, ontwaakte hij weer. Maar driemaal bleek scheepsrecht voor Peeters. Hij werd 63 jaar.

Danny Vanhamel gaat na zijn voorwaardelijke invrijheidstelling aan de slag als chauffeur bij een kringloopcentrum. Een baan is een van de voorwaarden om in aanmerking te komen voor vrijlating. Op 23 oktober 2009 belandt Vanhamel opnieuw in de gevangenis, omdat hij de voorwaarden van zijn invrijheidstelling heeft geschonden. Hij heeft met enkele gedetineerden in de Hasseltse gevangenis afgesproken voor sollicitatiegesprekken, zodat ook zij in aanmerking kunnen komen voor voorwaardelijke invrijheidstelling, maar het is ten strengste verboden contact te hebben met gedetineerden. Een maand later komt hij weer vrij.

In 2005 komt aan het licht dat Vanhamel tussen 1995 en 2001 in de Centrale Gevangenis van Leuven in drugs zou hebben gehandeld. Hij kreeg hulp van een drugsverslaafde cipier. Met deze handel zou Vanhamel omgerekend minstens 25.000 euro hebben verdiend. Hiermee riskeert hij een terugkeer naar de gevangenis. De rechter acht hem schuldig, maar hij hoeft niet weer de cel in. Volgens de rechter zijn de feiten te lang geleden gebeurd en heeft Vanhamel zijn leven gebeterd.

De familie Vanhamel kwam onlangs nog in het nieuws door de arrestatie van de jongste zoon, Wesley. Hij werd opgepakt voor meerdere geweldsdelicten, onder meer het uitdelen van rake klappen aan politiemedewerkers en brandstichting. Wesley werd veroordeeld tot acht maanden cel. Volgens zijn vader is hij eigenlijk zelf slachtoffer, omdat hij 'de zoon van' is. 'Elk weekend zijn er honderden vechtpartijen in Limburg en die halen nooit de pers. Tot het de zoon van ontvoerder Vanhamel is.'

Anthony De Clerck heeft nooit meer over de ontvoering willen spreken, behalve op de dag na zijn bevrijding. Tegenwoordig woont hij in Barcelona en is hij succesvol zakenman. Na zijn ontvoering stond hij nog één keer volop in de schijnwerpers. Op 23 mei 2008 trad hij in het huwelijk met zijn grote liefde, Cynthia Botton Jiménez uit Peru. Hij heeft haar leren kennen in Zuid-Frankrijk, waar ze beiden studeerden.

Het huwelijk vindt plaats in de kerk van Belsele, vlak bij de plaats waar hij zestien jaar eerder werd ontvoerd. De huwelijksvoltrekking is in Waasmunster, waar zijn ouders wonen. Op de ochtend van zijn huwelijksdag staat Anthony de pers te woord. Die besteedt volop aandacht aan het huwelijk en wil hem ook graag vragen stellen over zijn ontvoering in 1992, maar Anthony wil er niet aan herinnerd worden. 'Het is ook niet belangrijk. Vandaag trouw ik. Dat is belangrijk.' De roepnaam 'Anthonyke' – zoals iedereen hem destijds kende – wil hij niet meer horen.

Een paar dingen wil hij wel kwijt: 'Eerlijk gezegd herinner ik me weinig van wat toen allemaal gebeurd is. Ik heb die ervaring uit mijn geheugen gewist.' Hij is ervan overtuigd dat hij er sterker door geworden is en laat weten geen wraakgevoelens tegen zijn ontvoerders te koesteren. Hij benadrukt nog eens dat de affaire voorgoed voorbij is. 'Dat is een afgesloten hoofdstuk in mijn leven. De daders hebben hun straf gekregen. Daar heb ik vrede mee. Ik leef nu verder als een gelukkige man, die gaat trouwen met een droom van een vrouw.'

18

Overzicht van alle geruchtmakende losgeldontvoeringen in Nederland en België

De belangrijkste van deze Belgische en Nederlandse ontvoeringen hebben elk hun eigen hoofdstuk in het boek gekregen, dit staat tussen haakjes aangegeven. Alle andere bekende en minder bekende ontvoeringen zijn in dit hoofdstuk in het kort weergegeven. Dit vanwege de ruimte. Dat is ook de reden dat in een enkel geval alleen de naam van het slachtoffer en het jaartal van de ontvoering worden genoemd.

1880: Marius Bogaardt, Den Haag, Nederland – zie hoofdstuk 2

1975: Hubert en Ingrid Bonnet, Knokke, België
In de nacht van zaterdag 21 op zondag 22 juni 1975 worden de 6-jarige Hubert en zijn zusje Ingrid van 3 ontvoerd uit de Belgische kustplaats Knokke, hemelsbreed een kilometer van de Nederlandse grens. Hubert en Ingrid zijn de kinderen van de rijke Belgische industrieel Pierre Bonnet. Hubert is uitgerekend deze zondag jarig. Ingrid is ziek, ze heeft longontsteking.

Om 3 uur zijn die nacht vier gewapende en gemaskerde mannen binnengedrongen in de luxueuze villa Itoe Dia, het buitenverblijf van de familie. De mannen beweren dat ze van een antikapitalistische beweging zijn. De ouders, een oom en een huishoudster worden gekneveld en vastgebonden aan de radiator van de centrale verwarming. De kinderen worden uit bed gehaald, verdoofd met ether en weggevoerd in de metaalblauwe Volkswagen van moeder Berthe

Bonnet. Twee andere ontvoerders nemen alle tijd om het huis over-hoop te halen en verdwijnen pas 2 uur later, met geld en juwelen, in de Mercedes van Pierre Bonnet.

Na het vertrek van de ontvoerders weet Pierre zichzelf met een nagelknippertje los te maken. Er wordt groot alarm geslagen en de politie zet een grote zoekactie op touw. Moeder Berthe doet op de radio een oproep aan de ontvoerders: 'Ik smeek jullie, geef mijn zoon terug. Mijn kleine meid is ziek. Geef haar terug, smeek ik jullie. Geef mijn kinderen terug.' Tot de kinderen zegt ze: 'Mammie en pappie houden van jullie.'

Al de volgende dag, om 3 uur 's nachts, treft taxichauffeur Julien Depuydt beide kinderen aan in een telefooncel in Middelkerke bij Oostende, blootsvoets en nog in hun pyjama. Volgens de familie is er geen losgeld geëist en betaald.

Later die dag kan Hubert de politie leiden naar de plek in Middel-kerke waar ze werden vastgehouden. Het is een appartement op de vijfde verdieping van het flatgebouw Wimbledon aan de Leopold-laan. De politie treft er niemand aan. De woning is vanaf 10 juni gehuurd door Italianen; bij de verhuurder gaven ze een adres op in Berlijn. De kinderen zeggen dat ze goed zijn behandeld. Ze kregen zelfs speelgoed. Een paar dagen later arresteert de politie vier Italia-nen, onder wie drie broers.

1976: Joanna Berbers, Sint-Pieters-Woluwe, België
Op 30 november 1976 wordt de 13-jarige Joanna Berbers op weg naar school ontvoerd. Die ochtend verlaat ze om 8 uur de kapitale woning van haar ouders aan de Horizonlaan 47 in de Brusselse voorstad Sint-Pieters-Woluwe. Joanna is de dochter van de Nederlandse tex-tielgroothandelaar Pieter Berbers, die dan al meer dan twintig jaar in België woont.

De ontvoerders eisen 50 miljoen Belgische frank (bijna 3,5 mil-joen gulden). Berbers is bereid te betalen. De serienummers van de biljetten van 1000 en 5000 frank worden allemaal genoteerd.

Nadat de familie een antwoord op een vraag heeft gekregen als teken van leven – er zijn inlichtingen gevraagd over een neef in Roer-mond – kan de losgeldrit op zaterdag 4 december beginnen. Het geld zit verpakt in twee plastic zakken. De chauffeur van de familie, Gerard Cauwenberghs, rijdt in de rode auto van een broer van Joanna naar een in Woluwe gelegen restaurant bij de Mellaertsvijvers. Vol-gens opdracht drinkt hij er een kop thee en rekent deze meteen af.

Op dat moment bellen de ontvoerders naar het restaurant. De chauffeur krijgt een nieuwe opdracht: hij moet met het losgeld naar de Paapsemstraat in Anderlecht rijden. Rond middernacht dropt hij volgens opdracht de 50 miljoen Belgische frank voor een hok en rijdt weer naar het huis van de familie.

Twee uur later wordt Joanna Berbers vrijgelaten. Op een persconferentie vertelt ze dat ze redelijk is behandeld en niet is bedreigd. Ze werd in twee verschillende huizen vastgehouden, en sprak met haar ontvoerders over sport en haar hobby's. De eerste twee dagen was ze geboeid. Ze werd vastgehouden in een oncomfortabel tweepersoonsbed en sliep 's nachts tussen haar twee bewakers in. Al die tijd was ze geblinddoekt. Ze vermoedt dat het ging om een ongeveer 25-jarige, vloeiend Frans sprekende vrouw en een oudere man, die gebroken Frans sprak.

Nog diezelfde maand kunnen de Italiaan Pietro Micciche en zijn vriendin Murielle Florent worden gearresteerd. Joanna werd vastgehouden in Murielles flat in Antwerpen.

Pas in augustus 1977 wordt de Nederlander David Hildesheim in Brazilië opgepakt. Een jaar later, op 24 juni 1978, wordt hij uitgeleverd aan België. Hildesheim is een zakenrelatie van de familie. De politie was hem al in een vroeg stadium op het spoor gekomen doordat de familie Berbers dacht zijn stem te herkennen tijdens de telefonische onderhandelingen met de ontvoerders. Omdat hij een sluitend alibi leek te hebben, moest de politie hem in eerste instantie weer laten gaan. Hij verdween spoorloos op 5 december 1976, de dag van de vrijlating van Joanna.

In juni 1979 krijgen de dan 30-jarige Hildesheim en de 41-jarige Micciche levenslange dwangarbeid opgelegd. Murielle Florent krijgt een gevangenisstraf van twintig jaar opgelegd. Van het losgeld is nog altijd 40 miljoen Belgische frank zoek (circa 1,3 miljoen euro).

1977: Maurits Caransa , Amsterdam, Nederland – zie hoofdstuk 12

1978: Francis Apers, Antwerpen, België

1978: Baron Charles-Victor Bracht, Antwerpen, België
Baron Charles-Victor Bracht (63) wordt ontvoerd op 7 maart 1978 om ongeveer 9.30 uur. Hij wil juist in zijn Jaguar stappen als hij door een onbekende man wordt overmeesterd. De Jaguar staat op dat moment geparkeerd op zijn gebruikelijke parkeerplaats, vlak bij

Brachts kantoor in de Korte Klarenstraat in het centrum van Antwerpen. Drie getuigen horen geschreeuw en zien een bestelbusje wegrijden.

De schatrijke Belgische industrieel is een goede vriend van onder meer koning Boudewijn en prins Bernhard. Prins Bernhard is ieder jaar van de partij bij het grote jachtfestijn dat de familie Bracht organiseert in de meer dan driehonderd jaar oude bossen bij Kempen.

De dader, die zich tijdens de telefoongesprekken Dexter noemt, eist 70 miljoen Belgische frank (circa 2,3 miljoen euro) losgeld. Enige zoon Theo doet een emotionele oproep aan de ontvoerders om zijn vader vrij te laten. Omdat de ontvoerders geen teken van leven kunnen tonen, weigert de familie Bracht te betalen.

Een maand later, op maandag 10 april, wordt het lichaam van Bracht gevonden op een vuilnisbelt in Oelegem, bij Antwerpen. Korte tijd later kan de dader worden gearresteerd naar aanleiding van een televisie-uitzending waarin zijn stem werd afgedraaid. Een oplettende kijker – een jeugdvriend van de ontvoerder – herkent de stem en herinnert zich dat zijn oude vriend de naam Dexter in zijn jeugd al gebruikte bij het cowboytje spelen.

Het blijkt te gaan om de 39-jarige scheepselektricien Marcel van Tongelen uit Aarschot. Hij heeft de baron al op de dag van de ontvoering gedood. Bij de overmeestering in de parkeergarage had de baron zich hevig verzet, waarna Van Tongelen hem een kogel door het hoofd had geschoten.

De keus was op Bracht gevallen na het lezen van het boek *Vooraanstaanden van België*, waarin alle rijke Belgen worden genoemd. Er stond in dat Bracht een gigantisch zakenimperium bestuurde. Het was niet Van Tongelens bedoeling geweest om Bracht te doden. Onder een betonnen brug aan de snelweg E3, over een nog onvoltooid deel van een duwvaartkanaal had hij een verblijfplaats ingericht, 4½ meter boven de grond. Er lagen matrassen en er was een chemisch toiletje. De plek was alleen te bereiken via een ladder.

Op 29 februari 1980 krijgt Van Tongelen de doodstraf opgelegd. Deze straf wordt in België sinds 1918 niet meer uitgevoerd, maar staat nog wel in het Strafwetboek. De doodstraf wordt automatisch omgezet in levenslange dwangarbeid. In 1991 komt Van Tongelen vervroegd vrij.

1982: Peter R. de Vries, Amersfoort, Nederland – zie voorwoord

1982: Toos van der Valk, Nuland, Nederland – zie hoofdstuk 13

1983: Alfred Heineken en Ab Doderer, Amsterdam, Nederland – zie hoofdstuk 14

1984: Guy Cudell, Sint-Joost-ten-Node, België

Op zondag 24 juni 1984 wordt de 67-jarige Guy Cudell ontvoerd. Cudell is dan burgemeester van Sint-Joost-ten-Node, bij Brussel. Nadat hij het stadhuis heeft verlaten, is hij nog een eindje gaan wandelen in Elsene. Wanneer hij daarna in zijn zwarte Mercedes 190 wil stappen, stapt een man bij hem in de auto op de passagiersstoel. Hij richt een wapen op Cudell en dwingt hem om te gaan rijden.

Ze stoppen in La Hulpe, vlak bij Brussel. Daar wordt de burgemeester geboeid en geblinddoekt op de achterbank gedwongen. De ontvoerder neemt plaats achter het stuur en rijdt naar Tellin, een dorpje in de Belgische provincie Luxemburg. Daar wordt Cudell in een bungalow met kettingen en handboeien vastgeketend aan de muur. Daarna brengt de ontvoerder de auto terug naar Brussel, waar deze een dag later door de politie in de buurt van het Ter Kamerenbos wordt gevonden. Het pistool van de burgemeester – waarvoor hij een wapenvergunning had – is uit het dashboardkastje verdwenen.

Onderzoek wijst uit dat de bestuurdersstoel niet in de gebruikelijke stand staat. Vermoedelijk heeft een grotere persoon in de auto gereden. Inspectie van de kilometerstand levert op dat er minstens 200 kilometer met de auto is gereden sinds de ontvoering.

Burgemeester Cudell is lid van de socialistische partij PS (Parti Socialiste) en staat bekend als een showbeest. Bij de jaarvergadering van de gemeenteraad draagt hij, in de traditie van Napoleon, steevast een uniform met zwaard en steek (een hoed met twee punten). Volgens zijn tegenstanders doet hij dit louter en alleen voor de publiciteit. Onder Cudell is de eerste gemengde school van België geopend; daarna volgden de eerste vrouwelijke en de eerste allochtone politieagent. Cudell heeft zelf een politieagente als chauffeur, maar zij was die zondag vrij.

Tijdens zijn gevangenschap ziet de burgemeester een envelop liggen met een naam erop, vermoedelijk de naam van de dader. Cudell is bang dat de ontvoerder hem zal vermoorden als die merkt dat hij zijn naam weet en besluit de envelop dan maar op te eten. De ontvoerder is veel weg. Dat geeft Cudell de mogelijkheid om na twee dagen en twee nachten op dinsdag 26 juni te ontsnappen. Hij slaagt erin zichzelf los te maken uit de handboeien en belt aan bij het eerste het beste huis. De bewoners herkennen hem en bellen meteen de politie.

Die avond begeeft een grote menigte zich naar de woning van de populaire burgemeester om te vieren dat hij weer vrij is. Hij wordt overstelpt met rode rozen, het symbool van zijn partij, en de menigte begint spontaan 'De Internationale' te zingen, het socialistische volkslied. Terwijl het mediaspektakel rond Guy Cudell nog volop op de televisie te zien is, wordt er gebeld naar huize Cudell. De vrouw des huizes neemt op. De beller zegt dat hij René Busschot heet en beweert dat hij de ontvoerder is van haar man. Daarna belt hij de politie om zichzelf aan te geven.

De 36-jarige René Busschot woont in Evere, een stad aan de rand van Brussel. Hij heeft er een kledingwinkel en is financieel in zwaar weer beland. De kidnap lijkt opgelost: het slachtoffer is vrij, de dader zit vast en losgeld – in eerste instantie werd 5 miljoen Belgische frank geëist; later werd dat opgeschroefd naar 40 miljoen frank (ongeveer 1 miljoen euro) – is niet betaald. Toch blijft de ontvoering omgeven met mist.

Wanneer begin juli 1984 het Brussels parket de ontvoering wil reconstrueren, weigert burgemeester Cudell in eerste instantie daaraan mee te werken. Pas enige tijd later, na een gerechtelijk bevel, werkt hij mee. Dit zet mensen aan het twijfelen: heeft de ontvoering wel echt plaatsgevonden, en klopt het verhaal van de spectaculaire ontsnapping eigenlijk wel? De verdediging van Busschot doet er een schepje bovenop door te beweren dat Guy Cudell en zijn cliënt het uit de partijkas van de PS te betalen losgeld zouden delen. Bovendien zou de ontvoering alleen maar voordeel opleveren voor Cudells politieke carrière.

De rechtbank gaat hierin niet helemaal mee. In het voorjaar van 1988 krijgt Busschot de milde straf van drie jaar gevangenisstraf opgelegd. De tijd die hij in voorarrest zat, gaat daarvan nog af. Guy Cudell is al meer dan 45 jaar burgemeester van Sint-Joost-ten-Node wanneer hij op 16 mei 1999 overlijdt, op 81-jarige leeftijd.

1985: Gijs van Dam junior, Amsterdam, Nederland
De in 1982 ontvoerde Peter R. de Vries (zie voorwoord) hield een toespraak op de begrafenis van Heinekenontvoerder Cor van Hout in 2003. Ook Gijs van Dam junior kwam aan het woord, zij het niet persoonlijk. Zijn vader, de beruchte hasjhandelaar Gijs van Dam

senior, eveneens bevriend met Cor van Hout, las een briefje voor van 'kleine Gijssie'. Gijs jr. kon er zelf niet bij zijn: hij lag in het ziekenhuis met een dwarslaesie als gevolg van een poging om hem te liquideren, op 5 december 2002 in Amsterdam.

Een tweede poging daartoe, in mei 2004, slaagde wel, toen de door de eerste aanslag aan een rolstoel gekluisterde Van Dam bij zijn huis in Zandvoort alsnog werd geliquideerd. Hij ligt begraven naast Cor van Hout op begraafplaats Vredenhof in Amsterdam. In 1985 was Gijs junior nog zelf slachtoffer van een ontvoering.

Hij is 18 jaar wanneer hij op de ochtend van dinsdag 22 oktober om 7.10 uur voor zijn ouderlijke woning aan de Rozengracht in een busje wordt getrokken. Hij krijgt een kap over zijn hoofd en wordt in een grote doos gestopt. De losgeldeis bedraagt 8 miljoen gulden. Een speciaal rechercheteam houdt zich met de zaak bezig.

In de nacht van 24 op 25 oktober weet de politie Gijs jr. te bevrijden naar aanleiding van een tip, die leidt naar een woning in Lelystad. Daar zou Gijs worden vastgehouden. De politie volgt een Mercedes die bij de woning vertrekt richting Amsterdam, vermoedelijk om het losgeld te incasseren. In de Bijlmer tracht de politie de auto tot stoppen te dwingen, maar de Mercedes gaat er met hoge snelheid vandoor. Hij raakt in de slip en de inzittenden zetten hun vlucht lopend voort.

In de auto treft de politie Gijs jr. aan met een zak over zijn hoofd. Korte tijd later arresteert de politie de daders. Als hoofddader beschouwt ze de Amsterdamse sportschoolhouder Jan Plas. Kleine Gijs trainde in zijn sportschool, Mejiro Gym. Plas zou een zakelijk geschil over hasj hebben gehad met Van Dam sr.

Twee andere verdachten worden veroordeeld tot vijf jaar cel; hoofdverdachte Jan Plas en zijn vrouw Gerda worden door een fout in de tenlastelegging niet verder vervolgd. Plas belandt in 2008 in de gevangenis voor een andere zaak. Hij pleegt er in augustus 2010 zelfmoord.

In 2011 krijgt de familie Van Dam opnieuw te maken met een ontvoering. Deze keer is het slachtoffer de 57-jarige dochter van Gijs van Dam sr., Alida Offenberg-van Dam. Op zaterdagavond 9 juli 2011 wordt ze overmeesterd in haar huis in Amsterdam en meegenomen naar Reeuwijk. De losgeldeis bedraagt 253.000 euro.

Op zondag 10 juli wordt alvast 170.000 euro betaald door zoon Mike. Die heeft ondertussen de politie ingeschakeld. De politie weet de daders vrij snel te arresteren, waarbij een van de drie arrestanten zichzelf een kogel door het hoofd schiet. Bij deze ontvoering zou eveneens sprake zijn geweest van een financieel geschil – deze keer niet met Van Dam sr., maar met zoon Mike.

Alida van Dam is de weduwe van Robbie Offenberg, een van de beste vrienden van Cor van Hout en Willem Holleeder. Robbie Offenberg kwam in 1984 in België om het leven bij een auto-ongeluk. Hij was onderweg naar Parijs, waar Cor en Willem ondergedoken zaten na de Heinekenontvoering. Op 29 februari 1984 kunnen de twee ontvoerders daar worden gearresteerd. De politie observeert in Nederland Sonja Holleeder, de vriendin van Cor en de zus van Willem. Zij fietst vaak naar de woning van Gijs van Dam sr. Kleine Gijs, nog geen 18 jaar, rijdt dan in de dure Mercedes van zijn pa met Sonja naar een telefooncel. Daar draait Gijs een nummer van een briefje, constateert het observatieteam, en pas daarna komt Sonja in de telefooncel. Op deze omslachtige manier zou zij bij een eventuele aanhouding nooit het telefoonnummer kunnen prijsgeven. De politie zet een zogenoemde printer op de telefooncel en achterhaalt zo de locatie waar ze naartoe bellen.

Dat de oude Gijs van Dam niet alleen negatief in het nieuws komt als het gaat om ontvoeringen, maar ze soms ook helpt oplossen, blijkt uit het volgende. Op dinsdagnacht 12 oktober 1993 wordt Betty Schoenmaker, de vrouw van bingokoning Rob 'de sigaar' Arkenbout, ontvoerd in de Staatsliedenbuurt in Amsterdam. De ontvoerders eisen 500.000 gulden in briefjes van 100 en 250.

De recherche krijgt de vermoedelijke daders al vrij snel in het vizier. De bekende Amsterdamse commissaris Joop van Riessen belt met een dochter van een van de vermoedelijke ontvoerders. Hij doet zich voor als Gijs van Dam sr. en eist onmiddellijke vrijlating: 'Zeg tegen je vader dat Gijs heeft gebeld. Het moet afgelopen zijn. We willen niet al die last met de politie!' Ook zou Van Riessen gezegd hebben: 'Ik schiet je vader dood als hij die vrouw niet vrijlaat.'

Diezelfde nacht, 17 oktober, wordt Betty vrijgelaten op station Bovenkarspel. Ze zit onder de blauwe plekken. Ze werd vastgehouden in bungalowpark de Vlietlanden in Wervershoof en is zwaar mishandeld. Vijf dagen lang zat ze met tape op een tuinstoel vastgebonden. De daders worden gepakt.

1987: *Valérie Albada Jelgersma, Laren, Nederland*
Op dinsdagavond 10 februari 1987 om 20 uur bellen twee gewa-

pende en gemaskerde mannen aan op de Steenbergen 6 in Laren. Eigenlijk komen ze voor Eric Albada Jelgersma, directeur-eigenaar van levensmiddelengigant Unigro. Diens 10-jarige dochter Valérie doet de deur open. Haar ouders zijn niet thuis. De mannen besluiten haar dan maar mee te nemen.

De huishoudster wordt vastgebonden. Een uur later wordt ze bevrijd door haar man, de tuinman van de familie. Die komt net terug van Schiphol, waar hij zijn baas op het vliegtuig heeft gezet. Eric reist zijn vrouw achterna, die in Spanje verblijft voor een vakantie.

Nog diezelfde avond wordt een recherchebijstandsteam geformeerd. Ontvoeringsexpert commissaris Kees Sietsma wordt op de zaak gezet. Het kost de politie nogal wat moeite om de ouders van Valérie op te sporen: de Nederlandse ambassade moet eraan te pas komen om ze te bereiken op hun vakantieadres.

Sietsma besluit de ontvoering buiten de publiciteit te houden. Op school wordt Valérie ziek gemeld. De ontvoerders nemen telefonisch contact op met de familie. Ook komt er een brief, geschreven door Valérie. Daarin eisen de ontvoerders 5 miljoen Duitse mark in briefjes van 1000. Het geld moet worden ingepakt zoals een doosje vissticks. Tijdens een volgend telefoongesprek vraagt de onderhandelaar van de politie een teken van leven aan de ontvoerders door het stellen van de vraag 'Waarin wordt de suiker geserveerd?' Het antwoord – 'De suikerpot is een wit konijntje' – komt in een volgend telefoontje.

De politie weet te achterhalen dat er wordt gebeld vanuit Breda. Alle telefooncellen in Breda worden geobserveerd en zo kunnen de daders uiteindelijk worden achterhaald. Het gaat om de 27-jarige werkloze Arie H. en de eveneens werkloze 37-jarige Rob G. Valérie wordt vastgehouden in de woning van G. De gescheiden G. woont daar met zijn 7-jarige zoontje, die hij nadrukkelijk heeft verboden om op zolder te komen. Daar zit Valérie namelijk, vastgebonden achter een gordijn. Ze heeft er bijna dertien dagen op een matras gelegen, in dezelfde kleren die ze droeg op de avond van de ontvoering. Ze had een dun touw met een hangslotje om haar nek. Het touw zat vast aan een dakbalk.

Op 23 februari, een dag na haar bevrijding, schrijft ze een briefje voor de recherche: 'Lieve Politie, mijn pappie en mammie en ik bedanken u heel hartelijk voor al uw fantastische hulp. XXX Valérie.' Bij de rechtbank en in hoger beroep krijgen beide daders een gevangenisstraf van negen jaar opgelegd.

1987: Gerrit Jan Heijn, Bloemendaal, Nederland – zie hoofdstuk 15

1988: *Evelyne Hanssens, Marke, België*

Op maandag 5 december 1988 wordt Evelyne Hanssens ontvoerd in Marke, bij Kortrijk. Twee Franssprekende mannen melden zich via de intercom bij de villa aan de Smokkelpotstraat. De villa is eigendom van Reginald De Poortere, erfgenaam van de rijke industrieel Louis De Poortere. Hun tapijten gaan over de hele wereld. De mannen doen zich voor als bloemisten die een boeket komen bezorgen. Zodra de deur voor hen wordt opengedaan, schieten de twee gemaskerde mannen met een riotgun in het plafond. Daarna sleuren ze de 33-jarige Evelyne mee in hun auto – vermoedelijk een Opel Ascona – en gaan er met hoge snelheid vandoor.

De ontvoerders vergissen zich: Evelyne Hanssens is de gouvernante van de familie en niet de vrouw die eigenlijk het slachtoffer had moeten zijn: Catherine De Poortere. Om 21.30 uur bellen de ontvoerders naar de woning van de familie De Poortere. De 'echte' Catherine neemt de telefoon op. De ontvoerders roepen: '*We have Catherine!*' Als Catherine daarop zegt dat zij dat is, hangen de ontvoerders op.

Even later bellen ze weer, met de boodschap dat Reginald die avond naar een café in Moeskroen moet komen. Wanneer hij daar aankomt, blijkt het café echter gesloten. Een dag later wordt een paar keer naar de villa gebeld. De Poortere kan een volgende aanwijzing vinden bij een kerk in Wevelgem.

Op woensdag 7 december vindt hij daar een brief en een cassettebandje met daarop de stem van Evelyne. De losgeldeis bedraagt 200 miljoen Belgische frank. Op donderdag 8 december sturen de ontvoerders Reginald de A17 op: ergens tussen Moeskroen en Doornik kan hij een nieuwe opdracht vinden. Hierin staan instructies over het afleveren van het losgeld: dat moet in twee etappes worden betaald: 100 miljoen op vrijdagavond en 100 miljoen op maandagavond.

De Poortere doet precies wat hem wordt opgedragen en treft voorbereidingen voor de losgeldoverdracht. Hij verneemt echter niets meer van de ontvoerders. Tot ieders grote verrassing wordt Evelyne vrijgelaten in de nacht van donderdag 8 op vrijdag 9 december in Dottenijs, tussen Moeskroen en Kortrijk, zonder dat er losgeld is betaald. Ze heeft vier dagen onder erbarmelijke omstandigheden vastgezeten. Ze was de hele tijd vastgebonden, haar mond was gesnoerd en de ontvoerders lieten haar in haar eigen urine liggen. Regelmatig werd een mes op haar keel gezet en bedreigden de ontvoerders haar met de dood. Ze dreigden ook dat ze bij een ontsnapping onder stroom zou komen te staan.

Meer dan een jaar later worden de ontvoerders gearresteerd. Ze lopen tegen de lamp doordat ze in oktober 1989 proberen alsnog het losgeld te incasseren door middel van afpersing. Daarbij wordt zelfs geschoten op een personeelsbusje van de tapijtgigant. Door samen te werken weten de opsporingseskaders van de Franse en Belgische politie de identiteit van de verdachten te achterhalen. Het gaat om Alain Miet (41), Michel Desmet (26), Gino Vandenbulcke (34) – alle drie werkloos – en Giuseppe Spatafora (38). Laatstgenoemde is eigenaar van de bekende nachtclub Megahertz in Moeskroen.

Giuseppe Spatafora bagatelliseert zijn eigen rol en spreekt steeds over een vijfde man, een zekere mister X, die het brein zou zijn geweest. Onderzoek wijst uit dat Evelyne Hanssens in de kelder van de club werd vastgehouden. De vier mannen worden in de zomer van 1991 veroordeeld tot gevangenisstraffen variërend van vijf tot acht jaar.

1989: Paul Vanden Boeynants, Brussel, België – zie hoofdstuk 16

1990: Olivier Goffin, Brussel, België

1991: Christa Timmermans, Ninove, België

1992: Anthony De Clerck, Belsele, België – zie hoofdstuk 17

1993: Ulrika Bidegard, Sint-Genesius-Rode, België

1998: Hansje Boonstra-Raatjes, Antwerpen, België
De ontvoering van Hansje Boonstra-Raatjes is geen echte losgeld-ontvoering, maar wordt door de pers steevast meegenomen in het rijtje van Nederlandse ontvoeringen. Om die reden hebben we dit misdrijf hier toch opgenomen.

Op vrijdagmiddag 13 november 1998 om 13.45 uur begint voor de 62-jarige Hansje Boonstra-Raatjes een nachtmerrie. De echtgenote van Philipstopman Cor Boonstra komt van Spaanse les aan de Frankrijklei in Antwerpen als ze in haar donkerblauwe BMW-325i wil stappen. Een agressieve man bedreigt haar met een pistool. Hij wil een lift naar Hoek van Holland. Wanneer daar blijkt dat de veerboot naar Engeland die dag niet vaart vanwege onderhoud, gaat de man door het lint. Hij gooit Hansje uit de auto, takelt haar toe – onder meer met een baksteen – en probeert haar te wurgen.

Tegen 18 uur wordt ze door een voorbijrijdende man hevig onderkoeld gevonden op een parkeerplaats langs de weg bij Hoek van Holland. Ze heeft zwaar hoofdletsel en een gebroken arm. De dader wordt niet gevonden.

Nooit is duidelijk geworden of het ging om een afrekening, gericht tegen Cor Boonstra en/of Philips, of dat de dader van plan was om losgeld te eisen. Het geschatte vermogen van Cor Boonstra bedraagt 90 miljoen euro. Buren verklaren dat ze enkele dagen eerder een lichtgekleurde Mercedes met drie mannen erin hebben waargenomen bij de villa van de Boonstra's in de Belgische plaats 's-Gravenwezel. Hansje reed met het kenteken HBR-001 en is daardoor een gemakkelijke prooi.

Om haar korte maar heftige ontvoering te verwerken gaat ze ieder jaar op 13 november met de familie uit eten. Haar echtgenoot Cor is daar ook altijd bij. Ten tijde van de mysterieuze kidnap leefde het echtpaar gescheiden; Cor had zijn vrouw bedrogen met zakenvrouw Sylvia Tóth, met wie hij lange tijd een verhouding had. Intussen zijn Cor en Hansje weer bij elkaar.

1999: Joannes van de Kimmenade, Helmond, Nederland

De 18-jarige vwo-eindexamenkandidaat Joannes 'Hans' van de Kimmenade wordt ontvoerd in de nacht van zondag 2 op maandag 3 mei 1999. Hans verlaat zondagavond rond 11.45 uur de ouderlijke villa aan de Aarle-Rixtelseweg in Helmond. Hij woont daar met zijn ouders Hans en Gloria, en met zijn broer Tim en zus Dominique, met wie hij een drieling vormt.

De familie Van de Kimmenade, ook wel Van Kimmenade genoemd, was ooit een van de bekendste en rijkste textielfamilies van Nederland. De familie zit tegenwoordig nog maar beperkt in de textielbranche en richt zich vooral op het vastgoed.

Joannes voelt zich niet helemaal lekker en besluit een stukje te fietsen om wat frisse lucht op te snuiven. Aan het einde van de lange oprijlaan van hun landgoed wordt hij op de openbare weg opgewacht door vier Nederlandssprekende mannen met een Turks of Marokkaans accent. Hans wordt van zijn fiets gerukt en moet onder bedreiging van een wapen in een grote donkere auto op de achterbank gaan zitten. Hij wordt geblinddoekt en vervolgens rijden de mannen een paar uur met hem rond.

Pas de volgende ochtend ontdekt zijn familie dat hij niet is thuisgekomen na zijn fietstochtje. De familie zet onmiddellijk een zoektocht op touw. Meer dan honderd mensen uit de buurt zoeken mee en vliegtuigjes van de politie kammen de omgeving uit, maar zonder resultaat. Ook zijn fiets wordt niet teruggevonden. Joannes wordt ergens in de bossen vastgehouden in – zoals hij het zelf later zal noemen – een hok met spijlen. Hij praat continu op zijn ontvoerders in en probeert hen ervan te overtuigen dat bij zijn familie geen geld te halen is.

Waarschijnlijk hebben de ontvoerders hem geloofd. Op maandagavond, nog geen 24 uur na zijn ontvoering, laten ze Joannes vrij. Hij wordt gedumpt in een bos bij een plek met water en riet, ergens tussen Aarle-Rixtel en Bakel. Om 21 uur is Joannes weer veilig thuis. De daders worden niet gepakt en de zaak blijft onopgelost.

1999: Gerard Holleeder, Amstelveen, Nederland

Gerard Holleeder, het jongere broertje van Heinekenontvoerder Willem Holleeder, is nog slaapdronken wanneer op maandagochtend 11 oktober 1999 rond 10 uur een met een pistool bewapende man de slaapkamer van zijn woning in Amstelveen binnenstormt. De man wil geld en eist dat Gerard een briefje tekent. Wanneer Gerard weigert – 'Ik teken helemaal niks' – krijgt hij een klap tegen zijn hoofd met de loop van het pistool. Bebloed besluit hij toch maar te tekenen. De man snauwt: 'Het gaat om een schuld van Willem.'

Even later komt zijn kompaan naar boven met de vrouw van Gerard. Het huis wordt doorzocht; de mannen vinden echter niks en nemen Gerard mee. Ze plakken een stuk tape op zijn mond; eenmaal aangekleed wordt hij buiten in een lichtblauwe Lancia gezet.

De twee ongemaskerde mannen rijden met hem naar Amsterdam. Ze stoppen voor het huis van Marcel Kaatee, directeur van de gokhallen Buddy Buddy en Molensteeg 1 op de Amsterdamse Wallen, en in die hoedanigheid Gerards baas. Ze willen dat hij het briefje ook tekent. In de woning van Kaatee leggen ze hem uit dat de broer van Gerard een schuld heeft openstaan van 10 miljoen gulden. Bij wie deze schuld openstaat, vertellen ze niet, en het staat ook niet op het briefje. Kaatee tekent; daarna doorzoeken de mannen ook zijn woning.

Wanneer de ontvoerders geen geld vinden, nemen ze Gerard en

Marcel mee naar de gokhallen, die volgens de ontvoerders eigendom zijn van schuldenaar Willem Holleeder. Kaatee moet daar de kluis openmaken. De ontvoerders nemen de inhoud mee: 75.000 gulden.

Even later wordt Gerard Holleeder vrijgelaten. Er wordt aangifte gedaan bij de politie; zowel Kaatee als Gerard verklaart dat Willem Holleeder niets met de gokhallen te maken heeft. Broer Willem gaat zelf op zoek naar de ontvoerders. Uit afgeluisterde telefoontaps blijkt later dat Willem hemel en aarde heeft bewogen om de daders te achterhalen. Zelfs topcrimineel Sam Klepper zweert Willem dat hij hem daarbij zal helpen, maar de zaak wordt nooit opgehelderd.

2003: *Lusanne van der Gun, Oldeberkoop, Nederland*

Op maandag 25 augustus 2003 fietst de 11-jarige Lusanne van der Gun uit het Friese Oldeberkoop samen met een vriendinnetje naar school. De 63-jarige Simon S. uit Ryptsjerk doet zich voor als 'fietsinstructeur' en houdt de twee meisjes aan. Hij zegt dat er iets mis is met Lusannes fiets, waarna hij haar onder dwang in zijn donkergrijze Subaru laat stappen.

Het vriendinnetje fietst geschrokken door naar school en vertelt wat er is gebeurd. De politie wordt ingeschakeld en start een grootscheepse zoekactie. Er is grote angst dat Lusanne slachtoffer is geworden van een zedendelict. Rond 17 uur die middag wordt duidelijk dat het gaat om een losgeldontvoering. De ontvoerder belt naar de kaasboerderij van Lusannes ouders: '*Wir haben ein Kind.*' De Duitssprekende man eist 200.000 euro.

Lusanne verblijft ondertussen in de kofferbak van de auto van haar belager. Hij is met haar naar Limburg gereden. Die avond parkeert hij zijn auto in een garagebox in Susteren. Lusanne blijft in de kofferbak. De volgende dag mag Lusanne twee keer naar huis bellen. Later blijkt dat ze heeft gebeld vanuit een telefooncel bij het NS-station van Roermond. Onderweg trakteert Simon S. haar op een patatje bij een snackbar in Echt. Het ziet er vreemd uit: een oudere man met een jong meisje dat bijna haar hele hoofd in het verband gewikkeld heeft. De ontvoerder heeft dit gedaan omdat hij denkt dat Lusanne zo voor iedereen onherkenbaar is.

Ook de tweede nacht brengt ze weer door in de kofferbak. In een fles Rivella, waaruit ze voor de nacht moet drinken, heeft de ontvoerder het kalmeringsmiddel oxazepam gedaan.

Een dag later, op woensdagavond 27 augustus, wordt Lusanne rond 20 uur vrijgelaten op het parkeerterrein van een hotel in Venlo.

Als ze naar binnen loopt, herkent een medewerker het meisje en belt meteen de politie. Nog diezelfde avond wordt Lusanne door haar ouders opgehaald. De goede afloop leidt tot een waar volksfeest in haar woonplaats Oldeberkoop.

Op vrijdag 5 september 2003 kan dankzij een tip de dader worden gearresteerd. De inmiddels 64-jarige alternatief genezer Simon S. wordt in hoger beroep tot acht jaar gevangenisstraf veroordeeld. Ook een kennis van S., de 57-jarige Jacob van A. uit het Drentse Tweede Exloërmond, moet zeven maanden de cel in wegens medeplichtigheid. Hij werd tijdens de ontvoering door zijn kennis op de hoogte gebracht. Hij adviseerde Simon toen om het meisje vrij te laten. Justitie neemt het hem hoogst kwalijk dat hij de politie niet heeft ingelicht.

Na het uitzitten van zijn straf komt Simon S. opnieuw met justitie in aanraking wegens hennepteelt. Lusanne heeft inmiddels een vriend en een baan als vrachtwagenchauffeur.

2003: Reinier Terwindt, Nijmegen, Nederland

Een notering in de Quote 500 brengt de 37-jarige botanicus Job G. bij de familie Terwindt. De familie Terwindt is eigenaar van Rodruza Baksteen in Nijmegen. Volgens de Quote 500 is de familie steenrijk: met een kapitaal van 192 miljoen euro staat ze op nummer 79 in de lijst van rijkste Nederlanders.

Op dinsdagmiddag 21 oktober 2003 belt G. aan bij de villa van de familie. De 16-jarige Reinier doet in een badjas de deur open. Job G. zegt dat hij een bos bloemen voor de familie heeft. De scholier is alleen thuis en laat de man binnen wanneer deze aanbiedt te helpen de bloemen in een vaas te zetten. Met een mes snijdt G. de bloemen schuin af.

Plotseling zet de man het mes op de keel van Reinier. De bloemenman knevelt en blinddoekt de jongen en neemt hem mee naar buiten. Daar duwt hij hem in de kofferbak van zijn Ford Scorpio. De ontvoerder rijdt met zijn slachtoffer naar een gehuurde vakantiewoning in het Belgische Sankt Vith, in het Duitstalige deel van de Ardennen. Hij maakt Reinier bang door te zeggen dat het huisje buiten wordt bewaakt door de Servische maffia. Reinier wordt op de onverwarmde bovenverdieping vastgebonden op een bed. Hij moet zijn behoefte doen op een emmer.

Wanneer de ouders van Reinier later die middag thuiskomen, vinden ze een losgeldbrief in de keuken: '*Euro 10.000.000,00 is deman-*

ded for safe return.' Via de mobiele telefoon en internetcafés neemt Jos G. contact op met de familie Terwindt, om het verdere verloop van de losgeldbetaling door te geven. Met behulp van de collega's van de Duitse en Belgische politie, en zelfs de FBI, kan de politie al snel lokaliseren waarvandaan gebeld en gemaild wordt.

De familie vraagt tijdens de telefoongesprekken om een teken van leven. De kidnapper rijdt hierop met zijn slachtoffer in de kofferbak vanuit België naar Nederland. Hij stopt bij een parkeerplaats aan de A2 bij het Limburgse Eijsden. Hier laat hij Reinier met zijn moeder bellen.

De politie, die met 450 man aan de zaak werkt, kent ondertussen de identiteit van de dader en heeft hem onder observatie. Zodra G. die zaterdagavond 25 oktober even de auto verlaat, wordt hij door het arrestatieteam gearresteerd. Reinier wordt uit de kofferbak bevrijd. In de zomer van 2004 wordt Jos G. – zelf vader van vier kinderen – veroordeeld tot een gevangenisstraf van tien jaar.

2005: Claudia Melchers, Amsterdam, Nederland
De dochter van de vermogende industrieel Hans Melchers wordt op 12 september vanuit haar woning in Amsterdam ontvoerd. De ontvoerders eisen 300 kilo cocaïne als losgeld. Een van de daders blijkt op dezelfde bridgeclub te zitten als Claudia. Na twee dagen wordt ze vrijgelaten.

Bibliografie

Deze bibliografie bevat een overzicht van de belangrijkste bronnen die ik heb geraadpleegd.

Boeken

Amelung, Nicole (1997). *Die Oetker Entführung. Geständnis des Dieter Zlof: die Geschichte der 21-Millionen-Erpressung.* Neuss: Lesani Medienverlag GmbH

Beek, Gert van (2013). *Meneer Heineken, het is voorbij. Hoe de politie Freddy Heineken bevrijdde.* Amsterdam: Ambo|Anthos

Cleemput, Els en Alain Guillaume (1990). *Losgeld voor een leven, Paul Vanden Boeynants dertig dagen in handen van Patrick Haemers.* Zonhoven: Boek

Condon, dr. John F. (1936). *Jafsie Tells All! Revealing the Inside Story of the Lindbergh-Hauptmann Case.* New York: Jonathan Lee Publishing Corp.

Crowe, Pat (1927). *Spreading Evil. Pat Crowe's Autobiography.* New York: The Branwell Company

Douglas, John E. en Mark Olshaker (1995). *The Cases That Haunt Us.* New York: Scribner

Fox, Charles (2013). *Uncommon Youth. The Gilded Life and Tragic Times of J. Paul Getty III.* New York: St. Martin's Press

Galon, Stephan (2013). *Operatie Diane, 18 maanden in het spoor van de Speciale Eenheden.* Antwerpen: Manteau

Hagen, Carrie (2011). *We is got him, The kidnapping that changed America.* New York: The Overlook Press

Hamilton, Stanley (2003). *Machine Gun Kelly's Last Stand.* Lawrence: The University Press of Kansas

Heuvel, John van den en Bert Huisjes (2010). *Ontvoering! Het geheime dossier over Ferdi E.* Utrecht: House of Knowledge

Kahlar Alix, Ernest (1978). *Ransom Kidnapping in America 1874-1974. The Creation of a Capital Crime.* Illinois: Southern Illinois University Press

Kivits, Nick en Sjerp Jaarsma (2010). *De Heineken ontvoering. Het ware verhaal.* Meppel: Just Publishers

Koblas, John (2005). *The Last Outlaw, The Life of Pat Crowe.* Minnesota: North Star Press of St. Cloud, Inc.

Korterink, Hendrik Jan (1994). *Moord in Nederland: de daders, hun fantasieën en hun willekeurige slachtoffers.* Hoevelaken: Verba

Korterink, Hendrik Jan (1996). *De dynastie Van der Valk. De up en downs van een ondernemende familie.* Haarlem: Media Plus

Korterink, Hendrik Jan (2013). *Cor, het levensverhaal van een ras-Amsterdammer en beroepscrimineel.* Meppel: Just Publishers

Krist, Gary (1972). *Life. The man who kidnapped Barbara Mackle.* New York: The Olympia Press Inc.

Lezy, Dominique (1975). *On a kidnappe Eric.* Walton-on-Thames: Thomas Nelson and Sons Ltd.

Messick, Hank en Burt Goldblatt (1974). *Kidnapping, The Illustrated History.* New York: The Dial Press

Miller, Gene en Barbara Jane Mackle (1971). *83 Hours Till Dawn.* New York: Doubleday & Company

Newton, Michael (2002). *The Encyclopedia of Kidnappings.* New York: Checkmark Books

Oers, Harry van (2010). *De dag van de grote ontsnapping.* Antwerpen: Witsand Uitgevers

Ollenburg, Heinz-Joachim en Angela Poeck (1973). *Va Banque. Die 7-Millionen-Entführung eines Multimillionars.* Opladen: Heggen-Verlag

Rijn, Ellen van (2011). *Mijn ontvoering. Voor het eerst verteld door Toos van der Valk.* Amsterdam: Artemis en co

Ross, Christian Kunkel (1876). *The father's story of Charley Ross, the kidnapped child.* Philadelphia: John E. Potter and Company

Toussaint, Yvon (1996). *Les barons Empain.* Parijs: Librairie Arthème Fayard

Tyack, Denise (2012). *Mijn leven met Patrick Haemers, opgetekend door Peter Boeckx.* Tielt: Lannoo NV

Verburg, Alex (2006). *De Verzoening. Het verhaal van Hank Heijn.* Amsterdam: De Arbeiderspers

Vries, Peter R. de (1983). *De zaak Heineken.* Leiden: Batteljee & Terpstra

Vries, Peter R. de (1987). *De ontvoering van Alfred Heineken* (eerste druk). Baarn: In den Toren

Vries, Peter R. de (1993). *Cipier, mag ik een pistool van u?* Baarn: De Fontein

Vries, Peter R. de (1995). *Uit de dossiers van commissaris Toorenaar.* Baarn: De Fontein

Vries, Peter R. de (2013). *De ontvoering van Alfred Heineken* (27e druk). Baarn: De Fontein

Waller, George (1961/1962). *Kidnap, de geschiedenis van de Lindbergh-zaak.* Zwolle: N.V. Koninklijken Erven J.J. Tijl

Wright, Richard P. (2009). *Kidnap for Ransom, Resolving the Unthinkable.* Boca Raton: CRC Press

Zorn, Robert (2012). *Cemetery John: The Undiscovered Mastermind of the Lindbergh Kidnapping.* New York: The Overlook Press

Radio
WBEZ (2002). This American Life

Televisie
Endemol (1997, 2007). *Peter R. de Vries – Misdaadverslaggever.* Uitgezonden door respectievelijk RTL 4 en SBS 6

PBS Nova (2013). *Who Killed Lindbergh's Baby?* WGBH Educational Foundation

VRT (2008). *De zaak Anthony.* Uitgezonden door Canvas

VTM (1995). *Levensgevaar*

Woestijnvis (2012). *De bende Haemers.* Zesdelige documentaire-reeks, uitgezonden door Vier

Beeld en Geluid, NOS, VTM Journaal, Pathé News, Historic Films Stock Footage Archives, BBC, RTBF, VRT, BRT, INA, ZDF, ARD, Fox Files, France 2, ARD, ITN, Spiegel TV

Kranten
De Telegraaf, Algemeen Dagblad, Het Parool, Trouw, NRC Handelsblad, Leeuwarder Courant, Reformatorisch Dagblad, Nederlands Dagblad, Nieuwsblad van het Noorden, Eindhovens Dagblad, Brabants Dagblad, De Gazet van Antwerpen, De Morgen, Het Nieuwsblad, De Standaard, Het Belang van Limburg, Het Laatste Nieuws, Le Soir, The Glasgow Herald, New York municipal gazette, The Standard-Examiner, The Kansas City Star, Independent from Long Beach, California, Milwaukee Journal, Reno Evening Gazette, Pittsburgh Post-Gazette, The Deseret News, The Miami News, Herald Journal, Nevada Daily Mail, Reading Eagle, The Pittsburgh Press, The Spokeman-Review, The St. Petersberg Times, The New York Times, The Washington Post

Tijdschriften
Panorama, Elsevier, Vrij Nederland, Nieuwe Revu, Der Spiegel, Stern,
Paris Match, Humo

Internet
misdaadjournalist.nl, telegraaf.nl, news.google.com, youtube.
com, publicdomainfootage.com, zeit.de, digibron.nl, faz.net, ful
tonhistory.com,newspapers.com, historien.nl, acedemic.ru, wort.
lu, spiegel.de, tagesspiegel.de, abcnews.go.com, crimelibrary.com,
washingonpost.com, deredactie.nl, nieuwsblad.com, leagle.com,
articles.latimes.com, jananddean-janberry.com, nytimes.com,
trouw.nl, telegraph.co.uk, krisennavigator.de, trutv.com, lepoint.
fr, dbnl.org, memphisflyer.com, charleslindbergh.com, philadelphi
aspeaks.com, video.lefigaro.tv, archive.org, humo.be, bendevannij
vel.com, nooitmeerdezelfde.be, berliner-zeitung.de, thefreelibrary.
com, archipelwillemspark.nl, member.home.nl, dekrantvantoen.nl

Verantwoording
Dank aan Nico Schaaf jr., omdat hij zijn unieke historische kidnaplo-
catie op de Heining altijd beschikbaar heeft gesteld. Zeer dankbaar
ben ik Vico Olling, misdaadredacteur van *Panorama*, die mij ooit
heeft aangezet tot schrijven.

Auteursfoto omslag: Herman Mous

Regionaal Archief Zutphen, Collectie Particuliere Stukken Brummen (archiefnr. 2060), inv.nr. 7 'Losgeldbrief': brief van de vermoedelijke ontvoerder van Marius Bogaardt waarin hij om losgeld
vraagt, 1880.

Archieven: Panorama, Jan Spijkerman, De Telegraaf.

Collecties: Peter R. de Vries, Nico Schaaf jr., Sjerp Jaarsma, YouTube

Foto: Freddy Heineken met Sport am Sonntag uit het boek van Gert
van Beek, *Meneer Heineken, het is voorbij*, 2013

Niet van al het afgebeelde fotomateriaal konden de rechthebben-
den worden achterhaald. Zij die menen rechten te kunnen doen
gelden wordt verzocht contact op te nemen met de auteur en/of
uitgever.

Lees ook

Na de ontvoering van biermagnaat Freddy Heineken en chauffeur Ab Doderer werd ontvoerder Cor van Hout een landelijke bekendheid. Over 'de mens Cor van Hout' was echter weinig bekend.

Cor zou het brein achter de kidnap zijn geweest. Maar zijn familie en vrienden kennen hem van zoveel meer. Humoristisch, intelligent, altijd in voor een practical joke: mensen die met hem omgingen, hebben veel gelachen.

Hendrik Jan Korterink schreef de biografie van Cor van Hout, het levensverhaal van een ras-Amsterdammer en beroepscrimineel. Hij ontmoette Van Hout verschillende malen. Voor dit boek sprak hij exclusief met familieleden en vrienden. En met mede-ontvoerders Frans Meijer en Martin Erkamps. Zonder aan persoonsverheerlijking te doen: Cor was een bijzonder iemand. Het was nooit saai als hij in de buurt was.

Cor van Hout werd in 2003 op klaarlichte dag geliquideerd. Het was 'een afrekening in het criminele circuit.' Waarom? Korterink heeft aanwijzingen dat het motief ergens anders vandaan komt dan tot nu toe wordt aangenomen.

Hendrik Jan Korterink (1955) schrijft o.a. voor *Nieuwe Revu* en *Panorama*. Bij Just Publishers verschenen o.a. *BV Bruinsma, Haagse Penoze* en *Misdaadjournalist on the road.* Op zijn veelbezochte website www.misdaadjournalist.nl houdt hij dagelijks het misdaadnieuws bij.

Lees ook

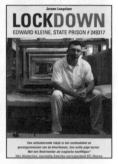

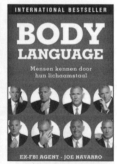

JUST PUBLISHERS